로봇의 지배

RULE OF THE ROBOTS

Rule of the Robots
: How Artificial Intelligence Will Transform Everything

뉴욕타임스 베스트셀러
《로봇의 부상》 저자의 신작

인공지능은
어떻게 모든 것을
바꿔 놓았나
RULE OF
THE
ROBOTS

로봇의
지배

마틴 포드 지음 | 이윤진 옮김

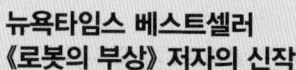

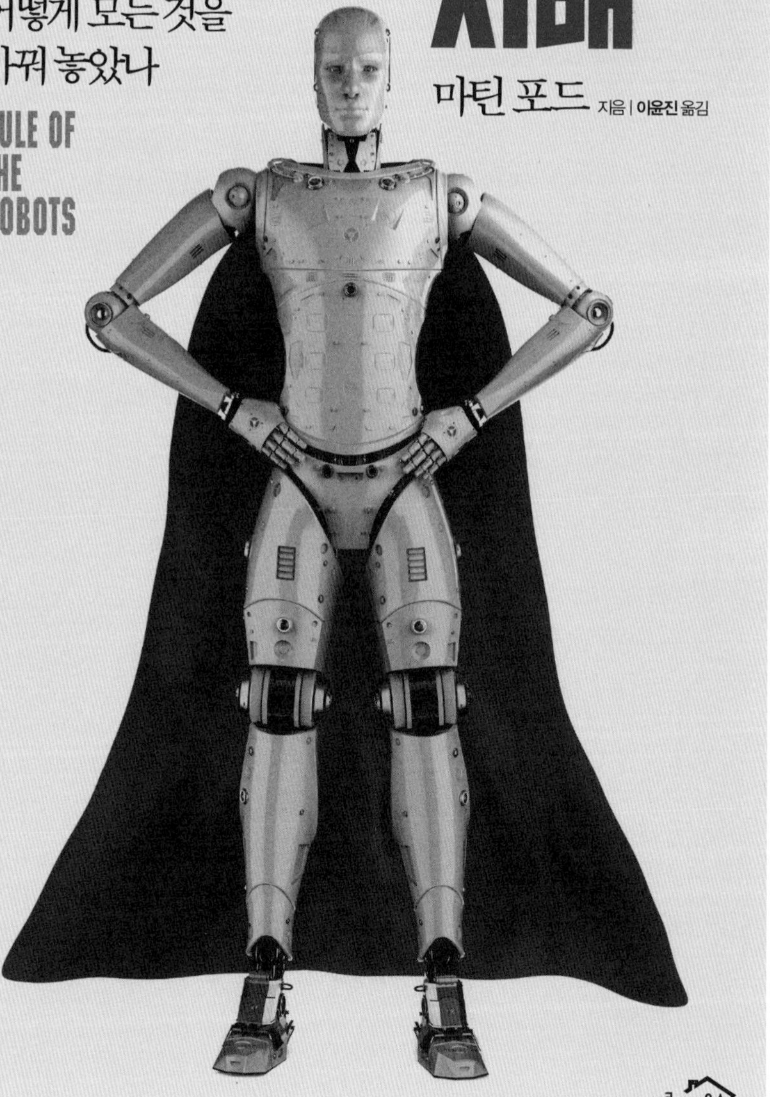

시크릿하우스

RULE OF
THE
ROBOTS

추천의 말

인공지능의 발전과 인공지능이 세상에 끼치는 다면적인 영향, 그리고 이와 연관된 기회와 도전을 설명하는 지금까지 나온 책 가운데 가장 설득력 있는 단 한 권의 책이다. 인공지능 분야에서 일하는 사람들과 다른 영역에서 일하는 사람들 모두가 저자의 현실적이면서도 비판적인 관점을 통해 많은 것을 얻을 수 있을 것이다. 이 책을 강력히 추천한다.

_**제임스 매니카** · 맥킨지글로벌연구소 회장 겸 이사

오늘날 인공지능보다 더 중요한 기술은 없다. 마틴 포드는 이전 책에서 보여준 것처럼 충실한 조사와 흥미진진한 내용으로 중요한 주제에 대해 명확한 통찰과 관찰을 보여주고 있다. 읽는 즐거움이 가득한 책이다.

_**에릭 브리뇰프슨** · 스탠퍼드대학교 디지털경제연구소 소장

인공지능의 사회적·경제적 영향에 관해 가장 믿을 수 있는 책이다.

_**타일러 코웬** · 조지메이슨대학교 경제학 교수

오늘날 인공지능이 어디에 있고, 어떻게 진화할 것이며, 인간 사회에 어떤 위험을 끼치는지를 예리하고 균형 잡힌 시각과 정통한 내용을 바탕으로 논의한다.

_**스튜어트 러셀** · UC버클리 컴퓨터과학 교수, 《인공지능: 현대적 접근 방식》 공저자

로봇공학의 미래에 관해 쓰는 것은 위험한 시도다. 우리 생활의 모든 면을 놀랍고도 제약 없는 관점으로 조명하기 때문이다. 뛰어난 깊이와 엄격함, 그리고 명확함을 겸비한 마틴 포드는 이 도전을 훌륭하게 헤쳐 나가고 있다.

_**주데아 펄** · 튜링상 수상자, 《The Book of Why》 공저자

나의 어머니 실라에게

차 례

1장

예측 불가능한 인공지능이 가져올 미래

RULE OF THE ROBOTS

2020년 11월 30일, 구글의 모회사 알파벳이 소유한 런던 기반 인공
지능 회사 딥마인드는 계산생물학계에 길이 남을 놀랍고도 획기적
인 성과를 발표했다. 과학계와 의료계를 완전히 바꿀 만한 혁신이
었다. 딥마인드는 심층 신경망$^{deep\ neural\ network}$을 이용해 세포에서 얻
은 유전정보를 바탕으로 단백질 분자가 최종적으로 접힐 구조를 예
측하는 데 성공했다. 이 발표는 50년에 걸친 과학적 탐구를 끝내
고 새로운 기술의 도래를 알리는 이정표가 됐다. 그리고 지금껏 밝
히지 못했던 생명의 구조를 드러내고 의료와 제약 분야에서 새로운
혁신의 시대를 열었다.[1]

단백질 분자는 20개의 아미노산 가운데 한 가지 아미노산으로 이

루어진 고리로 연결된 긴 사슬이다. DNA 안에 암호화된 유전자는 단백질 분자를 구성하는 정확한 아미노산 서열 정보를 가지고 있지만, 단백질의 기능을 결정하는 분자 형태를 구체적으로 정해놓지는 않는다. 대신 형태는 분자가 세포에서 만들어지는 밀리초millisecond 안에 매우 복잡한 3차원 구조로 자동으로 접히는 방식에 따라 결정된다.[2]

단백질 분자가 정확히 어떤 구조로 접힐지 예측하는 일은 과학계에서 가장 어려운 과제 중 하나다. 가능한 형태의 수가 사실상 무한하기 때문이다. 많은 과학자가 이 문제에 온전히 헌신했지만, 연구에 쏟은 노력을 모두 합해도 대단한 성과를 얻지는 못했다. 딥마인드가 발표한 시스템은 바둑과 체스 같은 보드게임에서 세계 최고 인간 경쟁자를 상대해 이긴 것으로 유명한 알파고AlphaGo나 알파제로AlphaZero를 개발할 때 사용했던 인공지능 기법을 사용한다. 하지만 게임 숙련도에 집중하는 인공지능의 시대는 이제 분명히 저물고 있다. 알파폴드AlphaFold가 단백질 분자 접힘을 예측하는 능력은 X선 결정법을 사용하는 것처럼 비용과 시간 소모가 큰 연구실 측정과 비교해도 뒤지지 않는 정확도를 보인다. 이런 예측 능력은 인공지능 최전선에서 이루어지는 연구가 세상을 바꿀 실용적이고 꼭 필요한 과학 도구를 만들어왔다는 반박할 수 없는 증거가 된다.

지구상의 거의 모든 사람이 단백질 분자의 3차원 구조가 어떻게 기능을 결정하는지 보여주는 최악의 사례를 접하게 되자(우리는 코로나바이러스의 스파이크spike 단백질을 통해 바이러스가 숙주에 붙어 침투하는 분자 결합 메커니즘을 알게 됐다) 이 획기적인 인공지능 기술에서 다음 팬데믹에는 더 잘 대비할 수 있으리라는 희망을 얻었다. 알파폴드의 가장 중요한 용도 중 하나는 이미 존재하는 치료 물질 가운데 새로 출현한 바이러스에 가장 효과적인 물질을 신속하게 찾아내 바이러스 발생 초기 단계부터 의료진에게 강력한 치료법을 제공하는 데 있다. 또한 딥마인드의 기술은 완전히 새로운 약품을 개발하거나 단백질이 잘못 접히는 이유를 파악하는 것을 포함해(알츠하이머병이나 파킨슨병뿐만 아니라 당뇨병 같은 질환과도 관련이 있다) 다양한 발전을 이끌 준비가 돼 있다. 이 기술은 의료 분야 외에도 폭넓게 사용될 수 있는데, 예컨대 플라스틱이나 기름 같은 폐기물을 분해할 수 있는 단백질을 분비하는 미생물 개발에 적용 가능하다.[3] 다시 말해 알파폴드는 생화학과 의료 전 영역에 걸쳐 진보의 속도를 높일 수 있는 잠재력을 지닌 혁신 기술인 것이다.

지난 10년 동안 인공지능 분야는 혁명적인 도약을 거듭해왔고 우리 주변을 변화시키는 실제 응용 사례가 계속 증가하고 있다. 이러한 진보를 촉진하는 주요 요인은 '딥러닝deep learning'으로, 딥마인드가 사용하는 방식처럼 다층 인공 신경망에 기반을 둔 머신러닝machine learning 기법이다. 심층 신경망의 기본 원리는 수십 년간 연구돼왔지만, 정보 기술 분야에서 꾸준히 이어져온 두 흐름이 만나면서 최근에 비약적으로 발전했다. 먼저, 이전에 없던 대단히 강력한 컴퓨터의 등장으로 신경망은 비로소 활용할 수 있는 도구가 됐다. 그리고 정보 경제 전반에 걸쳐 생성되고 수집되는 방대한 데이터가 신경망이 유용한 과제를 수행하도록 훈련할 때 필요한 결정적인 자원을 제공했다. 사실 이전에는 상상할 수 없던 규모의 데이터를 사용할 수 있게 된 것이 우리가 목격해온 놀라운 발전의 기초가 된 단 하나의 가장 중요한 요인이다. 심층 신경망은 거대한 대왕고래가 작디작은 크릴새우를 잡아먹는 방식과 매우 비슷하게 데이터를 흡수하고 활용한다. 개별적으로는 대단치 않은 유기체들을 수없이 끌어모은 다음, 이 집합적 에너지를 거대한 크기와 힘을 지닌 생명체를 움직이는 데 사용하는 것이다.

인공지능이 점점 더 많은 영역에서 성공적으로 적용됨에 따라 독특한 결과적 기술로 진화할 것이 분명해지고 있다. 예컨대 특정 의료 분야에서 사용되는 진단용 인공지능은 이미 최고 수준의 의사들과 비슷하거나 오히려 이들을 능가하는 성과를 보여주고 있다. 이러한 혁신의 진정한 힘은 세계 수준의 의사 한 명을 뛰어넘을 수 있는 능력 그 자체보다 기술 속에 압축된 지능이 쉽게 확장될 수 있는 용이성에 있다. 머지않아 사람들은 엘리트층이 보유한 전문 진단 지식을 전 세계에서 쉽게 접하게 될 것이고, 이는 세계 최고 수준의 의료 전문가는커녕 의사나 간호사조차 찾아보기 힘든 지역에서도 가능한 일이 될 것이다.

이제 인공지능 기반 진단 도구나 딥마인드의 단백질 접힘 예측 시스템처럼 매우 구체적인 혁신 사례 하나에 의료에서부터 과학, 산업, 교통, 에너지, 정부에 이르기까지 거의 모든 인간 활동 영역에서 생길 수 있는 무한에 가까운 가능성의 수를 곱한다고 상상해보자. 만약 이런 일이 실현된다면 우리는 새롭고 강력한 동력을 얻고 '지능을 전기처럼' 사용하게 될 것이다. 언젠가는 스위치 하나로 우리가 직면하는 어떤 문제에도 인지 능력을 적용할 수 있는 유연한 자원으로 활용하는 날이 올지 모른다. 궁극적으로, 이 새로운 동력은 분석하고 의사 결정을 내릴 뿐만 아니라 복잡한 문제를 해결하고 나아가 창의성을 발휘하는 능력을 제공할 것이다.

내가 이 책을 쓴 목적은 인공지능을 하나의 특정한 혁신 사례가 아니라 확장 가능하고 파괴적인 혁신 기술로 바라보는 관점에서 인공지능이 미래에 끼칠 영향을 살펴보는 데 있다. 머지않아 전기의 영향력에 필적하는 변화를 가져올 강력하고 새로운 동력으로서 인공지능에 접근하려는 것이다. 여기서 제시할 주장과 설명은 이 분야의 전문가로서 체험한 세 가지 개인적인 경험에 크게 도움을 받았다.

첫 번째는 내가 쓴 책 《로봇의 부상: 인공지능의 진화와 미래의 실직 위협》이 2015년에 출간된 이후 여러 기술 콘퍼런스와 지역 정상회담, 기업 및 학술 행사에서 인공지능과 로봇공학이 끼칠 영향에 대해 강연해달라는 요청을 받은 것이다. 그 덕분에 나는 30개국 이상을 다니며 연구실을 방문하고 첨단 기술 시연을 참관하고 기술 전문가, 경제학자, 기업 임원, 투자가, 정치인뿐만 아니라 주변에서 일어나는 변화를 목격하고 걱정하기 시작한 일반인들과 더불어 앞으로 전개될 인공지능 혁명이 끼칠 영향에 대해 의견을 나누고 토론할 기회를 얻었다.

두 번째는 2017년에 프랑스 금융 기업 소시에테제네랄Société Générale 팀과 함께 투자자들에게 인공지능과 로봇공학 혁신에서 얻는 직접적인 혜택을 제공하는 독점적 주식시장지수index를 개발하기 시작한 것이다. 나는 이 주제와 관련한 컨설팅 전문가로서 인공지능이 강력한 새로운 동력이 되고 있고, 따라서 앞으로 다양한 산업 분야에서 가치를 창출하고 사업을 변화시킬 것이라는 관점에 입각해 전략을 수립하도록 도움을 주었다. 그 결과 소시에테제네랄의 '라이즈 오브 더 로봇Rise of the Robots' 인덱스가 만들어지고 이 지수를 기반으로 상장지수 펀드 릭소 로보틱스 앤드 AI Lyxor Robotics & AI ETF가 만들어졌다.[4]

마지막으로, 나는 2018년 한 해 동안 세계에서 가장 유명한 인공지능 과학자와 기업가 23명을 만나 폭넓은 대화를 나눌 기회를 누렸다. 인공지능 분야의 '아인슈타인'이라고 할 수 있는 이들 가운데 실제로 네 사람은 컴퓨터과학계의 노벨상이라 불리는 튜링상Turing Award을 받았다. 이들과 함께 인공지능의 미래와 진보가 가져올 위험과 기회에 대해 심도 있게 나눈 대화는 2018년에 출간된 책 《AI 마인드: 세계적인 인공지능 개발자들이 알려주는 진실》에 고스란히

담겨 있다. 나는 인공지능 분야에서 일하는 뛰어난 지성들의 생각 속으로 들어가보는 특별한 경험을 했고, 정말 많은 것을 얻었다. 그들의 통찰력과 예측은 이 책의 여러 곳에 사용된 자료에 직접적인 정보를 제공해주었다.

인공지능을 새로운 전기로 바라보는 관점은 기술이 어떻게 진화하고, 궁극적으로 경제, 사회, 문화의 거의 모든 영역에 어떤 영향을 끼칠지를 생각하는 데 유용한 모델이 된다. 여기에는 중요한 원칙이 하나 있다. 일반적으로 사람들은 전기를 의심할 여지 없이 긍정적인 힘으로 생각한다. 문명이 닿지 않는 곳에서 은둔하지 않는 다음에야 개발된 국가에서 사는 이들 가운데 전기로 돌아가는 세상을 한탄할 사람은 거의 없을 것이다. 하지만 인공지능은 다르다. 인공지능에는 어두운 면이 있고 개인과 사회 전체에 끼칠 수 있는 진짜 위험을 동반한다.

인공지능이 계속 발전할수록 노동시장과 경제 전반에 유례없는 변화가 일어날 것이다. 업무 성격이 단조롭고 예측 가능한 직업, 다시 말해 비슷한 작업이 반복되는 일자리는 전부 또는 부분적으로 자동화될 가능성이 있다. 연구에 따르면 미국 노동인구 가운데 절반가량이 이처럼 예측 가능한 활동에 종사하고 있고, 미국 안에서만 수천만 개의 일자리가 사라질 수 있다고 전망한다.[5] 그 영향력은 저임금층이나 비숙련 노동자에 국한되지 않을 것이다. 화이트칼라나 전문직 종사자 가운데 많은 수가 상대적으로 단조로운 업무를 수행한다. 특히 예측 가능한 지식 노동은 소프트웨어로 처리할 수 있으므로 자동화될 위험이 크다. 오히려 육체노동을 대체하려면 고가의 로봇이 필요하다.

자동화가 미래 노동인구에 끼칠 영향력에 대해서는 활발한 논의가 진행되고 있다. 단조로운 일자리를 잃은 노동자를 흡수하기 위해 새로 창출되는 직업은 앞으로 자동화되지 않고 그 수가 충분할까? 만약 그렇다면 사람들은 새로운 역할로 성공적으로 전환하는데 필요한 기술과 능력, 특성을 갖추게 될까? 이전에 트럭을 운전했거나 패스트푸드점에서 일했던 노동자가 로봇공학 엔지니어가 되거나 노인을 돌보는 개인 간병인이 될 수 있다고 가정해서는 안될 것이다. 《로봇의 부상》에서 주장했듯이 나는 인공지능과 로봇이 계속 발전할수록 노동인구 대부분이 결국 뒤처지는 위험에 처할 것으로 생각한다. 그리고 코로나바이러스 팬데믹과 그에 따른 경제 침체가 인공지능이 노동시장에 끼칠 영향력을 가속할 것으로 믿는 타당한 이유를 살펴보게 될 것이다.

자동화 때문에 일자리가 완전히 사라질 위험은 잠시 접어두더라도 기술 발전은 우리가 걱정할 만한 또 다른 방식으로 이미 노동시장에 영향을 끼치고 있다. 중산층 일자리는 필요한 기술이 점점 단순해지는 탈숙련화의 위험에 처했고, 반면 훈련을 거의 받지 않은 저임금 노동자는 기술의 도움을 받아 한때 더 높은 임금을 받던 일자리로 진입할 수 있다. 사람들은 점점 더 자신을 가상 로봇처럼 취급하며 업무를 감시하고 속도를 조절하는 알고리즘의 통제를 받으며 일하고 있다. '긱gig' 경제에서 새로운 기회들이 생기고 있지만, 이 분야에서 일하는 사람들은 대체로 노동시간과 수입을 예측할 수 없다. 이 모든 것은 점점 더 많은 사람이 종사하는 분야에서 늘어나는 불평등과 잠재적인 비인간화 조건을 가리킨다.

일자리와 경제에 끼치는 영향 외에도 인공지능의 부상이 가져올 위협은 다양하다. 가장 즉각적인 위협 중 하나는 보안에 관한 것이다. 여기에는 민주적 절차와 사회조직에 가해지는 위협과 더불어 점점 더 서로 연결되고 인공지능으로 관리되는 물리적 인프라와 주요 시스템에 가해질 인공지능 기반 사이버 공격이 포함된다. 2016년 러시아의 미국 대통령 선거 개입은 앞으로 일어날 수 있는 비교적 단순한 사례를 미리 보여준다. 심각한 경우, 인공지능은 사진, 음성, 영상을 조작해 현실과 거의 구분할 수 없는 '가짜 뉴스'를 주입할 수 있고, 언젠가는 진보한 봇bot 군단이 소셜 미디어를 침범해 혼란을 심고 무서울 정도로 능숙하게 여론을 형성할 수 있을 것이다.

전 세계, 특히 중국에서 얼굴 인식과 다른 인공지능 기술을 도입한 감시 시스템이 권위주의 정부의 권력과 지배력을 강화하고 개인의 사생활에 대한 기대를 무너뜨리는 수단으로 사용되고 있다. 미국에서는 알고리즘이 이력서를 선별하거나 형사재판에서 판사에게 형량을 결정하는 자료를 제공하는 등의 몇몇 사례를 통해 얼굴 인식 시스템이 인종이나 성별에 편향된 것으로 드러났다.

하지만 단기적으로 가장 두려운 위협은 인간의 구체적인 승인이나 개입 없이 살상을 실행할 수 있는 완전 자율 무기fully autonomous weapon의 개발이다. 이런 무기는 인구 전체를 대상으로 대량 사용될 수 있고, 특히 테러리스트의 손에 들어간다면 방어하기가 극히 어려울 것이다. 이 문제는 인공지능을 연구하는 커뮤니티에 속한 많은 사람이 미리 방지하고자 열정을 갖고 노력하는 주제이고, 유엔UN에서 이와 같은 무기를 금지하기 위한 이니셔티브를 마련하고 있다.

앞으로 우리는 더 큰 위험에 부딪힐 수 있다. 인공지능이 인류에게 실존적 위협이 될 수 있을까? 언젠가 인간의 능력을 훨씬 뛰어넘고, 의도했든 아니든 인간에게 해를 끼치는 '초지능superintelligent' 기계를 만들게 될까? 이런 질문은 언젠가 우리가 진정한 의미에서 지능이 있는 기계를 개발했을 때 우려할 만한 두려움이다. 아직은 공상과학소설의 소재일 뿐이지만, 인간 수준의 인공지능을 개발하는 것은 이 분야의 궁극적인 목표와 같고 여러 분야의 지식인이 이 문제를 매우 심각하게 생각한다. 스티븐 호킹이나 일론 머스크 같은 저명인사들은 통제를 벗어난 인공지능의 위험성을 경고했고, 특히 일론 머스크는 인공지능 연구가 "악마를 불러들이고 있다", "인공지능은 핵무기보다 더 위험하다"라고 단언하며 언론의 뜨거운 관심을 불러일으켰다.[6]

이 모든 우려에도 불구하고 우리가 판도라의 상자를 열어야 하는 이유가 궁금한 사람들이 있을 것이다. 그 대답은 인류가 인공지능 문제를 그냥 내버려둘 여유가 없다는 것이다. 인공지능은 인간의 지적 능력과 창의성을 증폭할 것이고, 그에 따라 인간 활동의 거의 모든 영역에 걸쳐 혁신을 주도할 것이다. 우리는 신약 개발과 새로운 치료법, 더 효율적인 청정에너지원과 여러 획기적인 돌파구를 기대할 수 있다. 확실히 인공지능이 일자리를 파괴하겠지만 인공지능 경제가 생산하는 제품과 서비스를 더 저렴하게 이용하게 될 것이다. 컨설팅 회사 프라이스워터하우스쿠퍼스PwC의 분석에 따르면 인공지능은 2030년까지 세계경제에 약 15조 7,000억 달러를 추가할 것으로 보인다. 그리고 이러한 전망은 지금 우리가 코로나바이러스 팬데믹으로 촉발된 대규모 경제 위기에서 회복하기를 바라기 때문에 더 중요하다.[7] 하지만 가장 중요한 이유는 기후변화와 환경 악화, 불가피한 다음 팬데믹, 에너지와 담수 고갈, 빈곤, 교육 접근성 부족을 포함해 우리가 직면한 거대한 도전 과제를 해결하는 데 없어서는 안 될 도구로 인공지능이 진화할 것이기 때문이다.

앞으로 우리는 인공지능의 가능성을 완전히 수용하는 방향으로 나가야 하고 열린 시각을 유지해야 한다. 여러 위험도 해결해야 할 것이다. 어떤 경우에는 인공지능의 적용을 규제해야 할 수도 있고, 다른 경우에는 금지해야 할 수도 있다. 이 모든 일을 지금 시작해야 한다. 미래는 우리가 준비하기 훨씬 전에 이미 도착할 준비를 마쳤기 때문이다.

이 책이 인공지능의 미래에 대한 '로드 맵'을 제공한다고 주장하려면 과장법을 사용할 수밖에 없다. 인공지능이 얼마나 빠르게 발전할지는 아무도 알 수 없다. 인공지능을 활용할 수 있는 구체적인 방법이 무엇인지, 어떤 기업이나 산업이 급부상할지, 어떤 위험이 가장 클지도 알지 못한다. 인공지능의 미래는 파괴적인 영향력만큼 예측하는 것도 불가능해 보인다. 로드 맵은 없다. 우리는 스스로 생각해야 한다. 나는 이 책이 다가올 일들에 대비하는 방법을 제시할 수 있기를 바란다. 이 책을 가이드 삼아 앞으로 펼쳐질 인공지능 혁명에 대해 생각하고 과장과 선정주의를 현실과 분리하며 우리가 만들어가는 미래에 개인과 사회가 모두 번영하는 최선의 방법을 찾는 데 도움이 되길 희망한다.

2장

새로운 전기, 인공지능

RULE OF
THE
ROBOTS

전기는 한때 대중을 즐겁게 하는 눈속임이나 실험에 쓰이는 오락거리로 평가됐지만, 현대 문명을 형성하고 가능하게 한 원동력이라는 점은 반박할 수 없다. 안정적으로 전력망을 이용하는 것이 당연한 세상에서 전기가 지배적인 위치에 오르기까지 얼마나 길고 험난한 과정을 거쳤는지는 잊기 쉽다. 벤저민 프랭클린이 연날리기 실험을 했던 1752년부터 토머스 에디슨이 마침내 백열전구를 완성한 1879년까지 꼬박 127년이 흘렀다. 그때부터는 일이 빠르게 진행됐다. 같은 해 영국에서 리버풀 전기조명법Liverpool Electric Lighting Act이 제정돼 영국 최초로 전기 가로등이 생기는 기반을 마련했고, 불과 3년 뒤에는 뉴욕시의 펄스트리트발전소Pearl Street Power Plant와 런던의 에디슨 전기조명회사Edison Electric Light Station가 가동되기 시작했다. 그러나 1925년까지도 미국 가정의 절반만이 전기를 사용할 수 있었다. 프랭클린 루스벨트 대통령이 지역 전기화 사업법Rural Electrification Act을 시행해 전기가 오늘날 우리가 아는 것처럼 어디에나 존재하는 동력으로 진화하기까지 수십 년이 더 걸렸다.

개발된 국가에 사는 사람들에게 어떤 식으로든 전기가 닿지 않고, 전기 없이 만들어지는 것은 거의 없다. 전기는 아미 범용 기술 가운데 최고이자 내구성이 가장 뛰어난 최고의 사례일 것이다. 다시 말해 전기는 경제와 사회의 모든 측면을 확장하고 변화시키는 혁신이다. 산업혁명을 일으킨 증기기관도 범용 기술에 포함되지만, 지금은 원자력발전 같은 다른 응용 분야에 밀려났다. 내연기관도 분명히 혁신적이었지만 지금은 가스엔진과 디젤엔진이 전기모터로 거의 완전히 대체되는 미래를 아주 쉽게 상상할 수 있다. 디스토피아적인 재앙 시나리오가 아니라면, 전기 없는 미래를 상상하기란 거의 불가능하다.

그러므로 인공지능이 전기에 비교될 만한 규모와 힘을 가진 범용 기술로 진화할 것이라는 주장은 매우 대범하다. 하지만 이것이 우리가 가고 있는 길이라고 믿을 만한 타당한 이유는 여러 가지다. 전기와 마찬가지로 인공지능은 결국 거의 모든 것과 접촉하고 거의 모든 것을 변화시킬 것이다.

인공지능은 농업, 제조, 의료, 금융, 소매 및 다른 여러 산업을 포함하는 경제의 모든 부문에 이미 영향을 끼치고 있다. 이 기술은 가장 인간적이라고 생각하는 영역까지 침범하기 시작했다. 인공지능 챗봇chatbot이 24시간 정신 건강 상담을 받을 수 있도록 지원하고, 딥러닝 기술로 새로운 형태의 시각예술과 음악을 만들고 있다. 사실 전혀 놀랄 일이 아니다. 결국 인간이 창조해온 모든 가치는 학습하고 혁신하고 창의성을 발휘하는 능력인 지능의 직접적인 산물이다. 인공지능은 우리의 지능을 증폭시키고 증강하고 대체하면서 필연적으로 가장 강력하고 폭넓게 적용할 수 있는 기술로 진화할 것이다. 실제로 인공지능은 코로나바이러스로 촉발된 위기에서 회복할 때 우리가 가진 가장 효과적인 도구 중 하나로 밝혀질 것이다.

　게다가 인공지능은 전기의 경우보다 훨씬 빨리 우위를 점할 가능성이 크다. 이렇게 생각하는 이유는 인공지능을 배포할 때 필요한 많은 인프라가 이미 갖춰져 있기 때문이다. 우리는 컴퓨터, 인터넷, 모바일 데이터 서비스와 특히 아마존, 마이크로소프트, 구글 같은 기업이 운영하는 거대한 클라우드 컴퓨팅 시설을 이미 사용하고 있다. 에디슨이 전구를 발명했을 때 만약 발전소와 송전선이 이미 대부분 구축됐더라면 얼마나 빨리 전기가 보급됐을지 상상해보라. 인공지능은 세상을 재편할 태세를 갖추었고, 우리가 예상하는 것보다 그 일은 훨씬 빨리 일어날 수 있다.

지능을 전기처럼 쓴다면

인공지능을 전기에 비유하는 이유는 어디에나 있고 보편적으로 접근할 수 있으며, 결국 인류 문명의 거의 모든 측면에 닿아 이를 변화시킬 것이라는 의미가 있기 때문이다. 하지만 두 기술 사이에는 결정적으로 다른 점이 있다. 전기는 시간이나 장소에 상관없이 안정적으로 이용할 수 있는 대체 가능한 상품이다. 우리가 있는 장소나 전력을 공급하는 회사에 상관없이 우리가 전력망을 통해 접근하는 전기는 근본적으로 같다. 오늘날 제공되는 전기와 1950년에 사용할 수 있었던 전기는 거의 달라지지 않았다. 반면에 인공지능은 동질성이 훨씬 적고 엄청나게 역동적이다. 인공지능은 끊임없이 변화하는 다양한 기능과 응용프로그램을 제공하고 정확히 누가 기술을 제공하는지에 따라 크게 달라질 수 있다. 5장에서 살펴보겠지만 인공지능은 끊임없이 발전해 능력을 확장하고 인간 수준의 지능에 근접하며 언젠가는 그 수준을 능가하게 될 것이다.

전기는 다른 혁신이 작동할 수 있도록 동력을 공급하지만, 인공지능은 직접 지적 능력을 제공한다. 여기에는 문제를 해결하고 의사 결정을 내리는 능력부터 언젠가는 가능해질 추론하고 혁신하며 새로운 아이디어를 구상하는 능력까지 포함된다. 전기는 노동력을 절감하는 기계에 동력을 공급하지만, 인공지능은 그 자체가 노동 절약형 기술이고 경제 전반에 확산할수록 인간 노동력과 기업 및 조직 구조에 엄청난 영향을 끼칠 것이다.

인공지능이 보편적 동력으로 진화해갈수록 전기가 현대 문명의 토대가 되었듯이 미래를 형성하게 될 것이다. 건물과 다른 기반 시설이 기존 전력망을 활용하도록 설계되고 건설되는 것처럼 미래의 인프라는 처음부터 인공지능의 힘을 활용하는 바탕에서 설계될 것이다. 이런 생각은 물리적인 구조를 넘어 우리 경제와 사회 모든 면의 구조를 바꾸어놓는 데까지 확장될 것이다. 새로운 기업과 조직은 시작부터 인공지능을 활용하기 위해 세워질 것이고, 인공지능은 앞으로 모든 사업 모델의 중요한 구성 요소가 될 것이다. 정치·사회 제도도 어디에나 존재하는 새로운 동력을 받아들이고 여기에 기반을 두는 방향으로 진화할 것이다.

이 모든 것의 결말은 인공지능이 마침내 전기의 위상에 도달하는 것이지만, 전기와 같은 안정성이나 예측 가능성은 갖지 못할 것이다. 인공지능은 훨씬 더 역동적이고 혁신적이며 무엇에 닿든지 그것을 완전히 바꾸어놓는 잠재력을 가진 힘으로 남을 것이다. 어쨌든 지능은 궁극의 자원이고 인간이 창조한 모든 것의 기초가 되는 근본 능력이다. 이 자원이 보편적으로 접근할 수 있고 누구나 사용할 수 있는 동력으로 탈바꿈하는 것보다 더 중요한 발전은 상상하기 어렵다.

새롭게 떠오르는
인공지능 인프라

다른 동력과 마찬가지로 인공지능을 사용하려면 이 기술을 보편적으로 전달할 수 있는 네트워크가 필요하다. 물론 이미 존재하는 거대한 컴퓨팅 인프라에서 시작할 수 있다. 여기에는 수십억 대의 노트북이나 데스크톱 컴퓨터를 비롯해 엄청난 규모의 데이터 센터에 있는 서버와 급속히 확장하는 고성능 모바일 기기 환경이 포함된다. 인공지능의 전달 수단으로서 분산 컴퓨팅 플랫폼의 효율성은 특히 심층 신경망에 최적화해 설계된 다양한 하드웨어와 소프트웨어의 도입으로 비약적으로 향상되고 있다.

이러한 진화는 주로 움직임이 빠른 비디오게임을 구현할 때 사용되는 특수한 그래픽 프로세서가 딥러닝 응용프로그램에 강력한 촉진제 역할을 한다고 밝혀지면서 시작됐다. GPU Graphics Processing Unit는 본래 고해상도 그래픽을 거의 즉시 렌더링할 때 필요한 계산을 강화할 목적으로 설계됐다. 1990년대부터 이렇게 특화된 컴퓨터 칩이 소니 플레이스테이션PlayStation이나 마이크로소프트 엑스박스Xbox 같은 고성능 비디오게임 콘솔에서 특히 중요해졌다. GPU는 데이터를 병렬처리하는 구조라 방대한 연산을 신속하게 수행하는 데 최적화돼 있다. 일반적인 노트북에 사용되는 중앙처리장치CPU는 두 개 또는 네 개인 반면 계산의 '핵심core'인 오늘날의 고급 GPU는 수천 개의 특화된 코어를 가지고 있고, 하나하나가 동시에 고속으로 숫자를 계산할 수 있다. 연구자들이 딥러닝 응용프로그램에 필요한 계산이 그래픽 렌더링에 필요한 것과 거의 비슷하다는 사실을 발견하자 일제히 GPU를 사용하기 시작했고, 따라서 인공지능용 주요 하드웨어 플랫폼으로 빠르게 진화했다.

사실 이런 전환은 2012년부터 시작된 딥러닝 혁명을 가능케 한 핵심 요인이었다. 같은 해 9월 토론토대학교 인공지능 연구팀이 머신 비전machine vision에 중점을 둔 중요한 연례행사이자 인공지능 기반 대규모 이미지 분류 대회인 ILSVRCImageNet Large Scale Visual Recognition Challenge(이하 이미지넷 대회)에서 딥러닝을 적용한 것이 기술 업계의 레이더에 포착됐다. GPU 칩에 의존해 심층 신경망을 가속하지 않고도 토론토대학교의 출품작이 대회에서 우승할 만큼 충분히 성능을 발휘할지는 의문이었다.

토론토대학교 팀은 엔비디아NVIDIA가 제조한 GPU를 사용했다. 1993년에 설립된 이 회사는 최첨단 그래픽 칩의 설계와 제조에 사업을 집중했다. 2012년 이미지넷 대회를 계기로 딥러닝과 GPU 사이의 강력한 시너지 효과가 널리 알려지자 엔비디아는 극적인 궤도 수정을 통해 인공지능의 부상과 관련된 가장 중요하고 유명한 기술 회사로 변모했다. 딥러닝 혁명의 증거는 이 회사의 시장가치에 직접 나타났다. 2012년 1월과 2020년 1월 사이에 엔비디아의 주가는 1,500퍼센트 이상 치솟았다.

딥러닝 프로젝트가 GPU로 이동하자 선도적인 기술 회사의 인공지능 연구원들은 심층 신경망 구현을 활성화할 수 있는 소프트웨어 도구를 개발하기 시작했다. 구글, 페이스북, 바이두는 딥러닝에 맞춰 무료로 다운로드해 사용하고 업데이트할 수 있는 오픈 소스 소프트웨어를 출시했다. 가장 유명하고 널리 사용되는 플랫폼은 구글이 2015년에 공개한 텐서플로TensorFlow다. 텐서플로는 딥러닝을 위한 포괄적인 소프트웨어 플랫폼으로, 실용적인 응용프로그램을 연구하는 연구자와 엔지니어에게 심층 신경망을 구현하는 최적화된 코드와 특정 응용프로그램을 보다 효율적으로 개발할 수 있는 다양한 도구를 제공한다. 텐서플로나 페이스북이 내놓은 경쟁 개발 플랫폼인 파이토치PyTorch 같은 패키지는 연구자들이 복잡한 세부 사항을 처리하기 위해 소프트웨어 코딩을 작성하고 테스트하는 수고를 덜어주는 대신 시스템 개발동안 관점과 균형감을 유지하도록 돕는다.

딥러닝 혁명이 진행될수록 엔비디아와 여러 경쟁사는 딥러닝에 최적화된 더욱 강력한 마이크로프로세서 칩 개발을 위해 움직였다. 인텔, IBM, 애플, 테슬라는 이제 모두 심층 신경망에 필요한 연산을 가속하도록 설계된 회로가 포함된 컴퓨터 칩을 설계한다. 딥러닝 칩은 고성능 컴퓨터 서버부터 스마트폰, 자율 주행 자동차, 로봇에 이르기까지 다양한 응용프로그램에 사용된다. 그 결과 처음부터 인공지능을 구현하도록 설계된 장치들의 네트워크가 계속 확장되고 있다. 2016년 구글은 텐서처리장치Tensor Processing Unit, TPU라는 자체

제작한 맞춤형 칩을 발표했다. TPU는 구글의 텐서플로 소프트웨어 플랫폼에서 개발된 딥러닝 응용프로그램을 최적화하기 위해 특별히 설계됐다. 처음에 구글은 이 새로운 칩을 자체 데이터 센터에 사용했지만 2018년부터는 클라우드 컴퓨팅 서비스를 운영하는 서버에 통합해 서비스 이용 고객들이 최첨단 딥러닝 기능에 쉽게 접근하도록 했다. 이러한 발전은 인공지능의 능력을 광범위하게 배포하는 가장 중요한 단일 통로가 돼 지배력 확장에 기여하고 있다.

기존 마이크로프로세서 칩 제조사와 새롭게 등장하는 스타트업이 급격히 성장하는 인공지능 시장의 점유율을 차지하기 위해 벌이는 경쟁은 업계에 폭발적인 혁신과 에너지를 불어넣었다. 일부 연구자들은 완전히 새로운 방향으로 칩을 설계하고 있다. GPU에서 진화한 딥러닝에 특화된 칩은 심층 신경망을 구현하는 소프트웨어가 수행하는 까다로운 수학적 계산 속도를 높이는 데 최적화됐다. 새로운 종류의 칩은 인간의 뇌를 모방한 것에 가까우며, 리소스를 많이 사용하는 소프트웨어층을 대부분 없애고 하드웨어에서 신경망을 구현한다.

새로 등장한 '뉴로모픽neuromorphic' 칩 설계는 신경 뉴런을 실리콘 위에 하드웨어 버전으로 직접 구현한다. IBM과 인텔은 뉴로모픽 컴퓨팅 연구에 많은 투자를 했다. 예를 들어 인텔이 실험적으로 내놓은 로이히Loihi 칩은 13만 개의 하드웨어 뉴런을 구현하고 각 뉴런은 수천 개의 다른 뉴런에 연결할 수 있다.[1] 대규모 소프트웨어 연

산에 필요하지만 줄일 수 있으면 가장 큰 이점이 될 수 있는 것이
전력 소비량이다. 인간의 뇌는 존재하는 어떤 컴퓨터보다 성능이
뛰어나지만, 백열전구 하나가 소비하는 전력보다 적은 20와트 정도
를 소비한다. 반면, GPU에서 실행되는 딥러닝 시스템은 엄청난 양
의 전기를 소비한다. 5장에서 살펴보겠지만 더 많은 리소스를 소비
하는 시스템을 계속 확장하는 것은 지속 가능한 일이 아니다. 뇌 신
경망에 직접 영감을 받아 설계된 뉴로모픽 칩은 전력 소비가 현저
히 적다. 인텔에 따르면 로이히의 아키텍처는 일부 응용프로그램에
서 기존 마이크로프로세서 칩보다 1만 배까지 에너지 효율이 높다.
로이히 같은 설계로 상업 생산에 들어가면 모바일 기기나 전력 효
율을 우선시하는 응용프로그램에 빠르게 통합될 가능성이 크다. 더
나아가 일부 인공지능 전문가는 뉴로모픽 칩이 인공지능의 미래를
대표할 것으로 예측한다. 리서치 회사 가트너Gartner의 분석에 따르
면 뉴로모픽 설계는 2025년까지 인공지능용 주요 하드웨어 플랫폼
으로 자리 잡고 GPU를 대부분 대체할 것으로 전망한다.[2]

인공지능의 핵심 인프라, 클라우드 컴퓨팅

오늘날 클라우드 컴퓨팅 산업은 아마존웹서비스Amazon Web Services,

AWS가 출시된 2006년에 시작됐다. 아마존은 온라인 쇼핑 서비스를 움직이는 거대한 데이터 센터를 구축하고 관리하는 전문성을 활용해 비슷한 시설에 컴퓨팅 인프라를 구축하고 다양한 고객이 유연하게 접근할 수 있는 서비스를 제공하는 전략을 선택했다. 2018년 기준으로 AWS는 전 세계 9개 국가에 100곳 이상의 데이터 센터를 구축, 운영하고 있다.[3] 아마존과 경쟁사들이 제공하는 클라우드 서비스는 놀라운 성장을 보여주고 있다. 최근 한 연구에 따르면 다국적 기업부터 중소기업에 이르기까지 94퍼센트의 조직이 클라우드 컴퓨팅을 이용하는 것으로 나타났다.[4] 2016년까지 AWS는 급격히 성장했고 '매일' 시스템에 새로 추가해야 하는 컴퓨팅 리소스가 2005년 말 아마존이 보유하고 있던 전체 컴퓨팅 자원과 거의 비슷했다.[5]

클라우드 서비스 공급자가 나타나기 전에 기업과 조직은 자체 컴퓨터 서버와 소프트웨어를 구매해 관리하고 시스템을 계속 유지하고 업그레이드하기 위해 높은 급여를 받는 기술전문가팀을 고용해야 했다. 하지만 클라우드 컴퓨팅이 나오면서 많은 부분을 아마존 같은 서비스 공급자에게 아웃소싱했고 공급자들은 규모의 경제를 활용해 엄청난 효율성을 유지할 수 있었다. 클라우드 컴퓨팅 서버를 호스팅하는 시설은 일반적으로 규모가 거대하고 최소 10억 달러 이상 소요되는 수십만 제곱미터의 공간에 5만 대 이상의 강력한 서버를 갖추고 있다. 클라우드 컴퓨팅 리소스는 언제든지 고객이 컴퓨팅 성능과 저장 용량, 소프트웨어 애플리케이션을 사용하고 사용한 만큼만 결제하는 주문형 서비스로 제공된다.

클라우드 서버를 호스팅하는 시설은 물리적으로 규모가 크지만, 운영하는 사람의 수는 극소수일 정도로 자동화에 크게 의존한다. 시설 내부에서 발생하는 거의 모든 일을 관리하는 정교한 알고리즘 덕분에 인간이 직접 통제할 때는 불가능한 수준의 정확성이 유지된다. 시설 운영을 위해 많은 양의 전기가 소모되거나 서버 수만 대에서 발생하는 엄청난 열을 상쇄하기 위해 냉각이 필요한 것처럼 몇 가지 요소는 수시로 최적화돼야 한다. 사실, 딥마인드가 인공지능 연구를 가장 먼저 실용적으로 적용한 것도 구글 데이터 센터의 냉각 시스템을 최적화하는 딥러닝 시스템이었다. 딥마인드는 구글의 호스팅 시설에 부착된 센서에서 수집한 데이터로 훈련한 신경망을 이용해 냉각에 소모되는 에너지를 40퍼센트까지 절감할 수 있었다고 밝혔다.[6] 알고리즘을 이용한 제어를 통해 실질적인 혜택을 얻은 것이다. 2020년 2월에 발표된 한 연구는 "데이터 센터에서 실행되는 컴퓨팅양이 2010년에서 2018년 사이에 550퍼센트 증가한 반면, 같은 기간 동안 데이터 센터에서 소비된 에너지양의 증가는 6퍼센트에 불과했다"라고 밝혔다.[7] 물론 이런 자동화는 고용에 영향을 끼친다. 클라우드 컴퓨팅으로 전환하면서 개인과 조직의 컴퓨팅 자원을 관리하던 기술 전문가들의 일자리가 사라진 것은 1990년대 후반에 일었던 기술직 붐을 가라앉히는 데 중요한 역할을 했다.

클라우드 컴퓨팅 사업 모델은 수익성이 매우 높지만, 주요 공급자 간의 경쟁이 치열하다. AWS는 전자 상거래 수익을 훨씬 능가할 정도로 아마존의 사업 부문 가운데 독보적인 수익률을 달성하고 있다. 2019년 AWS의 매출은 37퍼센트 성장해 82억 달러를 달성했고, 클라우드 서비스는 아마존 총수익의 약 13퍼센트를 차지했다. [8] AWS는 전체 클라우드 컴퓨팅 시장의 3분의 1을 차지하는 지배력을 유지하고 있다. 2008년에 시작한 마이크로소프트의 애저Azure나 2010년에 출시한 구글클라우드플랫폼Google Cloud Platform, GCP도 상당한 시장점유율을 차지하고 있고 IBM과 오라클, 중국 전자 상거래 거대 기업 알리바바Alibaba도 중요한 시장 참여자다.

이제 정부도 기업과 마찬가지로 클라우드 컴퓨팅에 크게 의존하고 있다. 2019년에 미국 국방성이 제다이JEDI 프로젝트를 정치적 논쟁거리로 전환하자 이런 의존에 내재한 복잡성과 정치적 성향이 세간의 주목을 받았다. 합동 방위 인프라 사업Joint Enterprise Defense Infrastructure을 가리키는 JEDI 프로젝트는 미 국방성에 대규모 데이터 호스팅 및 소프트웨어와 인공지능 역량을 제공하는 내용으로 10년 동안 100억 달러 규모로 체결되는 계약이다. 첫 번째 논란은 구글에서 일어났다. 정치적으로 진보 성향이 강한 구글 직원들이 방위 관련 계약에 입찰하려는 회사 측 계획에 반대했다. 직원들의 항의로 구글은 결국 계획을 접고 JEDI 계약 입찰일을 3일 앞두고 프로젝트에서 철수했다. [9]

미 국방성이 마이크로소프트를 프로젝트 사업자로 선정하자 이 분야의 주도적 위치 덕분에 유력한 최종 낙찰자로 예상됐던 아마존은 즉시 정치적인 동기로 의사 결정이 이루어졌다고 나섰다. 2019년 12월 아마존은 도널드 트럼프 대통령이 아마존의 CEO 제프 베이조스에게 갖는 노골적인 적대감 때문에 결정이 부적절하게 편향됐다고 주장하며 소송을 제기했다. 베이조스는 트럼프 정부에 매우 비판적인 일간지 〈워싱턴포스트〉를 소유하고 있다. 2020년 2월 연방법원은 마이크로소프트와의 계약을 잠정 중단하라는 명령을 내렸다.[10] 한 달 뒤 미 국방성은 결정을 재고하겠다고 밝혔다.[11]

이 모든 것은 앞으로 클라우드 컴퓨팅 시장이 얼마나 격렬하고, 때로는 다분히 정치적으로도 싸워야 할지 선명하게 보여준다. 그리고 이 경쟁 역학의 중심에는 주요 클라우드 컴퓨팅 회사들이 제공하는 서비스에 그 어느 때보다 중요한 요소가 된 인공지능 역량이 있다. 딥러닝의 상업적 중요성은 거대 기술 기업들이 소비자와 사업자에게 첨단 서비스를 제공하려는 노력을 통해 초기에 입증됐다. 이들 기업의 내부 데이터 센터에 있는 특수 하드웨어에서 실행되는 신경망은 아마존의 알렉사, 애플의 시리, 구글 어시스턴트나 번역 서비스를 작동하게 한다. 이렇게 출발한 딥러닝은 현재 이들 기업이 제공하는 클라우드 서비스로 완전히 이전해 서비스 공급자들의 차별화에 가장 중요한 매개변수로 떠올랐다. 예컨대 구글은 텐서플로 플랫폼의 인기를 활용해 클라우드 고객들에게 TPU 칩으로 구축한 강력한 하드웨어에 직접 접근할 수 있는 권한을 제공했다. 아마존은 최신 GPU를 활용한 딥러닝 기능을 제공하고 고객이 텐서플로나 다양한 머신러닝 플랫폼에서 만든 애플리케이션을 실행할 수 있도록 한다. 아마존은 구글 텐서플로에서 개발된 클라우드 인공지능 애플리케이션의 85퍼센트가 실제로 AWS에서 실행된다고 밝혔다. [12]

주요 클라우드 기업들은 더 많은 유연성과 더 나은 도구를 제공하고 경쟁사가 확보한 우위에 빠르게 대응하려고 끊임없이 노력한다. 최근 기술 최전선에 있었던 혁신 사례는 2020년 3월 인텔이 클라우드를 통해 이용할 수 있는 실험적인 뉴로모픽 컴퓨팅 시스템을 개발한 것이다. 인간의 뇌를 모방한 인텔의 로이히 칩 768개가 사용된 이 시스템은 약 1억 개의 하드웨어 뉴런을 포함하고 있다. 이는 작은 포유류의 뇌와 거의 비슷한 수준이다. [13] 만약 이런 아키텍처가 효과적이라고 증명되면 주요 클라우드 서비스 공급자들 사이에 즉시 뉴로모픽 전쟁이 벌어질 것이 분명하다. 이들 기업이 서로 앞서려 노력하고 계속 성장하는 인공지능 지향 컴퓨팅 리소스 시장에서 더 큰 점유율을 차지하려 경쟁할수록 처음부터 인공지능을 제공하기 위해 만들어지는 클라우드 생태권cloud ecosphere의 출현이 더욱 앞당겨질 것이다.

구글의 딥마인드가 딥러닝의 한계를 뛰어넘는 리더 역할을 하고 있다면, 마이크로소프트는 2019년에 인공지능 연구 회사 오픈AIOpenAI에 10억 달러를 투자해 클라우드 컴퓨팅과 인공지능 간의 자연스러운 시너지 효과에 새로운 연구 사례를 제공한다. 오픈AI는 마이크로소프트 애저에서 지원하는 대규모 연산 리소스를 활용할 수 있을 것이고, 더 큰 신경망 구축에 중점을 둔다면 이는 필수다. 클라우드 컴퓨팅만이 오픈AI 연구에 필요한 규모의 컴퓨터 성능을 제공할 수 있다. 그리고 마이크로소프트는 오픈AI가 계속 탐구하고 있는 일반 인공지능artificial general intelligence, AGI에서 얻은 실용적인 혁신에 접근할 수 있을 것이다. 그 결과는 애저에 통합될 수 있는 응용 프로그램과 기능으로 나타날 가능성이 크다. 이에 못지않게 중요하게 애저 브랜드가 세계 최고 인공지능 연구 기관 중 하나와 제휴해 이점을 얻고, 구글과 경쟁하는 마이크로소프트가 유리한 위치를 차지하게 될 것이다. 구글은 딥마인드를 소유한 덕분에 인공지능 리더십 면에서 어느 정도 명성을 누리고 있다. [14]

시너지 효과는 이 한 가지 사례에 국한되지 않는다. 대학 연구소에서 인공지능 스타트업, 대기업에서 개발 중인 실용적인 머신러닝 애플리케이션에 이르기까지 인공지능의 중요한 이니셔티브는 거의 보편적 자원이 된 클라우딩 컴퓨팅에 더욱 의존하고 있다. 클라우드 컴퓨팅은 인공지능이 전기처럼 편재하는 동력으로 진화하는 과정에서 가장 중요한 역할을 담당하게 될 것이다. 딥러닝 혁명의 촉매가 된 이미지넷 데이터 세트와 이미지 인식 대회를 설계한 리페이페이Fei-Fei Li 교수는 스탠퍼드대학교에서 맡고 있던 자리를 잠깐 내려놓고 안식년을 보내면서 2016년부터 2018년까지 구글에서 수석 과학자로 활동했다. 그녀는 이렇게 말했다. "인공지능 같은 기술이 퍼져 나가려면 클라우드야말로 가장 바람직하고 가장 큰 플랫폼입니다. 인류가 발명한 플랫폼 가운데 이렇게 많은 사람이 이용할 수 있는 컴퓨터는 없었습니다. 구글 클라우드만 있으면 언제라도 수십억 명의 사람들이 권한을 가질 수 있고 도움과 서비스를 받을 수 있습니다." [15]

인공지능의 민주화

고도의 기술적 배경이 필요하지 않은 다양한 사람들이 기술에 쉽게 접근할 수 있는 새로운 도구들이 등장하면서 클라우드 기반 인공지능이 범용 기술로 진화하는 속도가 빨라지고 있다. 텐서플로나 파이토치 같은 플랫폼 덕분에 딥러닝 시스템 구축이 쉬워졌지만, 아직은 주로 컴퓨터공학 박사 학위가 있거나 고도로 훈련된 전문가들이 사용한다. 2018년 1월에 공개된 구글의 오토ML[AutoML] 같은 새로운 도구는 기술적인 세부 사항을 대부분 자동화하고 진입 장벽을 크게 낮춰 더 많은 사람에게 실질적인 문제 해결을 위해 딥러닝을 활용할 기회를 제공한다. 오토ML은 본질적으로 인공지능을 더 많이 만들기 위해 인공지능을 배포하는 것이고 리페이페이 교수가 "인공지능의 민주화"라고 부르는 경향의 한 부분이다.

항상 그렇듯, 클라우드 서비스 공급자 간의 경쟁은 혁신의 강력한 추진력이며, AWS 플랫폼의 딥러닝 도구는 점점 더 사용하기 쉬워지고 있다. 개발 도구와 함께 클라우드 서비스를 바로 사용할 수 있고 애플리케이션에 포함될 수 있도록 미리 개발된 딥러닝 구성요소가 제공된다. 예컨대 아마존은 대화 인식과 자연어 처리를 할 수 있는 패키지와 온라인 쇼핑이나 영화 감상을 할 때 관심을 가질 만한 다른 상품을 보여주는 방식처럼 제안할 수 있는 '추천 엔진' 기능을 제공한다.[16] 프리패키지prepackage 기능 가운데 가장 논란이 많은 사례는 AWS의 레커그니션Rekognition 서비스로, 얼굴 인식 기술을 쉽게 사용할 수 있다. 이 패키지가 일부 테스트에서 인종이나 성별 편향에 취약하다고 드러났지만, 법 집행기관이 레커그니션을 사용할 수 있게 되자 아마존은 맹비난을 받았다. 이와 관련된 윤리적 문제는 7장과 8장에서 더 자세히 살펴본다.[17]

두 번째 중요한 경향은 의지와 수학적 능력만 있으면 누구나 딥러닝의 기초 역량을 기를 수 있는 온라인 교육 플랫폼의 등장이다. 예를 들어 온라인 교육 플랫폼 코세라Coursera를 통해 제공되는 딥러닝닷에이아이deeplearning.ai나 온라인 강의와 소프트웨어 도구를 완전히 무료로 제공하는 패스트닷에이아이fast.ai는 딥러닝에 대한 접근성을 높이고 있다.[18] 중산층이 되려면 대부분 막대한 시간과 비용을 투자해 취득한 공인 자격증이 필요한 고용 환경에서 적어도 지금처럼 수요가 공급을 훨씬 초과하는 상황이라면 딥러닝 실무자가 되는 것은 어려운 일이 아니다. 온라인 과정을 제대로 수료하고 심층 신경망을 능숙하게 다루는 능력을 보여준다면 누구나 보수도 좋고 보람도 있는 경력을 시작하는 좋은 기회를 가질 수 있다.

교육과 도구가 더 좋아지고 개발자와 기업가가 인공지능 응용 프로그램을 더 많이 배포할수록 우리는 캄브리아기 대폭발Cambrian explosion처럼 다양한 방식으로 기술이 적용되는 시대를 보게 될 것이다. 다른 주요 컴퓨팅 플랫폼에서도 비슷한 일이 일어났다. 마이크로소프트 윈도가 개인용 컴퓨터의 지배적인 플랫폼으로 떠오르던 1990년대에 나는 미국 실리콘밸리에서 작은 소프트웨어 회사를 운영하고 있었다. 처음에 윈도용 응용프로그램을 개발하려면 C 프로그래밍 언어와 이해하기 힘든 세부 사항으로 가득한 수천 페이지의 설명서가 필요한 고도의 기술 작업을 해야 했다. 마이크로소프트 비주얼 베이직Visual Basic처럼 접근성이 높고 사용하기 쉬운 도구가 등장하자 윈도 프로그래밍을 할 수 있는 사람의 수가 급격히 늘어났고, 이는 곧 응용프로그램의 폭발적 증가로 이어졌다. 모바일 컴퓨팅도 비슷한 궤도를 따랐으며, 이제 애플의 앱스토어와 안드로이드의 플레이스토어는 생각할 수 있는 거의 모든 요구를 해결하는 무한에 가까운 앱을 제공한다. 같은 종류의 대폭발이 인공지능과 특히 딥러닝에서 일어날 가능성이 크다. 가까운 미래에 새로운 전기로서 인공지능의 부상은 일반 기계 지능보다 오히려 끊임없이 확장하는 구체적인 응용프로그램에서 추진력을 얻을 것이다.

한층 더 연결된 세상과
사물 인터넷

'새로운 전기, 인공지능'이라는 퍼즐의 마지막 조각은 광범위하게 향상된 연결성이다. 이를 가능케 한 가장 중요한 요인은 5세대 무선 서비스[5G]의 출현일 것이다. 5G는 모바일 데이터 속도를 최소 10배, 아마 100배까지도 높이는 한편 네트워크 용량을 비약적으로 늘려 병목현상을 크게 줄일 것으로 기대한다.[19] 의사소통이 거의 즉시 이루어지면 세상은 더 가깝게 연결될 것이다. 각종 기기와 가전제품, 운송 수단, 산업 장비, 물리적 인프라의 많은 요소를 포함하는 거의 모든 것이 상호 연결되고 클라우드에서 실행되는 스마트 알고리즘의 관리와 통제를 받게 될 것이다. 우리는 이런 미래 모습을 '사물 인터넷Internet of Things'이라고 부른다. 사물 인터넷 세상에서는 냉장고나 부엌 어딘가에 설치된 센서가 부족한 재료를 감지하고 그 정보를 알고리즘에 전달해 우리에게 알려주거나 자동으로 필요한 물건을 온라인으로 주문할 수 있다. 만약 냉장고가 제대로 작동하지 않으면 다른 알고리즘이 자동 또는 원격으로 해결하고, 고장 날 것 같은 부품을 미리 파악해 교체하도록 표시할 것이다. 이 모델을 경제와 사회 전반으로 확장하면 기계와 시스템, 인프라가 자동으로 문제를 진단하고 종종 해결도 할 수 있기 때문에 엄청난 효율 향상을 가져올 것이다. 여러 면에서 사물 인터넷은 현재 클라우드 데이터 센터를 운영하는 알고리즘을 더 넓은 세상을 운영하는 데 사용하는 것과 같다. 하지만 이 모든 것은 특히 보안과 개인의 사생활 영역에서 매우 현실적인 위험도 가져올 것이다. 이 중요한 문제들은 8장에서 살펴본다.

한층 더 연결된 세상은 인공지능을 제공하는 강력한 플랫폼으로 진화할 것이다. 가까운 미래에 가장 중요한 인공지능 응용프로그램은 클라우드에 집중되겠지만 시간이 지날수록 기계 지능은 점차 분산될 것이다. 기기와 기계, 인프라는 더 스마트해지고 인공지능에 특화된 최신 칩을 탑재할 것이다. 뉴로모픽 컴퓨팅과 같은 혁신이 큰 영향력을 가지게 될 것이다. 이 모든 것의 결론은 어디서든지 주문형으로 기계 지능을 제공할 수 있는 강력하고 새로운 동력일 것이다.

가치는 데이터에 있다

주요 클라우드 제공 업체가 가격과 기술력을 기반으로 경쟁하면서 인공지능을 가능하게 하는 하드웨어와 소프트웨어의 접근 비용이 확실히 떨어졌다. 동시에 거대 기술 기업들이 이 분야의 최전선에서 일하는 연구자들이 내놓은 최신 혁신을 결합해 경쟁 우위를 차지하려고 노력할수록 클라우드를 통해 제공되는 인공지능 서비스는 계속 업그레이드될 것이다. 이 모든 것이 진행되면 가장 진보한 인공지능 기술이라도 점차 상품화되고 클라우드 컴퓨팅 고객이 지불하는 데이터 호스팅 비용 외에는 거의 무료로 사용하게 될 것이다. 사실 이미 증거도 존재한다. 구글, 페이스북, 바이두 같은 기업은 모두 딥러닝 소프트웨어를 오픈 소스 형태로 공개했다. 다시 말해 무료로 배포하고 있다. 마찬가지로 딥마인드나 오픈AI 같은 조직도 최신 연구 결과를 주요 과학 저널에 공개하고 누구나 딥러닝 시스템의 세부 사항을 이용할 수 있도록 한다.

하지만 단 한 가지, 어떤 회사도 무료로 나눠 주지 않는 것이 있다. 바로 데이터다. 인공지능 기술과 이 기술이 소비하는 방대한 데이터 사이의 강력한 시너지는 필연적으로 한 방향으로 치우치게 된다. 데이터에서 생성된 모든 가치는 데이터 소유자가 차지한다. 잘 알려진 이런 현실은 거대 기술 기업이 빅데이터나 인공지능과 교차하는 모든 영역을 완전히 지배할 것이라는 가정으로 이어진다. 하지만 이것은 데이터 소유권이 산업과 경제 부문별로 수직화돼 있다는 사실을 간과하고 있다. 물론 구글, 페이스북, 아마존 같은 기업은 상상할 수 없이 많은 데이터를 수집하고 제어하지만, 일반적으로 웹 검색이나 소셜 미디어, 온라인 쇼핑 거래 같은 분야로 한정된다. 이런 영역에서는 기존 기업들이 지배적일 수 있지만, 완전히 다르고 훨씬 더 많은 데이터가 사회, 경제 전반에 걸쳐 정부나 조직, 다른 산업 내 기업들의 통제 아래 존재할 수 있다.

흔히 데이터를 새로운 석유라고 말한다. 이 비유를 받아들인다면 여러 면에서 기술 기업은 석유에서 가치를 추출하는 데 필요한 기술과 노하우를 제공하는 기업 핼리버튼^{Halliburton}과 비슷한 역할을 하는 셈이다. 물론 거대 기술 기업은 자체 보유하는 막대한 데이터를 제어하지만 계속 확장되는 글로벌 데이터 자원의 가장 큰 부분은 여전히 다른 이들의 손에 있다. 건강보험이나 병원 네트워크, 정부가 관리하는 국가 의료 서비스는 엄청난 가치를 지닌 데이터를 통제한다. 물론 이곳에서도 거대 기술 기업이 개발하고 클라우드를 통해 제공되는 최신 인공지능 기술을 사용하겠지만 보유한 데이터에서 추출한 가치는 대체로 내부에서 유지할 것이다. 금융거래, 여행 예약, 온라인 리뷰, 실제 매장 내 고객의 움직임에서 생성되는 엄청난 양의 데이터나 운송 수단과 산업 장비에 부착된 수많은 센서에서 얻은 운영 데이터도 마찬가지일 것이다. 각각의 경우에 어디에나 존재하는 기계 지능이라는 새로운 동력이 경제 전반에 걸쳐 분산된 개체들이 소유하는 특정한 유형의 데이터에 적용될 것이다.

이것의 중요한 의미 중 하나는 인공지능 적용에서 파생된 대부분의 가치를 기술 부문 바깥의 기업이나 조직이 차지하게 될 것이라는 점이다. 인공지능 활용에서 발생하는 엄청난 혜택은 광범위하게 분배될 것이다. 인공지능을 전기에 비유하는 것이 여기에서도 유용하다. 누가 전기에서 가장 많은 가치를 창출할까? 전기 시설일까, 아니면 원자력 산업일까? 둘 다 아니다. 구글이나 페이스북처럼 엄청난 양의 전기를 소비해 이것을 환상적인 가치로 바꾸는 방법을 발견하는 기업이다. 물론 이 비유가 완벽하지는 않지만, 인공지능의 최전선에서 혁신하고 끊임없이 개선되는 자원을 제공하는 기업이 엄청난 가치와 힘을 갖게 될 것은 의심의 여지가 없다. 인공지능을 적용해 발생하는 대부분의 혜택은, 특히 인공지능이 상품화된 동력에 가까워질수록 다른 곳에 축적될 가능성이 크다.

인공지능이 창출한 가치가 경제 부문 전반에 걸쳐 광범위하게 분산되겠지만 특정 산업 안에서는 그 반대가 현실이 될 수 있다. 기존 사업 모델에 인공지능을 활용하는 데 앞서 나가는 기업들이 선점자의 우위를 차지할 가능성이 크다. 특히 효과적인 빅데이터 및 인공지능 전략으로 상당한 경쟁 우위를 차지할 경우 승자 독식의 시나리오로 이어질 수도 있다. 데이터는 인공지능의 효과적인 적용에 매우 중요하기 때문에 인공지능 전략을 향한 첫 번째 단계는 항상 성공적인 데이터 전략이 돼야 한다. 기업과 조직이 인공지능을 사용하기 전에 효율적인 데이터 수집과 관리 시스템 구축에 초점을 맞추는 것이 중요하다는 뜻이다. 때에 따라 직원과 고객의 개인 정보 보호 문제처럼 중요한 윤리적 고려가 필요할 수도 있다. 하지만 적극적으로 움직이지 못하는 조직은 뒤처질 가능성이 크다. 우리는 인공지능을 미루는 기업이나 정부, 조직이 마치 전력망에서 스스로 분리하는 것처럼 큰 실수를 저지르는 현실로 빠르게 이동하고 있다.

인공지능이 모든 기업과 조직, 가정에 도달하는 진정한 의미의 보편적 동력으로 진화하면 우리 경제와 사회도 변화를 피할 수 없을 것이다. 이 일은 수년, 그리고 수십 년에 걸쳐 일어날 것이며, 그 영향은 획일적이지 않을 것이다. 일부 영역에서 인공지능은 향후 몇 년 동안 혁신적일 가능성이 있지만 다른 영역에는 이 파괴적 혁신이 도달하기까지 매우 오래 걸릴 것이다. 다음 장에서는 시스템 기술로서 인공지능이 실질적으로 구현된 사례를 알아보고, 과대 포장된 광고와 현실을 분리한다. 그리고 급격히 발전하는 기술과 우리 생활의 모든 부분을 완전히 바꿔놓은 팬데믹이 만나는 지점을 살펴볼 것이다.

3장

인공지능의 과대 포장과 실제

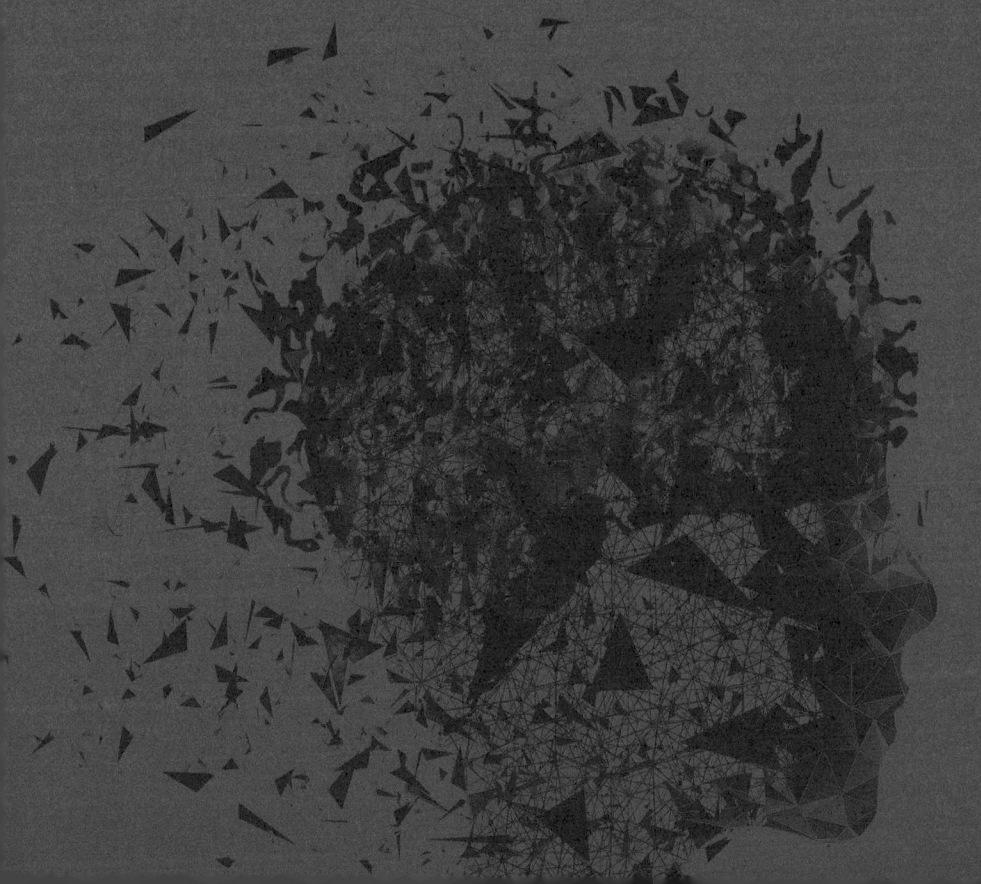

RULE OF THE ROBOTS

2019년 4월 22일, 테슬라는 '자율 주행의 날$^{Autonomy\ Day}$'을 개최했다. 테슬라 자동차 곳곳에 구현한 자율 주행 기술을 강조하기 위해 마련된 이 행사에서 회사의 CEO 일론 머스크와 다른 최고 경영진, 그리고 수석 엔지니어들의 프레젠테이션이 특히 돋보였다. 이 자리에서 머스크는 "내년에는 테슬라의 자율 주행 로보택시^{robotaxis}를 볼 수 있을 것"이라고 자신 있게 예상했다. 이어서 2020년 말까지 테슬라는 공공 도로에서 운행되는 자율 주행 택시 100만 대를 보유하게 될 것이라고 말했다.[1] 머스크는 '로보택시'란 진정한 의미의 자율 주행차로 차량 내부에 운전자 없이 차가 작동하고, 승객을 태우고 원하는 장소에 데려다줄 수 있다고 설명했다. 다시 말해 우버나 리프트의 로봇 버전인 셈이다.

정말 놀라운 예측이었다. 내가 대화를 나눈 거의 모든 전문가의 예상과는 꽤 거리가 멀었다. 며칠 뒤에 나는 블룸버그 TV에 출연해 머스크의 예측에 "깜짝 놀랐다"라고 말하며 그 예측이 "지극히 낙관적이고 어쩌면 약간 무모하다"라는 내 생각을 밝혔다. 그렇게 말한 이유는 이렇게 공격적인 예측은 테슬라에 시장 압력을 초래할 것이고, 소프트웨어 다운로드를 통해 테슬라 자동차 소유주들에게 새로운 기능을 제공하겠다는 회사의 역량과 결합하면 매우 위험할 수 있기 때문이다. 만약 완전 자율 주행 기능을 제공한다고 주장하지만, 검증되지 않은 소프트웨어가 갑자기 운전자의 손에 주어진다고 생각해보라. 회사가 새로운 비디오게임이나 소셜 미디어 애플리케이션의 초기 버전을 고객이 테스트하도록 하는 것은 별문제가 없겠지만, 명백히 부상이나 사망을 초래할 수 있는 소프트웨어에 사용할 수 있는 책임 있는 전략은 아니다.[*,2] 사실, 테슬라의 오토파일럿 기능과 관련해 치명적인 사고는 여러 차례 발생했다. 오토파일럿으로 차로를 유지하기 위해 차를 움직이고 속도를 높이거나 줄

• 2020년 10월 테슬라는 '완전 자율 주행 패키지Full Self-Driving Package'라는 초기 버전을 실제로 출시했다. 이 소프트웨어는 다운로드를 통해 제한된 수의 테슬라 자동차 소유자에게 제공됐고, 그 뒤 몇 개월 동안 가용성을 확장할 계획이었다. 소프트웨어는 자동 주차나 제한적으로 시내 거리를 주행하는 기능을 제공하지만, 현재는 합리적으로 '완전 자율 주행'이라고 부를 만한 수준이 아니다. 테슬라는 초기 버전을 구매하는 소유자들에게 인센티브를 제공하기 위해 패키지 업그레이드를 약속하고 향후 가격 인상을 발표했다. 미국 도로교통안전국은 이 점에 주목하고 "새로운 기술을 면밀히 검토"할 것이고 "안전에 대한 불합리한 위험으로부터 대중을 보호하기 위해 주저하지 않고 조처할" 것을 분명히 밝혔다. (3장 미주 2 참조)

일 수 있지만, 여전히 운전자의 감독이 필요하다. 게다가 내 생각에 이 회사가 1년 안에 완전 자율 주행 기술을 완성할 가능성은 희박하고, 성공하더라도 자동차를 적절하게 테스트하고 규제 당국의 승인을 얻기까지 시간이 훨씬 더 오래 걸릴 것이 분명해 보였다. 따라서 2020년까지 100만 대의 테슬라 로보택시가 운영되는 일은 일어나지 않을 것으로 보았다. 그 시간 안에 진정한 의미의 자율 주행 자동차가 단 한 대라도 공공 도로를 주행한다면 그것이야말로 깜짝 놀랄 일일 것이다.

자율 주행의 날 행사 대부분은 테슬라에서 개발 중인 새로운 맞춤형 자율 주행 마이크로프로세서 칩에 대해 토론하는 데 할애됐다. 이전에는 엔비디아에서 제조한 심층 신경망에 최적화된 칩을 사용했었다. 테슬라는 새로운 칩이 유례없는 성능을 제공한다고 주장했지만, 엔비디아 측 경영진은 자사의 최신 버전 인공지능 칩이 테슬라에서 개발 중인 제품과 비슷하거나 훨씬 빠르다고 지적하며 재빨리 반박했다.[3]

그렇지만 자율 주행의 날 행사가 진행되는 것을 지켜보면서 나는 테슬라가 가진 놀라운 경쟁 우위를 분명히 알 수 있었다. 경쟁자들을 확연히 앞지르고 완전 자율 주행차를 가장 먼저 출시할 만한 것이었다. 그 우위란 특별한 컴퓨터 칩도 아니고 알고리즘도 아니었다. 오히려 인공지능 분야에서 흔히 있는 일처럼 테슬라가 제어하는 데이터에 있었다. 모든 테슬라 차량에는 8대의 카메라가 장착돼 있고 이 카메라들이 끊임없이 작동하면서 도로와 차량 주변 환경의 이미지를 포착한다. 차량에 탑재된 컴퓨터는 이미지를 판독하고 회사가 관심을 가질 만한 것을 선택한 다음 테슬라 네트워크에 압축 형식으로 자동 업로드한다. 이렇게 카메라를 장착한 40만 대가 넘는 자동차가 전 세계 곳곳의 도로를 달리고 있고, 그 수는 빠르게 증가하고 있다. 다시 말해 테슬라는 어떤 경쟁자도 가까이 올 수 없을 정도로 엄청난 규모의 실제 사진 데이터에 접근할 수 있다.

테슬라에서 인공지능 부문을 책임지고 있는 안드레 카파시Andrej Karpathy는 카메라를 장착한 차량 '군단'에서 특정한 종류의 이미지를 요청하는 방법을 설명했다. 예를 들어 테슬라 엔지니어가 공사 중인 도로 상황에 대처하는 자율 주행 시스템을 훈련하고 싶으면 실제 공사 현장 이미지 수천 개를 불러들인 다음, 이 이미지들을 사용해 컴퓨터 시뮬레이션으로 자율 주행 소프트웨어를 훈련한다. 모든 자율 주행차 개발에 시뮬레이션을 많이 사용하지만, 테슬라가 막대한 양의 실제 데이터를 포함하는 능력은 파괴적 혁신의 우위를 차지할 만하다. 흔히 말하듯 진실은 허구보다 낯설고, 어떤 엔지니어도 계속 늘어나는 테슬라 차량의 카메라가 포착한 상세하고 때론 이상한 현실을 복제하듯 시뮬레이션을 설계할 수는 없다.

이 예시는 인공지능 분야에서 진행 중인 발전에 대해 뉴스가 중요한 정보를 전달하면서 종종 과장되거나 자극적인 내용을 포함하는 방법을 보여준다. 앞서 말했듯이 인공지능은 어디에나 존재하고 거의 모든 것과 접촉하는 동력이 될 것이다. 하지만 그 과정은 고르게 진행되지 않을 것이다. 어떤 기술 문제는 다른 문제보다 해결하기가 훨씬 더 어렵다. 특히 가장 유명하고 가장 부풀려진 일부 인공지능 응용프로그램은 기대보다 성과가 뛰어나지 못할 가능성이 크다. 반면 눈에 잘 보이지 않는 다른 분야에서의 비약적인 발전은 우리를 놀라게 할 수 있다. 이 장에서는 인공지능이 비교적 단기간에 파괴적인 혁신을 이룰 분야와 오히려 오랜 시간이 걸릴 것 같은 분야에 대해 통찰을 제공하는 몇 가지 사례와 가이드라인을 소개하려고 한다.

가정용 로봇 배송이 지연되고 있습니다

가정에서 개인용 로봇을 사용하게 되리라는 약속은 초기 공상과학 작가들이 미래를 추측한 이후로 우리의 집단 상상력을 사로잡았다. 집을 청소하고 빨래를 할 수 있는 기계, 지칠 줄 모르는 집사 역할을 해줄 기계를 언제쯤 만나게 될까? TV 애니메이션 〈우주 가족 젯슨The Jetsons〉에 나오는 가사 도우미 로봇 로지Rosie나 영화 〈스타워즈Star Wars〉의 휴머노이드 로봇 C-3PO처럼 우리에게 친숙한 진짜같이 발전한 허구적 사례는 잠시 접어두고 기대를 조금 낮추어보자.

기능성 로봇은 다소 제한적이지만 방을 정리하고 기본적인 집 청소를 하거나 명령에 따라 냉장고에서 맥주를 가져올 수 있을 것이다. 얼마나 기다리면 합리적인 가격의 개인용 로봇을 볼 수 있을까? 가치를 중시하는 소비자도 기꺼이 지갑을 열 만큼 유용하고 없으면 안 될 로봇을 곧 만나게 될까?

안타깝지만 지금으로선 그런 기계는 아주 먼 미래에나 가능할 것 같다. 사실, 지금까지 시도한 개인용 로봇의 문제는 단지 많은 일을 할 수 없다는 데 있다. 정말 유용한 기계에 필요한 최소 조건들은 로봇공학이 풀어야 할 가장 어려운 도전 과제들이다. 여기에는 예측할 수 없는 환경에서 작동할 때 필요한 시지각視知覺, 이동성, 손을 사용하는 능력dexterity이 포함된다. 지금까지 소비자 로봇을 출시하려고 시도한 기업들은 사실 이런 문제를 극복하려고 시작조차 하지 않았다. 대신 기능이 매우 제한적인 기계를 만들 뿐이어서 회사가 제시하는 가치 제안이 대부분의 사람들에게는 무척 미심쩍다.

하지만 최초의 '소셜 로봇social robot'으로 출시된 지보Jibo는 이런 도전을 보여주는 사례다. 사람과 사회적으로나 정서적으로 교감하는 능력을 지닌 로봇 분야의 세계 최고 전문가 중 한 사람인 MIT의 신시아 브리질Cynthia Breazeal 교수가 착안해 2017년 가을에 공개한 지보는 30센티미터 크기에 플라스틱으로 만들어진 탁상용 로봇이다. 지보는 팔다리나 바퀴가 없지만, 머리를 숙이고 회전하는 기능이 있어 소통할 때 사람처럼 공감하는 듯한 착각이 든다. 이 로봇은 기본적인 대화를 나누고 정보 검색 같은 몇 가지 실용적인 일도 할 수 있다. 인터넷에서 정보를 찾거나 날씨와 교통 정보를 알려주고 음악을 재생하는 일들이다. 이를테면 지보는 아마존의 인공지능 알렉사Alexa 기반 스마트 스피커 에코Echo와 대체로 비슷한 기능을 제공한다. 물론 에코는 전혀 움직일 수 없지만, 아마존의 거대한 클라우드 컴퓨팅 인프라와 그보다 더 거대한 연봉을 받는 인공지능 개발자들로 구성된 팀의 지원을 받는다. 정보 검색과 자연어 처리 능력은 에코가 더 뛰어나 보이며, 확실히 시간이 지나면 더 강력해질 것이다. 지보의 가장 큰 문제는 900달러라는 가격이다. 사람의 고갯짓을 흉내 내고 재생한 음악에 맞춰 춤을 추는 기능은 귀엽고 사랑스럽지만 단지 이것 때문에 소비자 대부분이 800달러를 더 낼 만한 가치는 없었던 모양이다. 지보를 만든 스타트업은 알려진 벤처 자금만 7,000만 달러를 소진하고 2018년에 문을 닫았다.[4]

아마존은 자체적으로 가정용 로봇을 개발하고 있는 것으로 알려졌다. 암호명이 베스타Vesta인 이 기계는 일종의 '바퀴 달린 에코'로 볼 수 있는데, 집 주변을 돌아다니고 부르면 오는 기능이 있다.[5] 아마존이 이 로봇에 팔을 달거나 물리적으로 주변을 조작하는 기능을 추가할 계획이 있다는 자료는 아직 보지 못했다. 이런 기능이 없다면 사람들은 또다시 이 제품의 가치 제안에 의구심을 가질 것이다. 가장 저렴한 에코 스피커가 50달러 내외인데 왜 비싸고 움직이는(그것도 천천히) 버전의 에코를 구매하겠는가? 오히려 저렴하고 움직이지 않는 것을 집 곳곳에 두는 편이 낫지 않을까? 이처럼 개인용 로봇 산업을 곤란하게 하는 질문들이 있고 아마존조차도 조만간 상업용 로봇을 성공적으로 출시할 수 있을지는 확실하지 않다.

제대로 작동하는 가정용 로봇을 만들기까지 실제로 장애물이 얼마나 높은지 알고 싶다면 한 가지 가상 임무를 생각해보자. 로봇이 냉장고에서 맥주 한 캔을 가져오는 것이다. 계단이 있거나 문이 닫혀 있는 것처럼 큰 장애물이 없다면 냉장고까지 가는 일은 무척 쉬운 부분이다. 로봇이 익숙한 환경에서 길을 찾는 기술은 룸바Roomba 같은 로봇 청소기가 보여주듯이 이미 사용되고 있다.

일단 로봇이 냉장고 앞까지 왔다면 냉장고 문을 열어야 한다. 한 번 직접 열어보고 힘이 얼마나 필요한지 확인해보자. 하지만 단순히 완력의 문제는 아니다. 몸무게가 45킬로그램 이상이라면 누구나 쉽게 냉장고 문을 열 수 있다. 이 상황을 물리적으로 생각해보자. 로봇이 냉장고 문을 여는 데 성공하려면 플라스틱 장난감으로는 안 된다. 바퀴 달린 아마존 에코로도 할 수 없다. 기계가 넘어지지 않고 다른 일을 할 수 있으려면 상당히 무거워야 하고 인간에 맞춰 설계된 환경을 조작하려면 인간의 신체 비율에 매우 가까워야 한다. 그러려면 기계의 가격이 비싸진다. 플라스틱 로봇에 물을 채우는 것처럼 저렴하게 균형을 맞추는 방법도 생각할 수 있지만, 무게에는 로봇을 움직일 때 필요한 강력한 모터와 튼튼한 바퀴도 포함돼야 한다.

자, 이제 냉장고 문이 열렸다면 로봇이 맥주가 어디에 있는지 찾아야 한다. 그런데 어제저녁에 먹고 남은 포장 음식 용기에 맥주가 가려져 있다면 어떻게 할까? 맥주 캔이 6개 묶음이라 플라스틱 포장에 묶여 있다면? 로봇은 성공적으로 캔을 꺼내 올 수 있을까? 남아 있는 캔이 몇 개인지에 따라 사용되는 역학이 얼마나 다를 수 있는지도 생각해 볼 수 있다. 포장을 뜯지 않은 온전한 6개 묶음인가, 아니면 플라스틱 포장이 붙은 채 달랑 한 캔이 남아 있는가? 로봇이 이 간단한 일을 하려면 손을 능숙하게 쓰는 뛰어난 능력이 있어야 하고, 매우 비싼 로봇 팔 두 개가 있어야 한다. 하나로는 안 된다.

물론 이런 문제를 피해 갈 방법은 쉽게 상상할 수 있다. 맥주를 냉장고 안의 정확한 위치에 둔다거나 6개 묶음 따위는 없는 것이다. 맥주 캔에 붙은 포장도 제거하고 캔마다 전자태그RFID가 붙어 있어서 로봇이 맥주를 찾을 때 오직 시지각에 의지할 필요도 없다. 아마도 언젠가 맥주는 로봇이 가져오기 편리하게 특별히 디자인된 미래형 포장에 담겨 나올 것이다. 하지만 지금으로서는 이 모든 요구 조건이 불편을 더할 뿐이고, 따라서 이런 로봇을 손에 넣으려고 거금을 지출하려는 마음도 사그라지게 만든다.

그리고 오해하지 말아야 할 것은, 제대로 작동하는 가정용 로봇이라면 상당한 재정적 투자가 필요하다. 전기모터나 로봇 팔 같은 구성품과 로봇에 시지각, 공간 감각, 촉각 피드백을 부여하는 데 필요한 다양한 센서는 무어의 법칙Moore's Law을 따르지 않는다. 반도체 산업의 특징이 된 이 법칙처럼 마이크로프로세서 집적도가 24개월마다 2배로 증가해 컴퓨터 성능이 계속 저렴해진다는 비용 하락 현상의 영향을 받지 않기 때문이다. 가정용 로봇의 본질적인 문제는, 소비자에게 진정한 가치를 제공하려면 적어도 인간 수준의 조작 능력에 근접해야 한다는 것이다. 그리고 밝혀졌듯이, 인간은 놀라울 정도로 효과적인 생물학적 로봇이다.

앞에 있는 탁자 위에 두 개의 물체가 있다고 생각해보자. 왼쪽에는 지름 8센티미터, 무게 2킬로그램의 단단한 강철 공이 있다. 오른쪽에는 달걀 하나가 있다. 우리는 두 가지 물체를 쉽게 들어 올릴 수 있다. 물체를 하나씩 잡고 들어 올릴 때 손 근육에 들어갈 힘을 생각해보자. 만약 두 물체를 혼동해서 힘을 잘못 주면 어떤 결과가 생기겠는가? 눈을 가렸어도 오직 촉각 피드백으로 두 물체를 안전하게 집어 올릴 수 있을 것이다. 로봇 손이 이런 능력을 구현하려면 제어 소프트웨어를 사용한다고 해도 필요한 모터와 센서가 무척 값이 나갈 수밖에 없다.

수십 년간 로봇 손과 이를 움직이는 데 필요한 알고리즘 연구가 이루어졌지만, 로봇이 손을 사용하는 능력은 아직 인간 수준에 가까이 오지 못한 것이 현실이다. 세계에서 가장 유명한 로봇공학자 중 한 명이자 아이로봇^{iRobot}을 공동 창업하고 로봇 청소기 룸바와 세계에서 가장 진보한 군용 로봇을 만든 로드니 브룩스^{Rodney Brooks}는 이런 현실을 쓰레기를 주울 때 종종 사용하는 기다란 플라스틱 집게에 비유해 설명했다.

(쓰레기 집게는) 정말 원시적이지만 현재 로봇이 할 수 있는 것보다 훨씬 훌륭하게 움직입니다. 정말 놀랍도록 원시적인 플라스틱 덩어리에 불과하지만 장점이 있습니다. 조작할 수 있습니다. 우리는 연구자들이 설계한 새로운 로봇 손 영상을 종종 봅니다. 하지만 로봇 손이 작동하도록 들고 있거나 여기저기 옮겨 다니는 건 사람입니다. 이 하찮은 플라스틱 집게로도 같은 작업을 할 수 있어요. 결국 일을 하는 건 사람입니다. 그렇게 간단하다면 이 집게 장난감을 로봇 팔에 부착해서 작업하도록 하면 되겠죠. 사람이 팔로 할 수 있는 걸 로봇은 왜 못 할까요? 뭔가 중요한 게 빠진 거죠.[6]

집 정리를 담당하는 로봇이 일에 필요한 수준의 손 사용 능력을 갖춘다 해도 수천 가지 다른 물체를 인식하고 그것으로 무엇을 해야 할지 파악하는 문제는 여전히 남는다. 어떤 물건은 조심스럽게 제자리에 가져다 놓아야 하고 어떤 건 쓰레기로 버려야 할까? 감독을 받지 않은 로봇이 집 안 한 곳이라도 허술하게 정리한다면 오류를 얼마나 허용해야 할까?

가정용 로봇은 '절대' 만들어질 수 없다고 이야기하려는 것이 아니다. 많은 장애물을 극복하는 상당한 진전이 이미 이루어지고 있다. 예컨대 미래의 로봇은 클라우드에 접속해 마주치는 물체가 무엇인지 인식할 수 있을 것이다. 이미 구글 렌즈^{Google Lens} 서비스를 통해 꽤 인상적인 시연을 볼 수 있다. 휴대전화의 카메라를 물체에 갖다 대면 자동으로 물체를 식별하고 설명과 함께 유사한 물체의 예를 생성한다.

세계가 더욱 연결되고 사물 인터넷이 주목받으면서 로봇에 사용되는 센서는 앞으로 다양한 응용프로그램에 광범위하게 사용되고, 이런 기기에 대한 수요가 증가할수록 규모의 경제로 인해 비용이 줄어들게 될 것이다. 로봇이 점점 더 상업적인 영역을 파고들수록 다른 부품도 결국 비슷한 과정을 거칠 것이다.

연구자들도 향상된 로봇 손을 개발하기 위해 딥러닝과 여러 기법을 성공적으로 적용하고 있다. 눈길을 끄는 사례 중 하나가 2019년 10월 오픈AI에서 나왔는데 두 개의 통합된 심층 신경망을 구성해 로봇 손 하나로 루빅큐브를 맞출 수 있는 시스템을 개발했다고 발표했다.[7] 이 시스템은 고속 시뮬레이션을 사용해 훈련했으며, 약 1만 년에 해당하는 강화 학습을 마친 뒤에야 성공했다. 한 손으로 큐브를 맞추는 건 사람에게도 쉬운 일은 아니다. 오픈AI는 "인간 수준에 가까운 손 기술"에 도달했다고 주장했지만 역시 시스템이 하기에도 쉽지 않은 일이었다. 로봇 손은 열 번 시도해서 여덟 번 큐브를 떨어뜨렸다.[8] 그렇지만 이런 노력은 실질적인 진보를 나타내며, 향상된 로봇 손 기술은 앞으로 몇 년 안에 여러 산업과 상업 환경에 커다란 영향을 끼치게 될 것이다. 하지만 예측할 수 없는 환경에서 로봇이 움직이는 데 필요한 인공지능이 훨씬 더 좋아지고 필요한 부품이 크게 저렴해지기 전까지 가까운 미래에 부담 없는 가격으로 구입할 수 있는 정말 유용한 가정용 로봇은 여전히 만나기 어려울 것이다.

물류 창고와 공장은 로봇 혁명의 시작점

기술적 한계와 경제성 때문에 용도가 다양하고 생산적인 가정용 로봇이 나오기까지 시간이 오래 걸린다면, 여러 산업이나 상업 환경에서는 정반대다. 공장이나 창고처럼 밀폐된 공간에서는 외부 세계를 지배하는 예측 불가능하고 혼란스러운 요소를 제거하거나, 적어도 최소화할 수 있다. 그래서 로봇은 한계를 피하고 기능은 활용할 수 있는 시설에서 사람, 기계, 물건의 상호작용과 흐름을 재조직하는 데 주로 사용된다. 로봇이 심부름을 제대로 하려면 냉장고 안 정확한 좌표에 그 물건이 틀림없이 있어야 하는 엄격한 조건을 요구하는 가치 제안은 별다른 매력이 없어 보인다. 하지만 조금만 효율이 높아져도 엄청난 재정적 이익을 얻을 수 있는 대규모 상업 환경에서는 계산이 달라진다.

아마존이나 다른 온라인 소매업체가 운영하는 물류 센터의 내부

프로세스는 이 모든 것을 가장 잘 보여준다. 거대한 시설의 벽 뒤에서 로봇 혁명이 이미 한창 진행 중이고 의심할 필요 없이 속도를 높일 태세다. 10년 전까지 가지 않더라도 물류 창고는 거의 예외 없이 수천 종류의 물건이 쌓여 있는 높은 선반 사이를 끊임없이 돌아다니는 수백 명의 노동자에 의해 움직였다. 이들은 보통 두 그룹으로 나뉘는데 '스토어stower'는 새로 도착한 재고 물품을 받아 선반의 적절한 위치에 저장하고, '피커picker'는 고객 주문을 처리하기 위해 해당 위치로 물건을 가지러 간다. 창고 안에서는 격렬한 쟁탈전이 쉬지 않고 벌어진다. 정신없이 돌아가는 개미굴을 닮은 듯하다. 일반적으로 노동자 한 사람이 근무시간에 움직이는 거리가 19킬로미터를 넘는다. 그때그때 가야 할 위치를 찾아 바쁘게 오고 가고 종종 높은 선반에 닿기 위해 사다리에 올라야 한다.

아마존의 현대적인 물류 센터 안에서 이 분주한 움직임은 거울 속 모습처럼 뒤바뀐 듯하다. 이제는 노동자가 움직이지 않는다. 재고 선반이 완전 자율 주행 로봇을 타고 목적지 사이를 빠르게 이동한다. 이 대대적인 개편은 2012년 아마존이 물류 로봇 전문 스타트업인 키바Kiva Systems를 7억 7,500만 달러에 인수하면서 시작됐다. 커다란 하키 퍽처럼 생긴 주황색 로봇은 무게가 135킬로그램이 넘지만, 인간 노동자와 충돌할 위험을 없애기 위해 설계된 울타리 안쪽 구역을 바닥에 부착된 바코드를 따라 이동한다. 알고리즘의 제어 아래 작동하는 로봇은 재고 물품을 실은 선반을 작업대로 운반하고 작업대에 있는 노동자는 고객 주문을 처리하기 위해 선반에서 특정 물건을 꺼내거나 해당 위치에 물건을 채워 넣는다.

현재 아마존은 전 세계 물류 센터에서 20만 대 이상의 로봇을 운영하고 있다. 그 결과 피커가 한 시간 동안 가져올 수 있는 품목 수가 3~4배 증가했다.[9] 지금까지는 로봇이 노동자 대부분을 대체하지 않는다. 오히려 아마존 물류 창고의 고용은 크게 늘었다. 온라인 쇼핑이 인기를 얻으면서 기존 소매업 환경에서 증발한 일자리를 어느 정도 상쇄할 정도다. 로봇은 300킬로그램이 넘는 재고 물품을 운반하며 매끄럽고 장애물이 없는 바닥을 신속하게 움직인다. 반면 노동자는 제자리에서 적어도 지금까지는 로봇의 능력을 능가하는 시지각과 손 기술이 필요한 작업을 한다.[10] 노동자와 기계 사이의 시너지는 아마존이 고객에게 제공하는 서비스 수준을 계속 높이는 데 중요한 역할을 했다. 예컨대 2019년에 도입된 아마존 프라임 고객을 위한 당일 배송은 로봇공학에 막대한 투자를 하지 않았다면 불가능했을 것이다. 마찬가지로 많은 물류 창고 노동자가 바이러스에 감염되는 상황에서도 자동화는 아마존이 코로나바이러스 위기가 전개되면서 급증하는 수요를 감당하는 데 결정적인 역할을 했다.

각각의 상대적인 강점을 활용하는 방식으로 노동자와 로봇을 결합하면 분명히 효율성이 향상되겠지만, 이것은 긍정적일 수도, 부정적일 수도 있는 방식으로 일자리의 성격을 바꿔놓는다. 과거에는 창고 통로를 지치도록 돌아다녔다면 새로운 환경에서는 감각이 마비될 정도로 지루한 작업을 반복해야 한다. 이제 노동자들은 제자리에 서서 매시간 도착하는 선반에 물건을 채우거나 선반에서 물건을 꺼낸다. 한 분석에 따르면 아마존 창고에서 발생하는 부상 수가 해당 업계 평균의 2배가 넘고 새로운 로봇 기술이 도입되면서 반복적인 동작과 높은 선반에서 무거운 물건을 꺼내는 부담 때문에 실제로 부상 수가 일부 증가했다.[11] 사업 컨설턴트 마크 울프래트^{Marc Wulfraat}는 〈복스^{Vox}〉 기자 제이슨 델 레이^{Jason Del Rey}에게 이렇게 말했다. "주문을 처리하느라 콘크리트 바닥을 하루에 19킬로미터씩 걸으면 스무 살 청년이 아닌 다음에야 주말쯤 되면 만신창이가 되고 말죠. (……) 작업자가 물건을 받는 곳에 고무 매트가 있으면 기존 방식보다 3배 이상 생산적이고 또 훨씬 인간적이겠죠. (……) 하지만 생산성이 3배 높아진다는 건 그만큼 반복적인 작업 때문에 마모도 많고 물건을 들어 올리고 처리하는 작업이 빨라진다는 것을 의미합니다."[12]

사실 이런 시설 안에서 노동자는 점차 선택의지를 잃고 생물학적 신경망과 다를 바 없이 변해간다. 아직 기계 지능이 도달하지 못한 기능을 담당하면서 기계화 과정의 빈틈을 채우고 있다. 하지만 그 결과의 하나로 미국과 유럽의 물류 센터에서 시위가 일어났다. 인간이 로봇처럼 다뤄지고 노동자들이 계속 까다로워지는 알고리즘의 감독 아래 합리적이지 않은 기대에 부응하도록 내몰리고 있다고 항의했다.[13] 이런 일자리가 점점 더 비인간적이고, 심지어 위험하며 노동자들을 신체적·정신적 한계까지 밀어붙인다고 인식될수록 필요한 기술이 개발되는 순간 반드시 없어져야 할 합리적인 이유로 작용할 것이다.

실제로 이렇게 외부와 접촉이 없고 상대적으로 통제된 환경에서 쉬지 않고 자동화가 진행되면 점차 노동 집약적이지 않은 방향으로 운영하게 된다. 아마존은 이미 물류 창고 운영을 자동화하기 위해 적극적으로 움직이고 있다. 2019년 5월 〈로이터Reuter〉 기자 제프리 대스틴Jeffrey Dastin은 아마존이 고객에게 배송하기 전에 물건을 상자에 넣어 최종 포장하는 기계를 도입하는 중이라고 보도했다. 로봇은 다양한 제품을 안정적으로 집어 상자 안에 넣는 능력이 아직 부족하기 때문에 대신 제품이 컨베이어 벨트를 따라 이동할 때 제품 크기에 맞는 상자를 순식간에 조립한다. 이 기계는 시간당 약 600~700개의 물건을 상자 안에 넣을 수 있다. 인간 노동자의 5배에 해당하는 능력이다. 프로젝트에 참여했던 관계자 두 명은 이 로봇의 도입으로 미국 전역에 있는 55개 물류 창고에서 약 1,300개의 일자리를 없앨 수 있다고 대스틴 기자에게 말했다.[14]

마찬가지로 아마존은 키바 로봇을 닮았지만 더 작은 하키 퍽 모양의 로봇을 다양한 목적지로 향하는 트럭에 배송 상자를 분배하는 분류 센터에 도입했다. 작은 로봇은 재고 선반을 운반하는 대신 우편번호에 해당하는 분류 센터 바닥의 특정 위치에 상자를 가져다 놓는다. 상자는 바닥의 구멍으로 내려가 아래에서 기다리고 있는 트럭에 보내진다.[15] 물론 이 모든 것은 로봇 자동화의 강력하고 제한적인 업무 역량을 극대화하기 위해 처음부터 전체 작업 환경이 어떻게 설계되고 재구성되고 있는지 생생히 보여주는 사례다. 로봇이 발전하고 용도가 다양해지며 숙련도가 올라갈수록 이런 환경은 새로운 가능성을 활용하고 생산성을 극대화하기 위해 주기적으로 개편될 것이다.

로봇이 물체를 잡고 조작하는 능력이 마침내 인간 수준에 도달하면 물류 창고나 공장 안에서 자동화의 최종 단계가 펼쳐질 것이다. 이 시점이 지나면 완전 자동화 물류 창고가 현실의 시나리오가 된다. 고용은 기계를 관리하고 유지하는 비교적 적은 수의 노동자로 제한될 것이다. 아마존은 이 단계를 달성하려는 지대한 관심을 숨기지 않고 드러냈다. 회사는 전 세계 대학의 공학팀이 참가하는 수많은 경연 대회를 해마다 조직했다. 이 대회에서는 현재 노동자들이 담당하는, 창고 선반에서 물건을 가져오는 작업을 수행할 수 있는 로봇을 만들기 위해 경쟁한다.[16] 크기, 무게, 모양, 질감, 포장 상태가 모두 다른 수천 가지 품목을 안정적으로 잡을 수 있는 로봇손을 만들기가 어렵다는 것은 이미 알려졌지만, 피해 갈 수 없는 과정이다. 2019년 6월 한 콘퍼런스 연설에서 아마존 CEO 제프 베이조스는 이렇게 말했다. "물건을 잡는 문제는 10년 안에 해결되리라 생각합니다. 굉장히 어려운 일이지만 머신 비전machine vision으로 일부 해결하기 시작했습니다. 그래서 머신 비전을 먼저 시작해야 했습니다."[17] 다시 말해 이 회사 물류 창고에서 물건을 쌓고 꺼내는 수천 명의 노동자는 10년 안에 정리 해고되는 길로 접어들었다.

하지만 고용에 끼치는 영향은 그보다 훨씬 앞서 나타날 것이다. 다시 말하지만, 핵심은 물류 창고 내부의 상대적으로 예측 가능하고 통제된 환경이다. 이런 환경에서 상당한 가치를 더하기 위해 로봇이 완벽할 필요는 없다. 사실, 로봇이 예측 가능한 방식으로 꾸준히 실패하는 한, 일반적인 물류 창고에 있는 물건의 50퍼센트 또는 그 이하라도 안정되게 처리한다면 생산성을 크게 높일 수 있다. 아마존은 주문 처리 로봇이 어디에 성공하고 어디에 실패할지 정확히 예측하는 데 제약 없이 사용할 수 있는 엄청난 양의 데이터가 있다. 물론 고객이 온라인으로 주문하는 순간부터 회사는 관련 품목을 정확히 알고 이 주문을 완전히 로봇으로 처리할지, 아니면 인간 노동자에게 보내야 할지 예측하는 데 문제가 거의 없어야 한다. 다시 말해 아마존은 물류 센터 안에서 업무 흐름을 관리하는 것만으로 기능이 제한적인 로봇을 충분히 활용할 수 있다.

로봇의 작업 결과를 안정적으로 예측하고 실패를 처리하는 능력은, 비교적 가까운 미래에 로봇의 성공 가능성이 큰 물류 창고처럼 통제된 환경과 자율 주행차처럼 기술 도전이 훨씬 힘들어질 것 같은 복잡한 외부 세계를 나누는 경계선이다. 물류 창고 로봇은 품목의 절반만 예상대로 처리할 수 있어도 매우 유용하다. 공공 도로를 운행하는 자율 주행차는 마주치는 상황의 99퍼센트를 안정적으로 처리할 수 있어도 위험하다. 쓸모없는 것보다 나쁘다. 나머지 1퍼센트가 재앙을 불러올 수 있기 때문이다.

부분적으로 주문을 처리할 수 있는 로봇이 오히려 더 많은 가치를 창출할 수 있다. 아마존 판매는 롱테일 분포를 보인다. 창고에 있는 제품 가운데 상대적으로 적은 수의 품목이 고객이 주문하는 품목의 대부분을 차지한다. 로봇이 인기 있고 물량이 많은 품목을 상당 부분 처리할 수 있으면 효과적으로 생산성을 높일 수 있다. 물론 완전히 신뢰할 수 있는 로봇은 없다. 처리 가능하다고 예상되는 주문을 작업할 때도 마찬가지다. 하지만 비교적 실수가 적다면, 인간 노동자 한 명이 주문 처리 로봇 여러 대의 작업을 감독하고 문제가 발생할 때만 개입하는 방법도 생각할 수 있다. 결론적으로 창고 자동화는 인간 수준으로 손을 사용하는 로봇이 나온 뒤에 일제히 이루어지기보다, 자동화 과정의 단계마다 물류 창고 내 업무 흐름을 크게 개편해야 할 때 마치 진화가 이루어지듯 점진적으로 진행될 가능성이 크다.

손을 쓰는 로봇을 찾아서

아마존의 로봇공학 계획이 회사의 규모와 영향력으로 인해 많은 관심을 끌고 있지만, 온라인 경쟁업체나 오프라인 대형 할인점이 운영하는 시설도 상황은 비슷했다. 특히 북미와 유럽의 슈퍼마켓 체인은 효율성을 높이고 온라인 판매를 연구하는 방법으로 물류 센터 자동화에 적극적으로 나섰다. 부분적으로는 2017년 6월 아마존이 홀푸드Whole Foods를 인수한 이후 슈퍼마켓 시장에 불어닥칠 파괴적 혁신을 예상한 움직임이기도 했다.

이 분야의 선두 주자 중 하나는 온라인 슈퍼마켓 서비스를 운영하고 물류 창고 자동화 기술을 전 세계 슈퍼마켓 체인에 판매하는 영국 기업 오카도Ocado다. 영국 앤도버에 있는 회사 물류 센터에서는 1,000대 이상의 로봇이 거대한 바둑판을 닮은 높은 격자 구조물에 설치된 레일 위를 달린다. 특정 식료품을 담은 크레이트crate를 최대 25만 개까지 바둑판의 정사각형에 해당하는 곳에 보관할 수 있다. 로봇은 레일 위를 돌아다니며 크레이트를 잡아 상자 같은 내부로 끌어 올린 다음 개별 품목들을 가져와 고객 주문을 포장하는 스테이션으로 운반한다. 로봇은 자율적으로 운행하고, 모바일 데이터 통신망을 통해 서로 소통하고 위치를 탐색하며, 주기적으로 도킹 스테이션으로 돌아와 배터리를 충전한다.[18] 운반 로봇이 오작동할 경우 구하러 오는 특수한 복구 로봇도 있다. 앤도버 시설에서는 매주 350만 개의 개별 품목을 담은 6만 5,000건의 온라인 슈퍼마켓 주문을 처리할 수 있다.[19]

아마존 물류 창고처럼 로봇은 물건을 빨리 이동하는 물류에 중점을 두고, 이 모든 자동화 과정에서 인간은 주로 손을 사용해서 물건을 집고 포장하는 일을 담당한다. 장보기 목록에 들어가는 통조림에서 상자에 든 제품, 농산물에 이르기까지 굉장히 다양한 품목은 로봇이 조작하기 특히 어려운 과제다. 기술 전문 기자 제임스 빈센트James Vincent는 "그래도 망에 담긴 오렌지만큼 로봇한테 곤란한 것도 없다"라고 지적했다. 곤란한 일이란 "망이 하도 이리저리 움직이니까 어디를 잡아야 할지 분명하지 않고 너무 세게 잡으면 오렌지 주스가 되기" 때문이다.[20] 그렇지만 오카도는 이런 도전을 극복하려는 로봇 실험을 진행하고 있다. 현재 로봇 팔은 진공 흡착판을 이용해서 통조림처럼 알맞은 표면이 있는 품목을 들어 올리고 있고, 언젠가는 부드러운 고무 로봇 손이 손상되기 쉬운 물건을 효과적으로 잡을 수 있을 것이다.

진정한 의미에서 손재주가 있는 로봇을 만들려는 노력은 실리콘밸리 벤처 캐피털 회사의 주요 관심사가 됐으며, 자금이 넉넉한 스타트업들이 나타나 이 분야의 최전선에서 혁신적인 연구를 하며 다양한 접근 방법을 받아들이고 있다. 가장 주목받는 스타트업은 코베리언트Covariant로, 2017년에 창업했지만 2020년 초가 돼서야 스텔스 모드로 조용히 등장했다. 코베리언트의 연구원들은 '강화 학습', 즉 기본적으로 시행착오를 통해 학습하는 것이 가장 효과적이라고 믿는다. 회사는 '로봇용 보편적 AI'라고 부르는 거대한 심층 신경망을 기반으로 시스템을 구축하는 중이라고 밝혔다. 이 시스템이 "기존 프로그램된 로봇에는 너무 복잡하고 다양해서 처리할 수 없었던 작업을 완수하고 주변을 관찰하고 추론하고 행동할 수 있는" 다양한 기계를 구동할 것으로 예상한다.[21] UC 버클리와 오픈AI 출신 연구원들이 세운 이 회사는 튜링상 수상자 제프리 힌턴Geoffrey Hinton, 얀르쿤Yann LeCun, 구글의 제프 딘Jeff Dean, 이미지넷 설립자 리페이페이를 포함해 딥러닝 분야 석학들의 투자와 관심을 한 몸에 받았다.[22] 2019년 코베리언트는 스위스 산업로봇 제조 기업 ABB가 주최한 대회에서 인간 개입 없이 다양한 물건을 인식하고 조작할 수 있는 유일한 시스템을 시연해 19개 경쟁 팀을 물리치고 우승했다.[23] 코베리언트는 ABB와 다른 주요 기업들과 협력해 창고나 공장에서 사용하는 산업로봇에 언젠가 인간 수준의 인식이나 손재주에 맞먹는 지능을 불어넣을 것이다.

이 분야의 스타트업과 대학에서 일하는 연구원들은 코베리언트처럼 심층 신경망과 강화 학습에 기반을 둔 전략이 손 사용 능력이 뛰어난 로봇 개발을 향해 가는 가장 좋은 방법이라고 믿는다. 주목할 만한 예외가 있다면 샌프란시스코 베이 에어리어Bay Area에 기반을 둔 작은 인공지능 회사 비카리우스Vicarious다. 2012년 이미지넷 대회를 통해 딥러닝이 전면에 드러나기 2년 전에 설립된 비카리우스의 장기 목표는 인간 수준의 일반 인공지능을 개발하는 것이다. 다시 말해 이 회사는 어떤 의미에서 세간의 이목이 집중하고 자금도 풍부한 딥마인드나 오픈AI와 같은 목표를 놓고 직접 경쟁하고 있다. 우리는 5장에서 이 두 회사가 만들어가는 길과 인간 수준의 인공지능의 일반적인 탐구에 대해 살펴볼 것이다.

비카리우스의 주요 목표 중 하나는 일반적인 딥러닝 시스템보다 유연한, 흔히 인공지능 개발자들이 덜 '취약brittle'하다고 말하는 응용프로그램을 개발하는 것이다. 이런 유연성은 인간이 담당하고 있는 광범위한 작업을 처리할 수 있는 로봇에게 기대되는 중요한 조건이다. 비카리우스의 공동 설립자이자 회사에서 인공지능 연구를 이끄는 딜립 조지Dileep George는 주위 환경을 이해하고 조작할 수 있는 로봇은 일반 지능으로 가기 위해 반드시 거쳐야 하는 중간 기점이라고 믿는다. 2020년 초 이 회사는 물류와 제조업에 초점을 맞춘 다목적 로봇 개발이 주요 단기 사업 전략이라고 발표했다.

자세한 내용은 숨기고 있지만 비카리우스는 사람의 뇌가 작동하는 방식에 영감을 받아 '반복 피질 네트워크recursive cortical network'라고 부르는 혁신적인 머신러닝 시스템을 개발했다고 밝혔다.[24] 이 시스템은 물류 회사 피트니보우스Pitney Bowes의 분류 부문과 화장품 기업 세포라Sephora를 포함한 초기 고객을 위한 생산에 배치한 로봇을 움직이는 데 사용되고 있다. 비카리우스의 로봇은 초기 작동 몇 시간 만에 측정 가능할 정도로 할당된 작업을 개선하는 놀라운 능력이 있다.[25] 이 회사의 목표는 재고 선반이나 상자에서 물건을 고르는 것을 넘어 다목적 조작 능력이 있는 기계를 만드는 것이다. 여기에는 물건을 분류하고 포장하거나, 부품을 교체하고 기계를 관리하는 노동자를 대체하고, 섬세한 조립 작업을 하는 기능이 포함된다. 비카리우스는 최소 1억 5,000만 달러 규모의 벤처 자금을 조달했고,

일론 머스크, 마크 저커버그, 피터 틸, 그리고 빠뜨릴 수 없는 제프 베이조스 같은 실리콘밸리 유명 인사들의 지원을 받고 있다.

인공지능의 진보에 발맞춰 비카리우스는 혁신적인 '서비스형 로봇' 사업 모델을 추진하고 있고, 이는 다양한 산업에 걸쳐 파괴적 혁신으로 나타날 것이다. 이 모델이란 자체적으로 로봇을 제작하거나 판매하는 대신 ABB 같은 기업에서 산업용 로봇을 가져와 독점적인 인공지능 소프트웨어를 통합한 다음 직업소개소에서 인간 노동자를 파견하듯이 기업에 로봇을 대여하는 것이다. 따라서 고객사는 일반적으로 산업로봇에 수반되는 초기 출자나 장기 투자를 하지 않아도 된다. 여기서 로봇 사용의 가장 큰 단점 중 하나가 해결된다. 기계는 구매, 설치, 프로그래밍에 비용이 많이 들고 투자비 회수까지 시간이 오래 걸리기 때문이다. 기존 산업로봇은 인간 노동력에 있는 융통성과 적응력이 부족하다. 공장이나 창고의 내부 프로세스가 변경될 때마다 시간과 비용을 많이 들여 로봇을 재프로그래밍해야 한다. 이것은 산업 환경에서 로봇이 더 널리 보급되지 못하게 막는 주요 요인이었다. 새로운 업무를 빨리 익히는 능력과 결합해 로봇을 서비스로 접근하는 방식은 로봇이 인간 노동자만큼 적응력을 갖는 미래에 다가가고 있다는 것을 보여준다. 그리고 이것은 다양한 산업에서 게임 체인저game changer가 될 것이다.

이런 사업 모델의 이점을 파악한 기업이 비카리우스만은 아니다. 호주의 자동화 기술 회사 크납Knapp도 비슷한 접근 방식을 추구한다. 이 회사는 코베리언트의 소프트웨어로 구동하는 로봇을 활용한다. 2020년 1월 크납의 경영자 피터 푸흐바인^{Peter Puchwein}은 〈뉴욕타임스〉와의 인터뷰에서 로봇 가격을 인간 노동자를 고용하는 비용보다 계속 낮게 책정하는 것이 회사 전략이라고 밝혔다. "회사가 노동자 한 사람에게 연간 4만 달러를 지급해야 한다면 크납은 3만 달러를 청구하는 겁니다. 우리는 계속 낮출 겁니다. 이것이 기본적인 사업 모델입니다. 고객 입장에서는 결정이 어렵지 않죠."[26] 저비용과 더불어 로봇은 휴가를 가지도 않고 아플 일도 없고 지각도 하지 않는다. 인간 노동자와 끊임없이 발생하는 경영상 문제나 불편을 겪지도 않는다.

로봇의 손 기술이 좋아지고 인간 수준의 능력에 근접한다고 해도 가정에서 소비자 제품으로 사용할 만큼 저렴해지기까지는 시간이 오래 걸릴 것이다. 하지만 공장이나 물류 창고처럼 상황을 예측할 수 있고 수익성과 효율성의 논리가 노동자와 기계 사이의 균형을 바꿀 수밖에 없게 만드는 환경에서 파괴적 혁신은 훨씬 앞당겨질 것이다. 앞에서 살펴본 것처럼 로봇이 물리적 조작에 능숙해지고 유연성과 적응력까지 갖추면 새로운 제품을 공급하기 위해 신속하게 생산을 전환하는 능력이 중요한 전자 조립 영역에서도 점차 사용될 것이다. 이 모든 것은 인공지능이 경제의 모든 측면에 촉수를 뻗는 전기와 같은 동력으로 진화하는 이야기에서 중요한 장으로 기록될 것이다.

이 모든 것이 고용에 끼치는 영향도 점차 커질 것이다. 온라인 쇼핑이 기존 소매 부문을 계속 혁신하면서 특히 물류 창고와 배송 센터에서 최근 몇 년 동안 상대적으로 일자리 창출을 많이 해왔기 때문이다. 특히 코로나바이러스 팬데믹에 따른 경제 침체에서 회복할 때 사용되면 심각한 결과를 초래할 수 있다. 마찬가지로 코로나바이러스나 다음 팬데믹까지 이어질 공포가 계속 작용하는 한 로봇을 이용한 생산은 사회적 거리 두기나 치료가 필요한 노동력에서 생기는 문제들에 매력적인 해결책을 제시할 것이다. 인공지능과 로봇공학이 고용과 경제에 끼칠 수 있는 영향은 6장에서 자세히 살펴본다.

소매업과 패스트푸드 산업에 다가오는 혁명

2019년 12월 3일 〈블룸버그〉는 '2번 통로의 로봇들'이라는 제목으로 미국 오프라인 소매업계에서 부상하고 있는 인공지능과 로봇공학, 자동화를 깊이 있게 다룬 기사를 내보냈다. 기업 전문 기자 매슈 보일Matthew Boyle은 주요 슈퍼마켓 체인이 새로운 기술 도입에 특히 관심을 보인다고 지적했다. 아마존이 시장 진출을 앞둔 상황에서 잠재적인 존재 위협을 물리치기 위해서라고 했다. 1970년대 후반 바코드 스캐너를 도입한 것이 마지막 주요 혁신이었던 진부한 슈퍼마켓 업계가 지금은 인공지능 기반 기술 가운데 "선반 스캐닝 로봇, 가변적 가격 책정 소프트웨어, 모바일 체크아웃 시스템, 매장 뒤 자동화된 미니 물류 센터^{mini-warehouse}"를 다급하게 실험하고 있다.²⁷

여전히, 기사에 인용된 산업 관계자의 말에서는 온기가 느껴졌다. 타깃^{Target}의 CEO는 이렇게 말했다. "우리 매장에서는 로봇을 볼 수 없을 겁니다. 인간의 손길이 여전히 중요하기 때문입니다."²⁸ 블룸버그 웹 사이트에 이 기사가 올라오기 거의 이틀 전에 중국 우한에서 코로나바이러스감염증19^{COVID-19} 사례가 최초로 보고됐다. 그 뒤로 몇 개월 동안 사람의 온기와 감성을 전달하는 '휴먼 터치^{human touch}'의 가치에 대한 평가는 상상할 수 없는 속도로 초기화되고 재설정됐다. 인간 노동자가 고객과 직접 접촉하는 거의 모든 환경에서 코로나바이러스 위기는 자동화의 추진 속도를 높일 것이 분명하다. 사회적 거리 두기와 위생에 관한 우려 때문이기도 하지만 바이러스로 비롯된 경기 침체의 여파로 불가피하게 효율성에 대한 집중이 확대된 결과이기도 하다. 효과적인 백신이나 치료법을 보편적으로 이용할 수 있게 돼 현재 위기가 역사 속으로 사라진다 해도 이런 추세는 돌이킬 수 없을 것이다.

동네 슈퍼마켓부터 전국 또는 지역 대형 할인점에 이르기까지 다양한 규모의 소매업체는 특화된 업무를 수행할 수 있는 로봇을 도입하기 위해 적극적으로 움직이고 있다. 예를 들어 자율 바닥 청소 로봇 제조사인 브레인코퍼레이션Brain Corporation은 코로나바이러스 위기로 다음 날 개장 전까지 매장을 철저히 청소해야 하는 상황이 되자 매출이 급격히 상승했다. 월마트는 2020년 말까지 미국 내 1,800개 매장에 이 기계를 도입할 계획이다.[29] 대형 할인점에서는 새로 도착한 물건을 트럭에서 내려 파트별로 입고된 재고를 정리할 때 분류 기계를 사용한다. 이와 마찬가지로 소매업체들은 매장 통로를 돌아다니며 물건을 스캐닝해 재고 조사를 하는 로봇에 투자하고 있다. 월마트도 이 기계를 도입할 계획이다. 키 180센티미터에 카메라 15개를 장착한 로봇이 2020년 여름까지 최소 1,000개 매장에서 자율적으로 선반을 점검하고 제품 바코드를 스캔할 것이다.[30] 로봇이 수집한 데이터는 알고리즘에 전달되고, 매장 재고를 파악한 다음 즉시 특정 물품을 채우도록 직원에게 알린다. 분석에 따르면 품절 품목은 매장 내 판매 감소와 직접 관련이 있기 때문에 재고 로봇은 고객에게 더 나은 경험을 제공하면서 수익성도 즉각적으로 높이는 것으로 나타났다. 사실, 머신러닝 알고리즘은 재고 수준부터 제품 선택, 매장 내 특정 품목의 위치에 이르기까지 모든 것을 관리하는 데 사용되고 있다. 그 덕분에 소매업체들도 아마존이 온라인 쇼핑 사업에서 효과적으로 사용하는 것과 같은 인공지능을 활용할 수 있게 됐다.

최근 가장 뜨거운 트렌드 중 하나는 '미니 풀필먼트 센터mini-fulfillment center'를 기존 슈퍼마켓 매장 뒤편에 통합하는 것이다. 이런 시설은 테이크오프테크놀로지스^{Takeoff Technologies}나 이스라엘 기반 패브릭^{Fabric} 같은 다수의 스타트업이 구축하고 있고, 오카도 같은 기업의 대형 물류 센터에서 볼 수 있는 것과 흡사한 로봇 주문 처리 기능을 제공한다. 미니 풀필먼트 센터 도입으로 슈퍼마켓은 온라인 배송 작업을 효율적으로 처리하고 매주 최대 4,000건의 주문을 준비할 수 있다.[31] 온라인과 오프라인 운영을 분리해 화장지 품절 사태가 일어나는 시기에 직원이 물건을 찾으러 혼잡한 통로에 가지 않아도 되고, 매장 내 재고 압박도 줄일 수 있다. 미니 풀필먼트 센터는 대형 창고형 매장이 갖는 비용 우위를 제공할 만한 규모의 경제는 부족하지만, 기존 매장에 통합하는 데 필요한 초기 비용과 시간은 크게 줄일 수 있다. 소규모 체인이나 독립 상점에는 중요한 이점이다.

일반적으로 소매 환경에서 사용되는 로봇은 물류 창고나 공장의 로봇과 비슷한 강점과 한계를 드러낸다. 기계는 효율적으로 움직이고 매장 뒤편에서 물건을 분류하고 매장 바닥을 청소하거나 제품 바코드를 스캔하면서 통로를 돌아다닌다. 하지만 당분간 로봇이 할 수 없는 일이 있다. 그것은 실제로 선반에 물건을 채우는 일이다. 광범위한 로봇 혁명을 가로막는 근본적인 한계는 대개 손 사용 능력이다. 로봇이 물류 창고 선반에서 다양한 물품을 꺼낼 수 없는 것처럼 매장 선반에 제품을 진열하는 일은 아직은 로봇이 할 수 없는 매우 까다로운 작업이다. 물론 인간 수준의 손재주를 가진 로봇이 나타나면 달라질 것이다.

소매 사업 모델이 전반적으로 바뀌고 있는 점도 주목해야 한다. 대부분의 오프라인 매장이 아마존이나 다른 온라인 소매업체의 압력에 시달리고 있고, 판매도 점차 기존 소매 환경에서 전자 상거래 업체들이 운영하는 거대하고 자동화된 물류 센터로 중심이 옮겨 갈 것으로 보인다. 슈퍼마켓 부문에서도 온라인 주문과 배송이 인기를 얻고 있고, 코로나바이러스 위기가 한창일 때 거의 모든 사람이 집에 있어야 하자 급격히 성장했다. 소비자 선호의 변화가 계속될지는 시간이 말해주겠지만 일단 고객이 문 앞까지 식료품이 배달되는 편리함에 익숙해지면 이 변화는 꽤 오래갈 것이다. 이는 슈퍼마켓 매장의 전반적인 구조 조정으로 이어질 수 있다. 그렇게 되면 매장 뒤편에서 이루어지는 자동화가 상대적으로 더 중요해지고, 고객이 쇼핑하는 통로 공간이나 제품 진열은 점차 축소될 것이다. 결국 배송이든 픽업이든 순식간에 주문을 처리하는 물류 창고 개념의 슈퍼마켓 매장이 출현하고, 이곳에는 고객이 키오스크나 모바일 기기로 주문하기 전에 진열된 제품을 볼 수 있는 작은 공간만 있을 것이다.

소매업 자동화에서 특히 중요한 경향은 로봇이 손을 움직이지 않아도 되고 사실 움직이는 부분이 전혀 없어도 된다는 점이다. 완전히 새로운 소매 모델인 무인 매장에 고객은 그냥 걸어 들어가 선반에서 물건을 집어 들고 매장을 나오면 된다. 계산대 앞에 줄을 서거나 계산원을 대하거나 구체적인 결제 과정을 거치지 않아도 된다.

이 개념은 2018년 아마존 고Go와 함께 처음 등장했다. 우선 고객은 스마트폰에서 앱을 실행하고 지하철역 개찰구를 통과할 때처럼 앱을 스캔한다. 약 185제곱미터 규모의 매장에 들어서면 진열대에서 물건을 꺼내 쇼핑 바구니에 직접 담는다. 이 모든 것은 매장 천장 곳곳에 설치된 센서와 카메라의 놀라운 조합으로 가능하다. 아마존이 자세한 내용을 밝히지 않지만, 진열대에서 물건을 꺼낼 때 카메라가 이를 정확하게 추적하고 그 데이터를 이미지 인식 기능을 이용하는 딥러닝 시스템이 처리해 매장에 있는 고객이 물건을 고르며 통로를 움직일 때마다 구매 내역을 확실하게 기록한다.

기술이 완벽하지 않아 간혹 누락되기도 하지만, 의도적으로 시스템을 속이기는 여간 어려운 일이 아니다. 예를 들어 고객이 선반에서 물건을 꺼내 다른 위치에 놓았다가 다시 물건을 가져와도 구매는 정확하게 이루어진다. 물건을 가리고 꺼내거나 쇼핑 바구니가 아니라 주머니에 물건을 재빨리 넣는 것처럼 노골적으로 물건을 훔치려 해도 거의 성공하지 못한다. 고객이 매장을 나와 다시 한 번 개찰구를 통과하면 구매 금액이 자동으로 고객의 아마존 계정으로 청구된다.[32]

아마존은 미국 주요 도시 26개 지점에 고Go 편의점을 열었으며, 한 기사에 따르면 미국 전역에 약 3,000개 매장을 내는 것을 고려하고 있다.[33] 2020년 2월 이 회사는 계산대 없는 최초의 대형 무인 슈퍼마켓을 열겠다고 발표했다. 시애틀 교외 캐피톨 힐에 위치한

이 슈퍼마켓은 약 930제곱미터 넓이에 5,000여 가지 품목을 보유하고 있다. 아마존은 항상 주목받는 기업이지만 많은 스타트업도 비슷한 기술을 시장에 내놓기 위해 경쟁하고 있다. 예컨대 2019년 12월 액셀로보틱스Accel Robotics는 물건을 집어서 가져가는 '그랩 앤 고grab and go' 기술 개발을 지원하는 벤처 캐피털 자금 3,000만 달러를 받았다. 트리고Trigo, 스탠더드코그니션Standard Cognition, 그라방고Grabango 같은 스타트업도 투자자에게서 적어도 1,000만 달러의 자금을 확보했다.[34] 아마존도 다른 소매업체에 기술을 라이선스하는 것으로 알려졌다.[35] 다시 말해 우리는 계산대 없는 매장을 운영하는 기술을 놓고 활기차고 치열한 경쟁을 벌이는 시장을 보기 직전이다. 이 점을 고려하면 기존의 다양한 소매업체들도 새로운 모델을 도입하는 방향으로 움직이는 편이 좋은 선택일 것이다.

무인 매장이 인기를 얻으면 주요 산업에 파괴적 혁신이 촉발하고 미국에서만 350만 명이 넘는 계산원의 일자리가 심각한 위협에 빠질 것이다. 이용의 편리함이나 계산대에서 기다리지 않아 절약되는 시간 외에도 무인 매장은 코로나바이러스가 만드는 미래에 특히 적합할 수 있다. 인간 노동자에게 가까이 갈 필요가 없는 완전한 비대면 결제를 제공하기 때문이다. 아이러니하게도 아마존은 코로나바이러스가 확산하자 고Go 매장 대부분을 일시적으로 닫았다. 매장이 너무 인기가 많아서 사람들이 줄을 길게 설 가능성이 있기 때문이다. 하지만 장기적으로 보면 이 기술은 사회적 거리 두기가 중요한

로봇의 지배

세상에 무척 알맞아 보인다.

로봇 자동화가 상대적으로 가까운 미래에 중요한 영향력을 끼칠 수 있는 또 다른 분야는 패스트푸드 산업이다. 예컨대 맥도날드는 전 세계 매장에 터치스크린 주문 키오스크를 대대적으로 설치하고 있다. 2019년 이 기계에 지출한 금액은 거의 10억 달러에 이르고, 앞으로 미국 내 거의 모든 매장에 설치할 예정이다.[36] 자동화된 키오스크는 이미 맥도날드 유럽 매장 어디서나 볼 수 있다.

음식을 조리하고 준비하는 식당 주방 일자리도 머지않아 크게 자동화될 것으로 보인다. 이런 일자리들은 이미 탈숙련화 과정을 거쳐 매우 단조로운 작업으로 분리됐다. 이는 저임금을 유지하고 2019년 150퍼센트까지 올라간 높은 이직률에 적응하려는 산업 전략의 일환이다.[37] 탈숙련화된 일자리가 기계화되면 노동자를 자동화된 기계로 대체하는 일이 매우 실현 가능해진다.

가장 성공적인 사례 중 하나가 샌프란시스코에 기반을 둔 크리에이터Creator, Inc.다. 이 회사가 소마South of Market, SoMa 지역에 처음 연 매장에는 세련되고 미학적으로 설계된 로봇이 수준 높은 햄버거를 30초마다 한 개씩 만들어낸다. 고객은 모바일 앱으로 맞춤 햄버거를 주문한다. 로봇은 처음부터 끝까지 햄버거 제조를 완전히 자동화한다. 이 과정에서 음식에 사람의 손길은 전혀 닿지 않는다. 그리고 인간 요리사가 근무하는 고급 레스토랑에서도 찾을 수 없는 반전을 기계가 추가한다. 그 자리에서 고기를 다지고 치즈는 신선하게 갈아 햄버거에 올리고 햄버거 번과 채소는 주문이 들어오면 자른다. 크리에이터는 이 햄버거를 6달러에 판매한다. 다른 식당에서 비슷한 품질의 음식에 내야 하는 금액의 절반 수준이다. 회사의 전략은 값싼 로봇 햄버거를 만드는 것이 아니라 음식 품질에 투자를 늘리기 위한 수단으로 인건비를 낮추는 것이다. 크리에이터는 비용의 40퍼센트를 음식 재료에 할당한다. 일반적인 식당은 30퍼센트를 배정한다.[38]

고품질 햄버거 제조를 완전 자동화할 수 있는 기계를 개발하고 만드는 일은 간단하지 않다. 2012년에 설립된 크리에이터는《로봇의 부상》에서 소개한 적이 있는 회사로, 2015년에는 모멘텀머신스 Momentum Machines라고 불렸다. 로봇이 생산에 투입될 준비를 마치고 2018년 6월 샌프란시스코에 지점을 열기까지 하드웨어와 소프트웨어를 연구하고 설계와 테스트를 하는 데 6년 넘게 걸렸다. 하지만 회사는 구글 벤처스와 실리콘밸리 최고 벤처 캐피털 회사들에서 자금을 확보했고, 지금은 빠르게 확장해 다른 식당에 기술을 라이선스할 준비를 마쳤다.

크리에이터는 고급 햄버거를 만들기 위해 자동화를 활용하는 전략을 사용하지만, 곧 다양한 스타트업들이 저렴하고 상품화된 햄버거를 생산하는 로봇을 개발하는 데 뛰어들 것이다. 그렇게 되면 주요 패스트푸드 체인이나 소규모 독립 식당도 결국 이 기술을 도입할 수밖에 없을 것이다. 일단 주요 기업이 움직이고 기술에 투자하면 사실상 자동화는 경쟁적으로 광범위하게 퍼질 것이다.

영향은 햄버거에 그치지 않을 것이다. 기업가들은 피자나 타코, 커피에 이르기까지 모든 음식을 만들 때 로봇을 도입하는 효과적인 방법을 찾을 것이다. 물론 통념상 고객은 로봇보다 사람 직원과의 상호작용을 선호한다고 알려져 있지만, 코로나바이러스의 여파로 이런 생각은 다소 뒤집힐 것 같다. 인간 접촉 없이 완벽하게 준비된 음식을 생산할 수 있는 기계가 갑자기 중요한 마케팅 포인트가 될 수 있다. 이 글을 쓰고 있는 지금, 전 세계 음식점은 포장 서비스에 크게 의존하고 있다. 코로나 위기가 지속하는 동안 고객 선호가 저녁 식사를 포장하는 쪽으로 영구적으로 바뀐다면 인간의 상호작용이 주는 장점이 작아지고, 식당의 사업 모델과 비용 구조는 변경되며, 이 업계 전반에 걸쳐 자동화로의 전환이 더욱 가속될 것이다.

인공지능이 의료 분야에 미치는 영향

1970년에서 2019년까지 반세기 동안 미국 국내총생산^{GDP}에서 의료비 지출이 차지하는 비율이 7퍼센트에서 18퍼센트로 2배 이상 증가했다.[39] 다른 선진국의 의료비 지출 그래프에서 상승세는 이 정도로 가파르지 않고 현재 지출 비용도 미국보다 낮지만, 사정은 대체로 비슷하다. 예를 들어 독일, 스위스, 영국을 포함한 국가들에서 의료 지출이 차지하는 부분이 같은 기간 동안 적어도 2배 이상 증가했다.[40] 이 세계적 추세를 이끄는 주된 요인은 '비용 질병cost disease'으로 알려진 보몰 효과Baumol effect다. 이 현상은 경제학자 윌리엄 보몰William Baumol과 윌리엄 보웬William Bowen이 연구해 1966년에 출간한 공연 예술 분야의 비용 질병에 관한 책에서 설명됐다.[41]

비용 질병의 바탕이 되는 주된 아이디어는 특정한 경제 부문, 특히 의료나 고등교육은 고도로 숙련된 노동자의 비일상적이고 확장할 수 없는 노력을 요구하고, 그 결과 광범위한 경제에서 나타나는 생산성 향상을 볼 수 없다는 데 있다. 예를 들어 공장에서 자동화가 끊임없이 진행되면 개별 제조 노동자의 노력이 더욱 증폭된다. 소매업이나 패스트푸드 업계도 마찬가지다. 효율적인 조직 관리나 경영 기법, 대형 할인점이나 온라인 쇼핑 같은 사업 모델처럼 새로운 기술이 도입되면 생산성이 향상한다. 하지만 의료 분야에서 환자는 의사와 간호사, 숙련된 전문가들의 고도로 개별화된 관심과 주의가 계속 필요하다. 확실히 새로운 지식과 기술은 치료의 질을 높이고 환자의 더 나은 치료 결과를 가져오지만, 아직 공장 노동자에서 볼 수 있는 방식으로 의료 종사자들의 노력을 증폭하지는 못한다. 그런데도 의료 부문의 임금은 생산성이 높은 산업에 종사하는 노동자들의 소득에 맞춰 계속 인상돼야 했다. 그렇지 않으면 의사와 간호사는 다른 분야에서 더 좋은 기회를 찾기 위해 의료계를 떠나고 다시 돌아오지 않을 것이다. 그 결과, 의료 비용이 그 어느 때보다 경

제에서 큰 몫을 차지하게 됐다.[42]

인공지능의 가장 큰 기회이자 도전 가운데 하나는 의료 분야에 나타나는 비용 질병의 치료법을 찾는 것이다. 인공지능은 이 산업 전반에 생산성 향상을 확장해 마침내 의료 비용 상승 곡선을 누그러뜨리는 기술이 될 수 있을까? 아직 일어난 일은 아니지만, 장기적으로 인공지능이 큰 영향을 끼칠 것으로 낙관할 만한 이유는 충분하다.

로봇은 이미 병원 깊숙이 진출했다. 물론 물류 창고나 소매 환경에서 본 것처럼 기본적인 한계는 있다. 최근에 소독 로봇의 인기가 급상승하고 있다. 이 기계는 병원의 가상 지도를 만든 다음 자율적으로 돌아다니며 모든 표면을 강렬한 자외선으로 소독한다. 인간 노동자와 달리 로봇은 점 하나도 그냥 지나치지 않는다. 자외선은 바이러스나 박테리아 속 RNA나 DNA를 신속하게 파괴하고 일반적인 병실 하나를 15분이면 소독할 수 있다. 이 방법은 액체 소독제보다 훨씬 효과적인 것으로 나타났다. 특히 가장 위험한 '슈퍼버그 superbug' 중 일부가 이런 화학물질에 내성을 갖도록 진화했기 때문이다. 샌안토니오에 기반을 둔 제조업체 제넥스Xenex의 소독 로봇 수요는 코로나바이러스 팬데믹 발생 3개월 만에 400퍼센트 증가했다.[43]

다른 로봇들도 약품이나 침구류, 의료용품을 배달하면서 자율적으로 병원 복도와 엘리베이터를 돌아다닌다. 로봇은 무거운 짐을 운반하고 주기적으로 충전소로 돌아와 배터리를 충전한다. 수천 장의 처방전을 오차 없이 정확하게 준비하고 나눠 주는 거대한 약국 로봇은 주요 병원에서 효율성을 높이고 투약 오류는 줄인다. 이 기계는 프로세스를 완전히 자동화한다. 의사가 병원 컴퓨터 시스템에 처방을 입력하는 순간부터 로봇이 약품을 포장하고 추적용 바코드를 부착할 때까지 사람의 개입은 전혀 없다. 또한 약품 재고 상태를 파악하고 매일 자동으로 새로 주문을 생성하는 역할도 한다.[44]

중요한 발전이 이루어졌지만, 로봇이 의료 환경에서 수행해야 하는 작업은 역시 가장 단조로운 부분으로 제한된다. 의사나 간호사가 필요한 고도로 숙련된 개입을 확장할 수 있는 로봇은 없다. 다빈치 시스템 같은 수술 로봇이 대중화돼 외과 의사의 역량을 확장할 수는 있지만, 자율적이지는 않다. 의사는 직접 손으로 수술하는 대신 이제 로봇을 조작한다. 환자의 만족도는 높아졌을 수 있지만, 외과 의사와 의료진에게 필요한 시간은 크게 줄어들지 않았다. 의사와 간호사가 손으로 하는 일이 인공지능에는 엄청난 도전이다. 문제 해결 능력과 대인 기술, 난도 높은 손재주도 필요하지만, 상황과 환자가 모두 다른 예측할 수 없는 환경에 대처하는 능력이 필요하기 때문이다. 물리적 의료 로봇에 관한 한 공장이나 물류 창고에서 본 생산성 확장 효과는 먼 미래의 일이고, 그러기 위해서는 로봇에 대단히 향상된 손재주뿐만 아니라 일반 인공지능에 가까운 기술이 필요하다.

물리적 로봇의 한계를 고려할 때 인공지능이 단기간에 의료계에 크게 끼칠 영향은 움직임이 필요하지 않은 활동에서 나타날 것이다. 다시 말해 인공지능은 진단이나 치료 계획 수립처럼 정보처리나 순수한 지적 활동에서 성과를 낼 수 있다. 머신 비전 기법을 이용한 의료 영상 해석이 특히 유망한 분야다. 많은 사례 연구에서 딥러닝 시스템이 인간 영상의학 전문의와 역량이 비슷하거나 능가할 수 있다는 점을 보여주었다. 예컨대 2019년 구글과 여러 의과대학의 연구원으로 구성된 팀은 컴퓨터단층촬영CT을 분석해 폐암을 진단할 때 인공지능이 영상의학 의사를 앞설 수 있다는 내용을 발표했다. 환자의 이전 CT 영상이 제공되지 않은 경우 구글 시스템이 94.4퍼센트의 정확도를 보여 "영상의학 전문의 6명 전원보다 더 나은 성과"를 냈고, 이전 영상이 있는 경우 "영상의학 의사와 같은" 수준을 나타냈다.[45]

영상의학 인공지능 시스템은 코로나바이러스 팬데믹이 병원을 압도할 것처럼 위협하자 일부 응급 상황에 사용됐다. 코로나바이러스 감염증 검사가 부족한 가운데 바이러스에 의한 폐렴을 확인할 수 있는 흉부 엑스레이X-ray가 중요한 대체 진단 기법이 됐다. 일부 병원에서는 영상의학 전문의가 힘겹게 영상을 분석하느라 6시간 이상 지체되는 경우가 발생했다. 이에 대응하기 위해 인공지능 진단 도구를 제조하는 인도 기업 큐어닷에이아이Qure.ai와 한국 기업 루닛Lunit은 코로나바이러스에 초점을 맞춰 시스템을 재빨리 재정비했다. 한 연구에 따르면 큐어닷에이아이의 시스템은 코로나바이러스

감염증을 폐렴을 일으키는 조건과 구별하는 데 95퍼센트의 정확도를 보였다.[46]

이런 결과는 때로 과장으로 변질할 수 있는 열정으로 이어진다. 일부 인공지능 전문가들은 마치 기정사실처럼 비교적 가까운 미래에 인공지능 시스템이 인간 영상의학 의사를 완전히 대체할 것처럼 받아들인다. 튜링상 수상자이자 가장 저명한 딥러닝 옹호자이기도 한 제프리 힌턴은 2016년에 이런 발언을 했다. "영상의학 전문의 훈련을 지금 중단해야 합니다. 5년 안에 딥러닝이 영상의학 의사보다 더 뛰어날 것이 너무나 분명하기 때문입니다." 힌턴은 의사를 〈로드러너Roadrunner〉 만화 캐릭터로 유명한 와일 E. 코요테Wile E. Coyote에 비유했다. 낭떠러지로 떨어질 것을 알 때는 "이미 절벽 끝을 지나쳤다"는 것이다.[47] 이 글을 쓰고 있는 지금 힌턴이 이 말을 한 지 4년이 지났지만, 영상의학 의사들의 실업이 임박했다는 증거는 어디에도 보이지 않는다. 사실 현직에 있는 의사들은 그들의 직업이 곧 사라질 것이라는 주장을 적극적으로 반박한다. 2019년 9월, 스탠퍼드 의과대학 영상의학과 의사인 알렉스 브랫Alex Bratt은 '영상의학 전문의가 딥러닝을 두려워하지 않는 이유Why Radiologists Have Nothing to Fear from Deep Learning'라는 제목의 논평을 발표했다. 그는 이 글에서 딥러닝 기반 영상의학 시스템은 유연성과 전체적인 추론이 부족하고 대부분 간단한 사례로 제한된다고 주장했다. 그는 이 시스템이 "임상 기록, 실험값, 이전 영상" 등에서 얻은 정보를 통합할 수 없다고

도 했다. 따라서 지금까지 이 기술은 "임상 정보나 선행 연구를 참고하지 않고 하나의 영상(또는 몇 개의 연속 이미지)만 사용해 높은 특수성과 민감도로 감지할 수 있는 개체"로서만 뛰어났다.[48] 나는 힌턴이 이런 한계는 반드시 극복된다고 주장할 것으로 생각한다. 장기적으로 볼 때 그가 옳다고 밝혀질 가능성이 크다. 하지만 나는 이런 발전이 갑작스러운 혁신이 아니라 점진적인 과정으로 진행되리라 생각한다.

또 다른 현실은 기술 자체의 능력을 넘어 영상의학 의사나 다른 의료 전문가들을 곧 실직자 대열로 내보내기 어려운 장애물이 많다는 것이다. 거의 모든 측면에서 의료계는 때로는 권한이 중복되는 여러 기관에 의해 엄격한 규제를 받는다. 면허가 있는 의사를 업계에서 완전히 배제하는 일은 쉽게 일어나지 않는다. 미국의학협회 American Medical Association 같은 조직의 힘은 다른 노동자들이 비슷한 조직에 받는 것과 비교해 의사의 운명에 훨씬 큰 영향을 끼친다. 법적 책임 문제도 중요하다. 환자에게 나쁜 결과를 초래하는 의료 과실은 의료 소송으로 쉽게 이어질 수 있다. 현재 법적 책임은 수천 명의 의사들에게 개별적으로 분산돼 있다. 하지만 재정적으로 넉넉한 기업이 판매하는 기기나 알고리즘이 그 일을 수행했다면 기업으로 책임이 집중되고 소송이 넘쳐 나는 이유가 될 수 있다. 장기적으로 모두 해결될 문제들이지만 단기적으로 보면 인공지능이 영상의학 의사를 대체할지가 아니라 이들의 생산성을 높일 수 있는지가 문제라고 생각한다. 딥러닝을 통해 영상의학 의사들이 주어진 시간에 훨씬 더 많은 영상을 분석하고 오류를 최소화하는 즉각적인 2차 소견을 제공할 수 있다면 의사 개인의 노력은 증폭되고 시간이 지날수록 의대생들은 의료 분야의 자연스러운 시장 요구에 맞춰 다른 전공 분야를 선택하게 될 것이다.

물론 시각 이미지가 딥러닝 알고리즘에 접근할 수 있는 유일한 정보 형식은 아니다. 의료 기록이 전자화되면서 인공지능 적용에 더할 나위 없이 적합한 거대한 데이터가 생성됐다. 효율성 향상과 비용 절감, 환자 결과 개선을 위해 이 자원을 활용한다면 의료 분야에서 인공지능이 얻을 수 있는 가장 유망한 단기 기회가 될 것이다. 일설에 따르면, 미국에서 의료 과실은 암과 심장 질환 다음으로 많은 주요 사망 원인이다. 매년 44만 명의 미국인이 미리 방지할 수 있었던 과실 때문에 목숨을 잃는다.[49] 잘못된 약물 투여나 복용량 오류 같은 불행한 사고가 특히 만연하다.

2019년 한 연구에 따르면, 이스라엘 스타트업 메드어웨어MedAware가 개발한 인공지능 시스템이 2012년과 2013년 사이 보스턴 브리검여성병원Brigham and Women's Hospital에서 생성한 거의 75만 명의 환자 상호작용에 대한 기록 데이터베이스에 접근해 약 1만 1,000건의 오류를 발견했다. 분석 결과 메드어웨어 소프트웨어는 적법한 과실 발견에 92퍼센트의 정확도를 나타냈고, 경고의 80퍼센트를 통해 중요한 임상 정보를 제공했다. 그리고 비교적 가벼운 사고의 3분의 2

이상이 병원에서 사용 중인 시스템에 파악되지 않았던 것으로 나타났다. 브리검여성병원은 환자 결과를 개선하고 살릴 수 있었던 생명을 구하는 것 외에 실수로 인해 직접 발생한 치료 비용 약 130만 달러를 절약할 수 있었다.[50]

인공지능을 환자 데이터에 적용해 가장 큰 이목을 집중시킨 사건이 2016년 딥마인드가 영국 국민보건서비스NHS와 5년간 데이터 공유 협약을 체결했을 때 일어났다. NHS는 딥마인드가 100만 명이 넘는 환자 정보에 접근할 수 있는 권한을 제공했다. 파일럿 프로젝트에는 두 가지 시스템 구축이 포함됐다. 환자 기록과 검사 결과를 분석한 다음 환자가 급성 신장 손상의 위험이 있을 때 즉시 NHS 직원에게 알리는 시스템과 의료 영상으로 때에 따라 의사보다 정확하게 안구 질환을 진단할 수 있는 인공지능 시스템이었다. 진행 과정은 기대를 모았지만 2019년 이 프로젝트가 딥마인드의 모회사인 구글로 이전되자 거센 논란에 부딪혔다. 거대 기술 기업이 NHS 환자 데이터에 접근권을 갖는 데 반대하는 즉각적인 반발이 일어났던 것이다. 구글은 엄격한 개인 정보 보호 정책을 시행하고 데이터를 비식별화했다고 밝혔다.[51] 하지만 이 모든 것은 기술 자체의 능력을 넘어선 다른 요인이(이번에는 개인 정보 보호 문제였다) 의료 분야에 인공지능의 도입을 얼마나 늦출 수 있는지 다시금 잘 보여준다.

한편 의료 인공지능의 가장 놀라운 성공은 정신 건강 분야에서 일어나고 있다. 2017년 창업한 실리콘밸리의 스타트업 위봇Woebot

Labs은 알렉사나 시리에서 사용되는 것과 유사한 자연어 처리 기술로 구동되는 챗봇을 개발하고 여기에 심리학자들이 신중하게 작성한 대화 요소를 결합했다. 워봇의 접근 방식은 기본적으로 우울증이나 불안 장애가 있는 사람들을 돕는 용도로 개발된 인지 행동 치료cognitive behavioral therapy, CBT 기법을 자동화하는 것이다. 출시된 지 1주일 만에 5만 명 이상의 사람들이 이 챗봇과 대화했다. 회사 창업자이자 CEO인 앨리슨 다시Alison Darcy가 지적하듯이 "워봇은 새벽 2시에도 곁에 있습니다. 공황 발작이 있거나 침대 곁에 치료사가 없을 (수 있거나 있어서는 안 될) 때도 말이죠."[52] 현재 24시간 무료로 이용할 수 있는 챗봇은 정신 건강 치료법에서도 완전히 새로운 시도이며, 이 앱은 벌써 중요한 자리를 차지하고 있다. 미국에서는 건강보험에 가입한 노동자라도 정신 건강 서비스는 종종 접근의 제약을 받는다. 의료 시스템이 열악한 개발도상국의 상황은 훨씬 더 좋지 않다. 정부가 기본적인 의료 서비스를 제공하는 지역에서도 정신 건강 전문가를 만나기는 거의 불가능하다. 워봇은 세계 130개 국가의 사람들과 정기적으로 대화한다. 대부분 영어 전용 서비스인 챗봇과 연동되는 인공지능 기반 번역기의 도움을 받아 의사소통한다.[53] 정신 건강 위기가 점점 드러나고, 특히 코로나바이러스 팬데믹으로 추가적인 스트레스와 불안으로 정신 건강이 크게 악화했을 세상에서 이런 도구는 많은 사람에게 거의 유일하고 가능한 해결책을 제시한다. 인간의 가장 고유한 영역으로 생각하는 특정 의료 영역이

언젠가 의료 산업 전체를 바꾸고 확장성을 갖게 될 인공지능 기반 생산성 향상의 혜택을 처음으로 받는 영역이라는 점이 다소 아이러니해 보인다.

의료 인공지능 분야에서 가장 예측할 수 있고 파괴적인 혁신은 일반 진단과 치료를 지향하는 포괄적이고 신뢰할 수 있는 시스템, 즉 '구급상자' 같은 시스템의 출현일 수 있다. 요점은 의사를 대체하는 것이 아니라 최고 수준의 의사가 지닌 기술과 경험을 효과적으로 민주화하는 방식으로 의사들을 증강하는 것이다. 강력한 인공지능 진단 시스템이 의사의 생산성을 크게 높이고, 한편으로 경험이 부족하거나 보통 수준인 의사도 어깨너머로 지켜보며 조언하는 가상의 엘리트 전문가팀과 함께 환자를 진료할 수 있는 환경이 조성되는 미래를 상상해볼 수 있다.

우리는 아직 그런 미래에 이르지 못했지만, 그 길을 따라가려던 초기 시도는 교훈적인 이야기를 들려준다. 2011년 왓슨이 TV 퀴즈 쇼 〈제퍼디!$^{Jeopardy!}$〉에서 우승한 뒤 IBM은 적극적으로 움직였다. 의료용 기술로 방향을 다시 설정하고 왓슨을 중심으로 10억 달러 규모의 사업 부문을 새롭게 구축했다. IBM의 비전은 다양한 원천에서 얻은 지식을 자기화하는 것이었다. 교과서와 임상 기록, 진단 및 유전자 검사 결과, 과학 논문 등에서 정보를 흡수한 다음 가장 유능한 전문가도 감당할 수 없을 만큼 초인적인 능력을 활용해 흩어진 점들을 잇는 것이다. IBM은 이 기술이 암처럼 복잡한 질병의 맞춤 치료 계획을 세우는 데 실질적인 도움을 주는 응용프로그램이 되길 바랐다. 미디어에서는 왓슨이 '의대에 간다'라거나 마치 〈제퍼디!〉의 다음 대결 상대인 양 이번에는 '암 정복'[54]을 준비한다고 과장 광고와 화려한 기사를 쏟아냈지만 적어도 지금까지는 결과가 대단치 않다. IBM이 가장 많이 홍보하는 의료 협력 기관 중 하나인 텍사스대학교 MD 앤더슨암센터는 실질적인 이점이 없는 것을 확인하고 2017년 왓슨과의 협업을 중단했다.[55] IBM은 스타트업이나 구글 같은 거대 기업을 포함한 다른 많은 경쟁 기업처럼 여전히 자신감을 보이며 이 기술에 계속 투자하고 있다. 이 기술이 제대로 성공할 경우 투자 수익이 상상도 못 할 수준이 될 수 있기에 경쟁은 계속 치열해질 것이다. 언젠가는 성공하겠지만 지금 같은 딥러닝 접근법을 뛰어넘는 인공지능 기술이 필요할 것으로 보인다. 다시 말해 이 분야의 최전선에 있는 연구자들이 추구하는 일반 인공지능에 다가가는 돌파구가 필요할 것이다. 인공지능 분야 최첨단에서 진행 중인 연구는 5장에서 자세히 살펴본다.

　궁극적으로 정말 유용하고 강력한 시스템이 개발되면 새로운 의료 전문가층이 나타날 수 있다. 이들은 학사 또는 석사 수준의 교육을 받고, 규제를 받는 승인된 의료 인공지능 시스템과 환자들을 연결하도록 특별한 훈련을 받은 사람들일 것이다. 저임금 노동자가 의사를 직접 대체할 수는 없겠지만 의사의 감독 아래 일하거나 간단한 처치는 담당할 수 있을 것이다. 예컨대 미국에서 가정의학과 의사들은 비만, 고혈압, 당뇨병 같은 만성질환 환자들에 허우적거리고 있다. 인공지능과 손잡고 일하는 새로운 부류의 실무자들은 이런 부담을 줄이면서 지역을 확장하며 도움을 줄 수 있을 것이다. 미국의 많은 시골 지역에서 의사 부족은 이미 심각한 문제이며, 인구 고령화에 따라 상황은 더욱 악화할 것이다. 이 문제를 해결하고 점차 생산성을 높여 결국 의료 분야의 비용 질병을 통제하려면, 의료 기계 지능에 훨씬 더 의존하는 것 말고는 다른 선택이 없다고 생각한다.

자율 주행차와 트럭은 예상보다 오래 기다려야 한다

2020년 말까지 도로에서 로보택시 100만 대를 운행하겠다는 일론 머스크의 약속은 자율 주행 차량 산업에 대한 지나친 자신감을 보여주는 최근 사례일 뿐이다. 특히 미국에서는 자동차 중심적인 생활 방식 때문에 자율 주행차만큼 과장 광고와 과열된 관심의 대상이 되는 인공지능 응용 분야도 없는 것 같다. 2004년과 2005년 미국 방위고등연구계획국Defense Advanced Research Projects Agency, DARPA의 그랜드 챌린지에 뒤이어 등장한 이 산업은 지나치게 부풀려진 기대에 미치지 못할 때도 자주 있었지만, 놀라운 기술 발전을 이루었다.

2015년 업계에 정통한 관계자들은 완전 자율 차량이 5년 안에 도로를 달릴 것으로 널리 예측했다. 크리스 엄슨^{Chris Urmson}은 당시 열한 살이던 그의 아들이 열여섯 살이 되면 운전면허를 취득할 필요가 없을 것이라는 유명한 예측을 했다. 그는 이 분야의 개척자 중 한 사람이고 구글 자율 주행차에서 분사한 웨이모^{Waymo}의 최고기술책임자를 거쳐 지금은 자율 주행 스타트업 오로라^{Aurora}의 창립자이자 CEO다. 도요타나 닛산을 포함한 주요 자동차 제조사도 2020년까지 자율 주행 차량 출시를 약속했다.[56] 하지만 모든 예측은 없던 일이 됐다. 엄슨은 2019년에도 여전히 확신하며 5년 안에 적어도 '수백 대'의 완전 자율 주행 차량이 공공 도로를 달릴 것이고,[57] 10년 안에 이렇게 운행되는 차량이 1만 대 이상일 것으로[58] 예상한다고 말했다. 나는 개인적으로 이런 예측조차 낙관적이라고 생각한다. 진정한 자율 주행차가 5년 안에 나온다는 것이야말로 앞으로 오랫동안 지속할 진짜 위험일 것이다.

고속도로나 도시 환경처럼 다소 예상할 수 있는 상황에서 자율 주행차를 일상적으로 운행하는 문제는 대부분 해결됐다. 공공 도로의 예측 가능성 수준이 아마존 물류 창고만큼만 돼도 자율 주행차는 이미 널리 보급됐을 것이다.

문제는 극단적인 경우다. 자율 주행차가 정확히 예측하거나 올바르게 해석하기 어려운 상호작용과 상황이 거의 무한에 가깝게 일어난다. 대부분 자율 주행차 기술은 이동 중인 거리를 고도로 정확하게 매핑mapping하는 기술에 의존한다. 그러므로 예상치 못한 도로 폐쇄나 공사, 교통사고는 문제가 될 수 있다. 악천후, 특히 폭우나 폭설은 주요 장애물이다. 무엇보다 가장 큰 도전은 예측할 수 없는 보행자, 자전거 이용자, 운전자로 가득한 생태계와 안전하게 상호작용하는 것이다. 샌프란시스코 같은 도시에서 주의가 산만하거나 술취한 보행자를 만나는 것은 드문 일이 아니다. 경계심이 많은 사람도 종종 이해하기 어려운 행동을 한다. 어떤 때는 조심스럽게 인도에서 내려오지만 다른 때는 훨씬 과감하게 움직인다. 인구 밀집 지역에서 운전자와 보행자 사이의 조화는 대부분 자율 주행차가 이해하거나 따라 하기 매우 힘든 사회적 상호작용에 달려 있다. 눈짓이나 손짓을 하거나 운전자가 알아채길 기다리며 잠깐 멈추거나, 아니면 그 밖의 다양한 미묘한 행동을 통해 이루어지는 연결이 그 길을 공유하는 사람이라면 누구나 이해하는 일종의 무언의 언어를 형성한다. 이런 상호작용을 이해하는 것은 오늘날 딥러닝 시스템이 가진 능력 밖의 일로 보인다. 다시 말해 진정한 자율 주행차는 일반 인공지능으로 가기 위한 기술이 필요할 수 있고, 따라서 오래 기다려야 할 수 있다.

많은 분석가는 도시 환경에서 자율 주행차가 직면하는 어려움을 고려할 때 도로에 나타날 진정한 의미의 실용적인 무인 차량은 장거리 트럭이 될 것으로 생각한다. 고속도로에서의 주행은 테슬라의 오토파일럿 같은 시스템에 의해 이미 대부분 해결된 문제다. 고속도로에서 예측할 수 없는 일이 벌어질 가능성은 복잡한 도시 교차로보다 확실히 낮지만, 오류의 결과는 차량의 속도와 그 차량이 거의 측정할 수 없는 운동에너지로 달리는 완전히 적재된 트럭이라는 사실에 크게 영향을 받는다. 그리고 일론 머스크의 자신감에도 불구하고 테슬라의 오토파일럿 시스템은 운전석에 주의 깊은 운전자 없이 작동하는 것을 인증받지 못했다. 이런 이유로 나는 공공 고속도로에서 진정한 의미의 무인 트럭을 일상적으로 보기까지는 꽤 시간이 걸릴 것으로 생각한다.

소규모 기업 하나가 직면한 도전이 이 부문 전체에 대한 중요한 통찰력을 보여주는 사례가 있다. 2017년 초 나는 샌프란시스코에 기반을 둔 한 스타트업의 초대를 받아 방문하게 됐다. 스타스키로보틱스Starsky Robotics라는 회사였다. 이 회사의 비전은 공동 창업자이자 CEO인 스테판 셀츠 악스마허Stefan Seltz-Axmacher가 설명한 것처럼 고속도로에서 장거리 자율 주행을 하지만 인간이 원격으로 감독하는 트럭 시스템을 구축하는 것이었다. 차량이 경로의 출발지를 떠나거나 도착지에 접근할 때, 또는 복잡한 상황을 접하면 (일반적으로 재교육받은 트럭 운전사 출신의) 원격 조종자가 본사에 있는 비디오게임 같은 콘솔에 무선 연결해 트럭을 운전하게 된다. 셀츠 악스마허는 몇 년 안에 미국 도로를 달리는 완전 자율 무인 트럭을 출시할 것이라고 말했다. 나는 이 회사의 경영진과 그들이 보여준 기술에 큰 감명을 받았지만, 과연 기술을 완성하고 특히 규제라는 장애물을 극복할 수 있을지 매우 회의적이었다. 그렇지만 이들은 내 기대를 뛰어넘었다. 2018년 회사는 무인 트럭을 폐쇄된 도로에서 성공적으로 운행했고, 2019년에는 완전 자동화된 트럭을 공공 고속도로에서 안전 운전자가 탑승하지 않은 상태로 테스트한 최초의 자율 주행 차량 회사가 됐다.

스타스기는 자율 주행 기술을 개발해 라이선스하려는 매우 혁신적인 사업 모델을 도입했다. 자금이 풍부하고 점차 그 수도 증가하는 스타트업과 직접 경쟁하는 대신 스타스키는 직접 트럭 사업에 진출해 이 시스템을 경쟁 우위를 확보하는 데 사용하기로 했다. 회사의 경영진은 트럭 회사의 운영에 맞춰 기술을 완전히 통합 개발하고 상황에 맞게 진화하는 시스템을 배포하는 유연성을 활용하는 것만이 단기간에 성공할 수 있는 유일한 방법이라고 생각했다.

안타깝게도 투자자들은 이 비전을 받아들이지 않았고 다음 라운드에 필요한 벤처 자금을 확보하지 못하자 2020년 초 회사는 문을 닫아야 했다. 회사가 파산한 이후 셸츠 악스마허는 블로그에 글을 올려 이 업계의 발전을 가로막는 주요 문제 중 하나로 딥러닝의 한계를 지적했다. "지도 학습은 과대 포장됐다. 사실상 인공지능이라고 할 수 없다. 오히려 정교한 패턴 매칭 도구에 가깝다."[59] 다시 말해 모든 환경에서 사람의 원격 감독 없이 진정한 자율 주행을 가능케 하는 유연한 시스템은 오늘날 딥러닝 시스템의 능력을 훨씬 뛰어넘을 뿐 아니라 가까운 미래에는 볼 수 없을 것이다. 셸츠 악스마허는 업계가 직면한 도전을 아직 완전히 인식하지 못했고 투자자들도 가까운 시일 안에 자율 주행 트럭을 안전하게 고속도로에 올려놓을 기회를 놓쳤다고 생각한다. 부분적으로는 완전 자동화라는 약속과 더 고급 기능에 최우선으로 집중하기 때문이다. 하지만 이런 기능은 경쟁적인 스타트업들이 종종 시연하지만, 실제 배치할 준비는 전혀 되지 않았다.

충분히 실현 가능한 기술 개발은 자율 주행 차량 산업의 최대 과제처럼 보이지만 이런 차량의 사업 모델에 관한 실질적인 질문도 필요하다고 생각한다. 자율 주행차는 승차 공유 서비스에 자연스럽게 도입될 것이다. 우버나 그 경쟁사들은 벤처 자금이나 최근에는 기업공개IPO에서 조달한 자본으로 모든 승차 서비스의 비용을 보조해왔다.[60] 이것이 지속 가능하지 않다는 점을 고려할 때 자율 주행차는 장기적인 해결책으로 널리 받아들여진다. 일단 요금의 70~80퍼센트를 가져가는 운전자가 이 그림에서 빠지면 회사가 순조롭게 수익성을 얻을 수 있다. 이것이 우버가 자율 주행 차량 회사, 특히 웨이모를 존재 위협으로 보고 2016년부터 자체적으로 시작한 자율 주행 프로그램에 크게 투자하는 이유다.

자율 주행 기술이 구원투수가 될 것으로 가정하는 문제는 우버나 리프트를 매력적인 인터넷 기반 사업으로 보고 그에 따라 평가하는 데 있다. 이들은 주로 디지털 중개자 역할을 하는데 승차자와 운전자를 자동으로 연결하는 소프트웨어를 제공하고 그 대가로 거래

로봇의 지배

의 일부를 수수료로 받는다. 그 덕분에 회사는 차량 소유, 자금 조달, 유지 보수, 보험과 같은 택시 사업의 위험과 불편한 부분을 완전히 피할 수 있다. 이 모든 것은 운전자 부담으로 넘어간다. 우버나 리프트는 엔진오일을 교체할 필요도 없고, 세차하거나 타이어를 교체할 필요도 없다. 대부분의 문제에서 벗어나 깨끗하게 인터넷 수수료만 가져간다. 하지만 운전자가 없다는 것은 자동차를 소유하고 관리해서 오히려 편리함을 제공했던 사람을 배제한다는 의미이기도 하다. 일단 자동차가 자율 주행을 하게 되면 회사는 엄청난 차량을 소유한 기업이 될 것이고, 그에 따른 번거로움이나 비용을 책임져야 한다. 사실상 우버는 허츠Hertz나 에이비스Avis와 다를 바 없을 것이다. 어느 쪽도 '테크 기업'으로 평가되지 않는다. 게다가 승차 공유 회사가 소유한 차량은 자율 주행에 필요한 라이다Lidar 같은 전문 장비의 장착까지 고려하면 훨씬 비쌀 것이다. 코로나바이러스 팬데믹의 여파로 차량 청소와 소독을 자주 해야 할 필요도 강조되고 있다. 현재는 이것도 운전자의 몫이다.

나는 앞으로 등장할 기술과 사업 모델 측면에서 몇 년 동안 자율 주행차의 진화를 지켜보면 무척 흥미롭겠다고 생각한다. 자율 주행 기술을 개발하고 라이선스하는 데 집중하는 실리콘밸리의 스타트업은 많고 거의 모든 주요 자동차 제조사들이 이런 기업에 다양한 수준으로 투자하고 있다. 이들 가운데 파괴적 혁신이 나타날 수 있지만, 가장 흥미로운 이야기 중 하나는 웨이모와 테슬라가 추구하는 전략 사이의 격차가 벌어지고 시간이 지날수록 어떻게 경쟁이 진행될지를 중심으로 펼쳐질 것 같다.

웨이모는 2009년에 시작된 구글의 자율 주행차 프로그램을 그대로 이어받았고 일반적으로 업계 리더라고 할 만큼 어느 기업보다 축적된 경험이 많다. 웨이모는 유료 고객에게 무인 자동차 서비스를 제공하는 유일한 회사다. 웨이모 원Waymo One이라는 이 서비스는 애리조나주 피닉스 교외 지역에 한해 정교한 지도에 지오펜스geofence로 미리 설정된 경로에서만 이용할 수 있다. 이 지역은 도로가 넓고 날씨도 예보대로 협조적이고 보행자도 드물다. 다시 말해 이 서비스는 샌프란시스코나 맨해튼에서 우버를 불러 원하는 장소로 이동하는 것과 전혀 다르다. 그렇지만 웨이모 원은 인상적인 성과를 달성했고, 가까운 미래에 자율 주행차 서비스는 어느 정도 이런 모습일 것으로 생각한다. 어려운 조건이 없고 신중하게 선정한 지역에서 정차할 곳이 지정된 구체적인 경로를 운행하는 것이다. 물론 이렇게 제한적으로 운영해서 어떻게 수익을 낼지는 의문이다. 우버나 리프트의 인간 운전자가 훨씬 융통성 있게 출발지에서 목적지까지 데려다주는 서비스 대신 고객이 (매우 비싼 차량으로 제공되는) 완전 무인 승차 서비스를 선택하게 하려면 도대체 얼마나 저렴해야 할까?

웨이모가 신중하고 칭찬할 만큼 조심스럽게 진행하고 있다면 테슬라는 반대로 계속 한계를 초월하고 때로 업계 사람들조차 무모하다고 느낄 만큼 영역을 침범한다. 테슬라는 기존 고객들에게 완전

자율 주행에 필요한 하드웨어는 이미 차에 갖춰져 있고 나중에 소프트웨어 업데이트를 통해 성능이 구현될 것이라고 말해왔다. 정말 심각하게 야심 찬 약속이다. 테슬라는 라이다를 포기한다는 점에서 웨이모뿐만 아니라 사실상 다른 모든 기업과 구별된다. 라이다는 레이저를 쏜 다음 반사되는 빛을 감지해 자동차 주변의 물체를 파악하는 시스템이다. 게다가 가격도 비싸고 적어도 지금 단계에서는 외관도 보기 좋지 않다. 유독 테슬라는 카메라와 레이더만으로도 완전 자동화를 이룰 수 있다고 믿는다. 앞서 언급했듯이 테슬라는 자동차에 장착된 여러 대의 카메라가 수집하는 데이터 측면에서 큰 이점을 누리고 있다. 웨이모는 약 600대의 자율 주행 차량을 보유하고 있지만, 테슬라는 현재 40만 대의 차량이 도로를 달리며 데이터를 수집하고, 그 수는 늘어나고 있다. 웨이모의 차량은 실제 도로에서 수백만 킬로미터를 주행하고 수십억 킬로미터를 시뮬레이션했다.[61] 테슬라는 오토파일럿 시스템 제어하에 수십억 킬로미터를 실제 주행했다. 실제 도로에서 수집한 데이터는 분명히 이점이지만 궁극적인 성공은 이 자원을 충분하게 활용하는 강력한 인공지능에 달려 있다. 나는 오늘날 딥러닝 기술이 이 과제를 감당할 수 있는지를 놓고 실질적인 질문을 해야 한다고 생각한다.

이 업계에 던질 또 다른 중요한 질문은 궁극적으로 제공될 자율성의 수준에 관한 것이다. 자율 주행 시스템은 다섯 가지 범주로 나뉜다. 레벨 1에서 레벨 3은 보조적인 수준이다. 예컨대 고속도로 크루즈 기능처럼 제한된 환경에서 자동차가 움직일 수 있지만, 운전자가 주의를 기울이고 즉시 차량을 제어할 수 있는 상태여야 한다. 테슬라를 포함한 자동차 제조사는 이 단계에 해당하는 기능을 제공하는 데 주력하고 있다. 문제는 시스템이 거의 항상 제대로 작동하기 때문에 운전자가 부주의하기 쉽다는 것이다. 예를 들어 많은 테슬라 운전자가 오토파일럿을 이용해 실리콘밸리 고속도로의 카풀 전용 차로를 달리면서 휴대전화로 이메일에 답하는 경우가 흔하다. 이런 행동은 이미 치명적인 사고로 이어졌다. 일상적으로 장시간 운전하는 운전자 관점에서 어떻게 자동차에 주의력을 강화할 수 있을지는 명확하지 않다. 자율 주행 시스템이 유리하게 내세울 수 있는 점은 언젠가는 교통사고로 죽는 사망자의 수를 엄청나게 줄일 수 있다는 약속이다(전 세계에서 해마다 130만 명 이상이 교통사고로 죽는다).[62] 하지만 시스템이 단지 보조적인 역할에 머물고 계속 위험을 수반한다면 이 수치에 긍정적인 영향을 끼치기에는 충분하지 않을 수 있다.

이런 이유로 웨이모는 이 분야의 여러 스타트업들과 마찬가지로 오로지 자율 주행 레벨 4와 레벨 5에 집중하기로 했다. 이 정도면 운전자가 차 안에서 잠을 잘 수 있는 수준이다. 사실, 브레이크 페달이나 운전대가 필요 없을 수도 있다. 여기서 다시, 테슬라는 극단에 자리한다. 소프트웨어 업데이트를 통해 자율 주행 레벨 2에서 레벨 4로 즉시 업그레이드하면 두 버전 사이의 간극을 채울 수 있

로봇의 지배

다는 테슬라의 주장은, 조금도 과장하지 않고, 정말 놀랍다. 많은 사람은 이것이 완전히 과장된 약속이고 아직 개발되지 않은 가상의 제품에 지나지 않는다고 말한다. 조만간 테슬라가 이 약속을 지킨다면 무척 놀랍기는 하겠지만 만약 그렇다면 분명한 업계 리더로 자리 잡을 것이다. 사실, 이런 기대가 이미 어느 정도 회사 주가에 반영된 것일 수 있다.

일론 머스크와 테슬라의 경영진은 완전 자율 주행의 전망에 대해 분명히 많이 고민한 것 같다. 이들은 기술과 함께 사업 모델의 문제점을 해결할 방법도 개발했다. 2019년 자율 주행의 날 행사에서 일론 머스크는 테슬라 자동차 소유주가 로보택시 서비스에 참여할 수 있는 제도를 설명했다. 테슬라는 애플이 애플 스토어에서 수익을 창출하는 방식처럼 승차 공유 요금 일부를 가져갈 것이다. 흥미롭게도 이 제안은 우버나 리프트 같은 회사에 골칫거리가 될 차량 소유나 유지 관리 문제를 해결해준다. 테슬라는 차량을 소유하지 않으면서 순수하게 인터넷 중개자의 역할만 하는 방법을 찾았다. 테슬라 자동차 소유자 대부분은 낯선 사람과 자신의 차량을 공유하고 싶지 않겠지만 이 계획이 실행 가능하다면 자가용이 아니라 사업 투자 목적으로 테슬라 차량을 구매할 수도 있을 것이다.

의심할 필요 없이 자율 주행 차량은 언젠가 인공지능 혁명의 가장 구체적이고 중요한 구현 중 하나가 될 것이다. 이 기술은 많은 사람의 생명을 구하는 한편, 우리가 사는 도시와 생활 방식을 재구성할 가능성도 있다. 하지만 이 기술에 도달하기까지 10년 이상은 기다려야 할 것이다. 인공지능 혁명의 강력한 증거는 물류 창고, 사무실, 소매점 같은 다른 영역에서 먼저 나타날 것이다. 기술 문제를 더 쉽게 관리할 수 있고, 환경을 더 쉽게 제어할 수 있으며, 정부 규제를 덜 받고, 오류의 결과가 덜 심각한 분야가 될 것이다. 하지만 테슬라 자동차에서 소프트웨어 하나를 업그레이드해서 내가 잘못 생각했다고 인정하는 순간을 상상하면 무척 흥분된다.

과학과 의학,
기술 정체기를 벗어날 것인가

'기술 낙관주의자'라고 부를 만한 사람들은 당연히 우리가 놀라운 기술 가속의 시대에 살고 있다고 생각한다. 혁신의 속도가 전례 없이 빠르고 기하급수적으로 증가한다. 특히 열성적인 가속주의자들은(대표 인물로 레이 커즈와일을 종종 꼽는데 그는 '수확 가속의 법칙'으로 이 사상을 성문화했다) 앞으로 100년 동안, 역사적 기준으로 볼 때 '2만 년 이상의 진보'에 해당하는 경험을 하게 될 것으로 확신한다.[63]

그러나 자세히 살펴보면 가속화가 진행되는 동안 놀라운 진보는 거의 모두 정보 통신 기술 분야에 국한됐다. 기하급수적이라는 말은 무어의 법칙이나 소프트웨어에 적합한 이야기였다. 이 분야를 벗어나 비트^{bit}보다 아톰^{atom}으로 이루어진 세계에서 지난 반세기 동안 일어난 이야기는 전혀 다르다. 교통, 에너지, 주택, 물리적 공공 인프라, 농업 같은 분야의 혁신 속도는 기하급수적인 것에 훨씬 미치지 못할 뿐만 아니라, 오히려 정체됐다고 표현하는 편이 나을 것이다.

끊임없는 혁신으로 정의된 삶을 상상하고 싶다면 1800년대 후반에 태어나 1950년대나 1960년대까지 살았던 사람을 생각해 볼 수 있다. 이 사람은 상상할 수 없는 규모의 사회 전반에 걸친 체계적 전환을 목격했다. 자동차와 항공기, 제트추진에 이어 우주 시대가 열렸다. 전기가 보급되고 조명, 라디오, 텔레비전이 등장하고 나중에는 가전제품까지 사용할 수 있었다. 항생제와 대량생산된 백신 덕분에 미국인의 기대 수명이 50세 미만에서 거의 70세로 늘었다. 반면, 1960년대에 태어난 사람은 개인용 컴퓨터와 인터넷의 등장을 지켜보았겠지만 수십 년 전에 일어났던 혁신들은 그저 조금씩 개선됐을 뿐이다. 오늘날 자동차와 1950년대 자동차의 차이는 1950년 자동차와 1890년 교통수단의 차이와 단순히 비교할 수 없다. 현대 생활의 모든 면에 걸쳐 널리 퍼져 있는 수많은 다른 기술들도 마찬가지다.

컴퓨터 사용과 인터넷의 놀라운 발전 그 자체로는 지난 수십 년 동안 보아온 광범위한 진보를 따라갈 수 없다는 사실은 피터 틸의 유명한 한마디로 압축할 수 있다. "우리는 하늘을 나는 자동차를 기대했지만, 결국 얻은 건 140자(트위터)뿐이다." 정보 기술은 계속 발전하고 있지만, 우리가 상대적으로 정체된 시대를 살고 있다는 주장은 경제학자 타일러 코웬Tyler Cowen이 2011년에 출간한 책《거대한 침체》[64]와 로버트 고든Robert Gordon이 미국의 미래를 매우 비관적으로 그린 2016년 책《미국의 성장은 끝났는가》[65]에 상세히 설명돼 있다. 두 책의 핵심 주장은 손쉽게 얻을 수 있는 기술혁신은 이미 1970년대에 대부분 거둬들였다는 것이다. 그 결과 우리는 지금 혁신이라는 나무의 높은 가지에 닿으려고 애쓰는 기술적 소강상태에 있다. 코웬은 결국 기술 정체기를 벗어날 것으로 낙관한다. 하지만 고든은 그렇지 못해서, 나무 위쪽 가지에는 수확할 열매가 남지 않았고 가장 위대한 발명은 이미 지나갔다고 말한다.

고든의 의견이 너무 비관적이라고 생각하지만 새로운 아이디어의 발상이 광범위하게 정체돼 있다는 사실을 보여주는 증거는 충분하다. 2020년 4월 스탠퍼드와 MIT의 경제학자팀은 다양한 산업에 걸쳐 연구 생산성이 급격히 하락했다는 내용의 학술 논문을 발표했다. 분석에 따르면 미국 연구자들이 혁신을 창출하는 효율성이 "13년마다 절반으로 줄어든다"고 나타났다. 다시 말해 "1인당 GDP 성장을 꾸준히 유지하려면 미국은 새로운 아이디어 발굴에 증가하는 어려움을 상쇄하기 위해 13년마다 연구 노력을 2배로 늘려야 한다."[66] 그리고 경제학자들은 "어디를 둘러봐도 아이디어를 찾고 그 아이디어가 내포한 기하급수적인 성장을 발견하기는 점점 더 어려워지고 있다"라고 말한다.[67] 그리고 이런 경향은 기하급수적으로 꾸준히 성장해온 단 한 분야로 확장되고 있다. 연구자들은 "무어의 법칙처럼 컴퓨터 칩 집적도를 2배 높이기 위해 지금 필요한 연구원 수는 1970년대 초보다 18배 이상 많아졌다"라고 말한다.[68] 한 가지 가능한 설명은 첨단 연구를 하려면 먼저 최신 기술을 알아야 한다는 것이다. 거의 모든 과학 분야에서 이전보다 훨씬 더 방대한 지식의 동화가 필요하다. 그 결과 이제 혁신에는 고도로 전문화된 배경을 가진 연구원들로 구성된 대규모 팀이 필요하고, 이들의 노력을 조정하기란 소규모일 때보다 태생적으로 어려울 수밖에 없다.

물론 혁신의 둔화에 원인이 되는 다른 중요한 요소들도 많다. 물리법칙은 접근할 수 있는 혁신이 모든 분야에 걸쳐 균일하게 분포하지 않는다고 설명한다. 항공우주공학에 적용되는 무어의 법칙은 없다. 많은 분야에서 혁신의 열매가 주렁주렁 달린 곳에 도달하려면 거대한 도약이 필요할 것이다. 현재 기업 세계에 만연해 있는 단기 이익만 추구하는 근시안적 사고방식과 과도하거나 비효율적인 정부 규제도 한몫한다. 장기적인 연구 개발 투자는 분기별 수익에 대한 과도한 집착이나 단기적 주식 성과와 결부된 경영진 보상과 양립할 수 없다. 증가하는 복잡성과 폭발하는 지식을 탐색해야 할 필요가 여전히 혁신의 속도를 지연시키고 있는 만큼, 인공지능은 우리가 기술 정체를 벗어나기 위해 활용할 수 있는 가장 강력한 도구로 증명될 것이다. 이것이야말로 인공지능이 편재하는 동력으로 진화하는 단 하나의 중요한 기회라고 생각한다. 장기적으로 지속적인 번영과 우리 앞에 있다고 알려진 도전이나 예상치 못한 도전을 극복하는 능력이라는 관점에서 볼 때, 새로운 아이디어를 구상하고 혁신하는 집단적 능력을 증폭시키는 것보다 더 중요한 것은 없다.

　과학 연구에서 인공지능, 특히 딥러닝이 단기간에 성과를 낼 수 있는 가장 유망한 분야는 새로운 화합물의 발견일 것이다. 딥마인드의 알파고 시스템이 거의 무한한 게임 공간을 마주했던 것처럼(바둑판에서 바둑돌을 놓을 수 있는 수는 우주의 원자 수보다 많다) 생각할 수 있는 모든 분자 배열을 포함하는 '화학 공간'도 실용적인 면에서 무한하다. 이 공간에서 유용한 분자를 찾으려면 엄청나게 복잡한 다차원 검색이 필요하다. 분자의 극성, 용해도, 독성 같은 매개변수부터 분자구조의 3차원 크기와 모양까지 고려해야 할 요소도 다양하다.[69] 화학자나 재료과학자에게 새로운 대안을 찾는 일은 실험적인 시행착오를 거쳐야 하는 노동 집약적 과정이다. 정말 유용한 새로운 물질을 찾으려면 경력의 많은 부분이 쉽게 소모될 수 있다. 예를 들어 오늘날 우리가 여러 기기나 전기 자동차에서 흔히 사용하는 리튬이온 배터리는 1970년대에 시작된 연구에서 등장했지만, 상용화할 수 있는 기술은 1990년대가 돼서야 나타났다. 인공지능은 엄청나게 빠른 진행 과정을 약속한다. 새로운 분자를 탐색하는 일은 여러 면에서 딥러닝에 매우 적합하다. 알고리즘은 유용하다고 알려진 분자의 특성이나 일부 경우에는 분자 배열과 상호작용을 지배하는 규

칙을 학습할 수 있다.[70]

언뜻 보면 응용 범위가 상대적으로 좁은 것처럼 보일 수 있다. 하지만 유용한 새로운 화학물질을 탐색하려면 혁신의 거의 모든 영역을 건드려야 한다. 이 과정을 가속하면 여러 파급효과를 기대할 수 있다. 이를테면 기계와 기반 시설에 사용되는 혁신적인 고장력 물질, 더 나은 배터리와 광전지에 사용되는 반응성 물질, 오염을 술이는 필터나 흡수제, 의료 혁명을 일으킬 수 있는 다양한 신약이 여기에 포함된다.

대학 연구소와 스타트업은 머신러닝 기술에 적극적으로 눈을 돌렸으며, 중요한 혁신을 만들기 위해 강력한 인공지능 기반 접근법을 이미 사용하고 있다. 2019년 10월 네덜란드 델프트공과대학교의 과학자들은 실험실 실험 없이 전적으로 머신러닝 알고리즘에 의존해 완전히 새로운 물질을 디자인했다고 발표했다. 새로운 물질은 강하고 내구성이 있지만, 특정 임계치를 초과하는 힘이 가해지면 뛰어난 압축성을 보인다. 즉 이 물질은 본래 부피보다 훨씬 작은 크기로 효과적으로 압축될 수 있다. 이 프로젝트의 수석 연구원 미겔 베사Miguel Bessa에 따르면, 이런 속성을 지닌 미래형 물질은 언젠가 "자전거나 식탁, 우산 같은 물체를 접어서 주머니에 넣을 수 있다"라는 것을 의미하게 될 것이다.[71]

이런 연구에는 대개 인공지능 분야에 탄탄한 기술적 배경이 있는 연구자들이 필요하지만 다른 대학의 연구팀들은 새로운 화합물 발견을 촉진할 접근하기 쉬운 인공지능 기반 도구를 개발하고 있다. 예컨대 코넬대학교의 연구자들은 과학적 자율 추론 에이전트Scientific Autonomous Reasoning Agent, SARA 프로젝트를 진행 중이다. 이 팀은 프로젝트를 통해 "새로운 재료 발견과 개발에, 자릿수가 바뀔 정도로, 획기적인 가속이 일어나길" 바란다.[72] 텍사스 A&M대학교의 연구자들은 이전에 알려지지 않은 물질을 자동으로 검색하도록 설계된 소프트웨어 플랫폼을 개발하고 있다.[73] 두 프로젝트는 미 국방성이 부분적으로 자금을 지원하고 있고, 특히 혁신이 나타날 때마다 열성적인 고객이 되고 있다. 아마존이나 구글이 제공하는 클라우드 기반 딥러닝 도구가 많은 비즈니스 애플리케이션에 머신러닝의 도입을 민주화하는 것처럼 이런 도구들은 전문화된 과학 연구에도 같은 역할을 할 준비를 하고 있다. 화학이나 재료공학을 연구하는 과학자들이 머신러닝 전문가가 되지 않고도 인공지능의 힘을 사용할 수 있게 될 것이다. 다시 말해 인공지능은 좀 더 창의적이고 타깃화된 방식으로 활용할 수 있는 접근 가능한 동력으로 진화하고 있다.

더욱 야심 찬 접근 방법이 화학물질 발견을 목표로 하는 인공지능 기반 소프트웨어와 물리적인 실험실 실험을 수행하는 로봇을 통합하는 데 사용되고 있다. 이런 방향성을 추구하는 작은 회사 중 하나가 매사추세츠주 케임브리지에 있는 케보틱스Kebotix라는 스타트업이다. 하버드대학교의 선도적인 재료과학 연구실에서 분사한 이곳은 '재료 발견을 위한 세계 최초의 자율 주행 연구실'을 개발했다.

이 회사의 로봇은 자율적으로 실험을 진행할 수 있다. 액체를 옮겨 혼합하기 위해 피펫 같은 실험 기구를 조작하고 화학분석을 수행하는 기계를 사용한다. 인공지능 알고리즘이 실험 결과를 분석하면 최선의 실행 계획을 예측한 다음 더 많은 실험을 시작할 수 있다. 결국 회사가 주장하듯 유용하고 새로운 분자 발견 속도를 극적으로 높이는 것은 반복적인 지기 개선 과정이다.[74]

화학과 인공지능이 만나는 곳 가운데 가장 흥미롭고 자금 지원도 많은 분야는 신약 발견과 개발이다. 일설에 따르면 2020년 4월 기준으로 최소 230개 스타트업이 인공지능을 사용해 새로운 의약품 개발에 집중하고 있다고 한다.[75] 대프니 콜러Daphne Koller는 스탠퍼드대학교 교수이자 온라인 교육 기업 코세라의 공동 설립자이며 머신러닝을 생물학과 생화학에 적용하는 세계 최고 전문가 중 한 명이다. 또한 2018년 실리콘밸리에서 시작해 머신러닝을 이용한 신약 개발 연구에 1억 달러 이상의 자금을 확보한 스타트업 인시트로insitro의 창업자이자 CEO다. 미국 경제 전체를 괴롭히는 기술혁신의 광범위한 둔화는 제약 산업에서 두드러진다. 콜러는 내게 이렇게 말했다.

문제는 신약 개발이 계속 어려워진다는 겁니다. 임상 시험 성공률이 한 자릿수 중반대예요. 신약 개발에 투입되는 (실패를 포함한) 세전 연구 개발 비용이 25억 달러 이상은 될 것으로 추산합니다. 신약 개발 투자수익률은 해를 거듭할수록 감소하고 2020년이 되기 전에 제로가 될 거라는 분석도 있어요. 현재 신약 개발이 기본적으로 얼마나 어려운지를 바로 보여줍니다. '낮게 매달린 열매', 즉 많은 인구에 큰 영향을 끼치는 신규 치료제 발굴 가능 타깃druggable target은 이미 많이 (아마도 대부분) 발견됐습니다. 그렇다면 신약 개발의 다음 단계는 좀 더 전문화된 약품에 초점을 맞춰야 합니다. 이런 제품은 효과가 상황에 따라 다를 수 있고, 특정 환자에게 적용될 겁니다.[76]

인시트로와 경쟁업체들의 비전은 인공지능을 사용해 유망한 약물 후보를 신속하게 분리하고 개발 비용을 획기적으로 절감하는 것이다. 약물 발견은 "여러 갈래가 있는 길을 걷는 긴 여정이고 그 길의 99퍼센트는 막다른 길"이라고 콜러는 말한다. 인공지능이 "어느 정도 정확한 나침반 역할을 한다면 이 과정의 성공 확률에 어떤 영향을 끼칠지" 알 수 있을 것이다.[77]

이런 접근 방식은 이미 수익을 내고 있다. 2020년 2월 MIT 연구원들은 딥러닝을 이용해 강력하고 새로운 항생제를 발견했다고 발표했다. 연구원들이 개발한 인공지능 시스템은 며칠 만에 1억 개 이상의 예상 화합물을 선별해냈다. 새로운 항생제는 영화 〈2001: 스페이스 오디세이〉의 인공지능 시스템 할HAL을 따라 할리신halicin으로 불리게 됐고, 기존 약물에 내성이 있는 균주를 포함해 시험한 거의 모든 유형의 박테리아에 치명적인 것으로 나타났다.[78] 이것이 중요한 이유는 유기체가 기본 약물에 적응하자 의료계에서 약물 내성이 있는 박테리아의 위험을 경고해왔기 때문이다('슈퍼버그'는 이미 여러 병원을 괴롭혔다). 개발 비용은 많이 들지만, 수익성이 상대적으로 낮아 새롭게 개발 중인 항생제가 거의 없다. 엄격하고 비용이 많이 드는 임상 시험과 규제 승인 과정을 통과한다 해도 신약은 기존 항생제의 변형인 경우가 많다. 반면에 할리신은 완전히 새로운 방식으로 박테리아를 공격하는 것으로 보인다. 실험에 따르면 이 메커니즘은 일반적으로 시간이 지나면 항생제 효과가 감소하는 돌연변이에 특히 탄력적이라고 한다. 다시 말해 인공지능은 의미 있는 혁신에 중요한 '틀에서 벗어난' 탐색에 기반을 두고 해결책을 만들어냈다.

2020년 초에 발표된 또 다른 중요한 성과는 영국에 기반을 둔 스타트업 엑센시아Exscientia에서 나왔다. 이 회사는 머신러닝을 사용해 강박 장애 치료를 위한 새로운 약물을 발견했다. 프로젝트 초기 개발에 1년이 걸렸으며(기존 방법을 사용할 때 걸리는 시간의 5분의 1 수준이다), 인공지능이 발견해 임상 시험에 들어간 최초의 약물이라고 회사는 밝혔다.[79]

1장에서 봤듯이 인공지능을 생화학 연구에 응용한 사례 중 특히 주목할 만한 성과는 2020년 11월에 딥마인드가 발표한 단백질 접힘에 관한 획기적인 기술이었다. 딥마인드는 특정 약물을 발견하는 대신 더 근본적인 수준의 이해를 위해 이 기술을 사용했다. 2018년 말 딥마인드는 알파폴드 시스템 초기 버전을 가지고 2년마다 개최되는 단백질 구조 예측 대회Critical Assessment of Structure Prediction, CASP에 참가했다. 전 세계에서 참가한 팀이 단백질이 접히는 방식을 예측하기 위해 계산과 인간의 직관에 바탕을 둔 다양한 기법을 선보였다. 알파폴드는 2018년 대회에서 큰 차이로 우승했다. 우세했다고 하지만 43개 단백질 서열 가운데 25개를 정확하게 예측했을 뿐이다. 다시 말해 알파폴드 예비 버전은 유용한 연구 도구가 되기에는 아직 정확도가 부족했다.[80] 딥마인드는 2년 뒤 많은 과학자가 단백질 접힘 문제가 "해결됐다"라고 선언할 정도로 기술을 개선했다. 나는 이 사실이 인공지능의 구체적인 응용이 얼마나 빠르게 발전할지를 생생하게 보여준다고 생각한다.

신약 개발과 화합물 발견을 위해 머신러닝을 이용하는 것 외에 인공지능을 과학 연구에 응용하는 가장 유망한 분야는 발표 수가 폭발적으로 증가하는 연구 결과를 흡수하고 이해하는 것이다. 2018년 한 해에만 300만 건 이상의 과학 논문이 4만 개 이상의 학술지에 게재됐다.[81] 이런 규모의 정보를 이해하는 것은 한 개인의 능력을 벗어나기 때문에 전체론적 이해를 위해서는 인공지능이 우리가 사용할 수 있는 유일한 도구다.

최신 딥러닝 발전에 기반한 자연어 처리 시스템은 정보를 추출하고, 연구 전반에 걸쳐 명확하지 않은 패턴을 파악하고, 모호하게 남을 수 있는 개념을 연결하는 데 사용된다. IBM의 왓슨 기술은 이 분야에서 계속 중요한 역할을 하고 있다. 또 다른 프로젝트인 시맨틱 스칼라^{Semantic Scholar}는 2015년 시애틀에 있는 앨런인공지능연구소^{Allen Institute for Artificial Intelligence}에서 시작됐다. 시맨틱 스칼라는 거의 모든 과학 분야에서 발표된 1억 8,600만 건 이상의 연구 논문에서 인공지능 기반 검색과 정보 추출을 제공한다.[82]

2020년 3월 앨런연구소는 마이크로소프트, 미국 국립의학도서관, 백악관 과학기술국, 아마존 AWS 부문 등이 참여하는 컨소시엄에 합류했다. 코로나바이러스 팬데믹과 관련된 과학 논문을 검색할 수 있는 데이터베이스인 코로나19 오픈 리서치 데이터세트^{COVID-19 Open Research Dataset, CORD}를 구축하는 프로젝트였다.[83] 이 기술 덕분에 과학자와 의료 서비스 제공자들이 바이러스 생화학, 역학 모델, 질병 치료를 포함한 광범위한 과학 영역에서 신속하게 특정 문제의 해답에 접근할 수 있다. 2021년 4월 기준으로 28만 건 이상의 과학 논문이 데이터베이스에 포함돼 있고 과학자들과 의사들이 주로 많이 사용하고 있다.[84]

이와 같은 이니셔티브는 새로운 아이디어의 창출을 가속하는 데 중요한 도구가 될 엄청난 잠재력을 가지고 있다. 이 기술은 아직 초기 단계에 있지만 진정한 발전을 이루려면 적어도 일반 인공지능으로 가는 과정에 있는 몇 가지 장애물을 극복해야 할 것이다. 이 주제는 5장에서 자세히 살펴본다. 정말 강력한 시스템이 과학자들의 똑똑한 연구 조수가 돼 대화에 제대로 참여하고 아이디어를 놓고 고민하며 탐색을 위한 새로운 길을 적극적으로 제안하는 모습은 쉽게 상상할 수 있다.

하지만 앞으로 일어날 수 있는 일에 신중하고 현실적인 관점을 유지하는 것도 중요하다고 생각한다. 이 중 어느 것도 인공지능이 혁신의 치트키가 되거나 더 짧은 시간 안에 꾸준한 성과를 기대할 수 있다는 것을 의미하지 않는다. 과학의 바탕은 실험에 있고, 실험 결과를 도출하고 평가하는 데는 시간이 걸린다. 어떤 경우에는 실험실 로봇을 사용하거나 시뮬레이션 환경에서 일부 실험을 고속으로 진행해 과학적 방법을 가속할 수 있을 것이다.

그러나 의학과 생물학 같은 분야는 종종 살아 있는 유기체 안에서 실험을 해야 하고, 이 경우 과정의 속도를 극적으로 높일 가능성은 매우 제한적이다. 코로나 백신의 성공적인 탐구로 이러한 현실이 지대한 주목을 받게 됐다. 과학자들은 바이러스의 유전암호를 얻은 지 몇 주 만에 백신 후보를 공식화할 수 있다. 접종 가능한 백신을 오래 기다려야 하는 이유는 동물과 사람을 대상으로 광범위하게 시험해야 하고, 수십억 회 분량의 백신을 만들려면 생산능력을 증설해야 하기 때문이다. 우리가 정말 발전해서 공상과학 수준의 인공지능에 근접한다 해도 기술이 정말 짧은 시간 안에 백신을 가져다줄지는 절대 확실하지 않다. 이것은 인공지능이 곧 인간 수명을 획기적으로 연장할 것이라는 커즈와일의 주장에 내가 회의적인 이유이기도 하다. 인공지능이 이 분야에서 강력하고 새로운 아이디어를 생성하는 데 도움이 된다고 해도 확실한 결과를 얻기 위해 몇 년, 심지어 수십 년을 기다리지 않고 어떻게 치료법의 안전성과 효능을 테스트할 수 있겠는가? 확실히 새로운 약품과 치료법의 승인을 간소화하는 규제 개혁의 기회는 많겠지만 결국 가장 중요한 것은 아무리 똑똑하고 창의적인 과학자라도 아이디어의 진실성을 검증하는 실험 결과를 기다려야 한다는 것이다.

이 장의 의도는 인공지능이 가까운 미래에 파괴적 혁신을 일으킬 가능성이 있는 분야와 더 오래 기다려야 할 분야를 강조하면서 가장 흥미롭고 중요한 인공지능의 응용 사례를 간략하게 살펴보는 것이었다. 물론 여기에 소개된 사례가 전부는 아니지만, 인공지능은 결국 모든 것과 접촉하고 모든 것을 변화시킬 것이다.

인공지능이 전기와 같은 동력으로 빠르게 진화하고 있다는 주장은 기술의 잠재적 범위와 변혁적 특성을 효과적으로 포착한다. 하지만 전기와 비교하면 인공지능은 더 복잡하고 역동적인 기술이다. 끊임없이 변화하는 기능을 무한에 가깝게 제공하면서 계속 향상될 것이다. 이 새로운 동력의 진정한 잠재력을 이해하려면 과학과 인공지능의 역사를 살펴보고 이 분야가 어떻게 진화할지 알아야 한다. 인공지능 기술이 계속 발전함에 따라 앞으로의 도전 과제와 이 분야에서 경쟁 중인 아이디어도 알아야 할 것이다. 이 모든 것이 다음 두 장의 주제다.

4장

인공지능은 어떻게 진화해 왔는가?

RULE OF THE ROBOTS

튜링상은 컴퓨터과학계의 '노벨상'으로 인정받는다. 전설적인 수학자이자 컴퓨터과학자 앨런 튜링의 이름을 따서 제정돼 해마다 미국 컴퓨터학회Association for Computing Machinery, ACM에서 수여하는 이 상은 해당분야의 발전에 기여한 사람에게 주어지는 최고의 성취를 나타낸다. 노벨상처럼 튜링상도 100만 달러의 상금이 주어지고 대부분은 구글이 후원한다.

2019년 6월에 2018년도 튜링상이 세 명에게 수여됐다. 제프리 힌턴, 얀 르쿤, 요슈아 벤지오Yoshua Bengio가 그 주인공으로, 심층 신경망 발전에 평생 공헌한 공로를 인정받았다. 딥러닝으로 알려진 이 기술은 불과 얼마 전까지만 해도 공상과학으로 여겨졌지만 지난 10

년 동안 인공지능 분야에 혁명을 일으키고 발전을 이루어냈다.

테슬라 운전자는 일상적으로 고속도로를 자율 주행으로 달린다. 구글 번역은 거의 들어본 적 없는 모호한 언어도 순식간에 사용할 수 있는 텍스트로 변환하고, 마이크로소프트 같은 회사는 발화된 중국어를 영어로 바꾸는 실시간 기계통역을 시연했다. 아이들은 아마존 알렉사와 대화하는 세상에서 성장하고 부모는 이런 상호작용이 건전한지 걱정한다. 이 모든 발전은 심층 신경망에 의해 이루어졌다.

딥러닝의 기초가 되는 기본 아이디어는 수십 년 동안 존재해왔다. 1950년대 후반 코넬대학교의 심리학자 프랭크 로젠블랫Frank Rosenblatt은 '퍼셉트론perceptron'이라는 개념을 고안했다. 뇌의 생물학적 뉴런과 비슷한 원리로 작동하는 전자장치였다. 로젠블랫은 퍼셉트론으로 구성된 간단한 네트워크가 숫자 이미지 판독 같은 기본적인 패턴 인식 작업을 수행하도록 훈련될 수 있다는 것을 보여주었다.

로젠블랫의 초기 신경망 연구는 뜨거운 관심을 불러일으켰지만, 큰 진전이 없자 결국 다른 접근 방식에 밀려났다. 2018년 튜링상을 받은 세 사람을 포함한 소수의 연구자만이 신경망 연구에 계속 집중했다. 컴퓨터과학자들 사이에 이 기술은 연구의 변두리이자 경력의 막다른 골목처럼 여겨졌다.

2012년에 토론토대학교 제프리 힌턴 교수 연구실 팀이 이미지넷 대회에 참가했을 때 모든 것이 달라졌다. 이 연례행사에서 세계 유수의 대학과 기업에서 출전한 팀들이 방대한 사진 데이터베이스에서 선택한 이미지에 올바르게 레이블링하는 알고리즘을 설계하는 경쟁을 벌였다. 다른 팀은 기존의 컴퓨터 프로그래밍 기법을 사용했지만, 힌턴 교수 팀은 수천 개의 예제 이미지로 훈련한 '심층(또는 다층)' 신경망을 공개했다.

이후 몇 년 동안 주요 기술 기업은 딥러닝에 엄청나게 투자했다. 구글, 페이스북, 아마존, 마이크로소프트를 비롯해 중국의 기술 기업 바이두, 텐센트, 알리바바는 심층 신경망을 제품과 운영, 사업 모델의 절대 중심으로 만들었다. 컴퓨터 하드웨어 산업도 변화를 겪었다. 엔비디아와 인텔 같은 기업은 신경망 성능을 최적화하는 컴퓨터 칩을 경쟁적으로 개발했다. 딥러닝 전문가들은 고액 연봉과 혜택을 누리며 기업들이 제한된 인재 풀을 놓고 경쟁하는 동안 스포츠 스타 같은 대우를 받았다.

지난 10년 동안 인공지능의 발전은 놀랍기도 하고 전례도 없었지만 이러한 진보는 점점 더 빨라지는 컴퓨터 하드웨어에서 실행되는 신경 학습 알고리즘이 더 많은 데이터를 사용하도록 확장해 이루어졌다. 인공지능 전문가들 사이에서는 이런 접근 방식이 지속 가능하지 않고 계속 발전하려면 완전히 새로운 아이디어를 기술에 주입해야 한다는 인식이 커지고 있었다. 인공지능의 미래를 탐색하기 전에 이 모든 것이 어떻게 시작됐고 이 분야가 지금까지 걸어온 길과 지난 몇 년 동안 혁명적으로 발전한 딥러닝 시스템이 실제로 어떻게 작동하는지를 먼저 살펴보려 한다. 앞으로 알게 되겠지만 인공지능 연구는 초창기부터 똑똑한 기계를 만들려는 목표를 향한 완전히 다른 두 가지 접근 방식의 경쟁으로 특징지을 수 있다. 두 학파 사이의 긴장 관계는 다시금 주목받고 있고, 앞으로 수십 년간 이 분야가 발전할 방식을 만들어갈 것이다.

기계는 생각할 수 있는가?

인간처럼 생각하고 행동할 수 있는 기계는 전자계산기가 처음 발명되기 전까지 오랫동안 상상 속에서만 존재했다. 1863년 영국 작가 새뮤얼 버틀러Samuel Butler는 뉴질랜드 크라이스트처치의 지역 신문 편집자에게 편지를 보냈다. '기계 사이의 다윈Darwin Among the Machines'이라는 제목의 글은 언젠가 진화해 인간과 대결하고 인간을 대체할 수 있는 '살아 있는 기계'를 상상하며 쓰였다. 버틀러는 "모든 종류의 기계는 다 파괴돼야 한다"[1]라고 주장하며 새롭게 등장하는 기계 종족에 맞서 즉각 전쟁을 벌일 것을 촉구했다. 1863년의 정보 기술 수준을 고려하면 꽤 성급한 우려처럼 보이지만 이 글에서 그려낸 이야기는 최근까지도 〈터미네이터〉나 〈매트릭스〉 같은 영화에서 반복돼왔다. 버틀러의 두려움은 공상과학소설에 머무르지 않았다. 최근 인공지능이 발전하자 일론 머스크나 스티븐 호킹 같은 저명인사들은 150년 전에 버틀러가 우려했던 내용과 매우 흡사한 시나리오를 경고했다.

인공지능이 정확하게 언제부터 진지한 연구 분야가 됐는지에 대해서는 의견이 나뉜다. 나는 그 시작이 1950년이라고 말하겠다. 그해, 뛰어난 수학자 앨런 튜링은 〈계산 기계와 지능Computing Machinery and Intelligence〉이라는 제목의 과학 논문을 발표했다. "기계는 생각할 수 있는가?"라는 질문을 던지는 이 논문에서 튜링은 파티에서 유행하던 게임을 바탕으로 테스트를 개발했다.[2] 이 테스트는 기계에 지능이 있는지를 판단하는 방법으로 여전히 가장 흔히 인용된다. 1912년 런던에서 태어난 튜링은 계산 이론과 알고리즘 본질에 관해 획기적인 업적을 남겼으며, 일반적으로 컴퓨터과학의 창시자라고 여겨진다. 튜링의 가장 중요한 업적은 1936년에 나왔다. 케임브리지대학교를 졸업한 지 겨우 2년이 지났을 때 그는 오늘날 '튜링 머신Turing machine'이라고 부르는 것의 수학적 원리를 제시했고, 이것은 지금까지 만들어진 모든 실제 컴퓨터의 개념적 청사진이 됐다. 튜링은 컴퓨터 시대가 시작할 때부터 기계 지능은 논리적이고 전자 계산의 확장일 것이라고 명확히 이해했다.

'인공지능'이라는 용어는 당시 다트머스대학교의 젊은 수학 교수였던 존 매카시John McCarthy가 만들었다. 1956년 여름, 매카시는 뉴햄프셔캠퍼스에서 열리는 인공지능에 관한 다트머스 여름 연구 프로젝트를 준비하고 있었다. 2개월 동안 진행된 이 회의에 새롭게 떠오르는 분야의 주요 인물들이 참석했다. 목표는 야심 차고 낙관적이었다. 회의 안건을 "기계가 언어를 사용하고, 추상화와 개념을 형성하며, 현재 인간에게 남겨진 문제들을 해결하고, 스스로 개선하는 방법을 찾기 위한 시도가 이루어지는 것"이라고 밝혔다. 주최 측은 "이 자리에 참석한 과학자 그룹이 여름 동안 함께 연구한다면 이러한 주제 하나 이상에서 중대한 발전이 이루어질 것으로 믿는다"라고 말했다.[3] 참석자 가운데는 마빈 민스키Marvin Minsky와 클로드 섀넌Claude Shannon이 있었다. 민스키는 매카시와 함께 세계에서 가장 유명한 인공지능 연구자가 됐고 MIT에 컴퓨터 과학 및 인공지능 연구소를 세웠다. 섀넌은 전설적인 전기공학자로 전자 통신의 기초이자 인터넷을 가능하게 하는 정보 이론 원리를 공식화했다.

하지만 다트머스에 참석하지 않은 뛰어난 인물이 있었다. 2년 전세상을 떠난 앨런 튜링이었다. 당시 영국에서 시행 중이던 '외설법'에 따라 동성 관계로 기소된 튜링은 투옥과 화학적 거세 중 하나를 선택해야 했다. 두 번째 선택을 한 그는 우울증에 시달리다 1954년 스스로 목숨을 끊었다. 새롭게 떠오르는 컴퓨터과학과 인공지능 분야에 헤아릴 수 없는 손실이었다. 튜링이 죽었을 때 나이는 겨우 마흔한 살이었다. 좀 더 정의로운 세상이었다면 그는 개인용 컴퓨터의 출현과 인터넷의 부상, 그리고 그 뒤를 이은 많은 혁신을 볼 수 있었을 것이다. 튜링이 지난 수십 년 동안 어떻게 기여했으며, 그 덕분에 인공지능 분야가 얼마나 더 발전할 수 있었는지 정확하게

Rule of the Robots

말할 수 있는 사람은 없지만, 이 분야와 모든 인류에 크나큰 지적 손실인 것은 분명하다.

다트머스 회의 이후 몇 년 동안 인공지능 분야는 빠르게 진보했다. 컴퓨터 성능이 향상되고 중요한 혁신이 이루어졌으며 다양한 문제를 해결할 수 있는 알고리즘이 개발됐다. 연구 분야로서 인공지능이 미국 전역의 대학에 도입됐고 다수의 인공지능연구소가 설립됐다.

이런 진보를 가능하게 한 중요한 요인 중 하나는 미국 정부, 특히 국방부였으며, 많은 지원이 고등연구계획국Advanced Research Projects Agency, ARPA을 통해 이루어졌다. 특히 고등연구계획국이 자금을 지원한 중요한 연구 기관 중 하나가 스탠퍼드연구소이고 나중에 스탠퍼드대학교에서 분리돼 SRI인터내셔널SRI International이 된다. 1966년에 설립된 SRI인공지능센터는 언어 번역과 음성 인식 분야에서 획기적인 업적을 남겼다. 또한 이 연구소는 진정한 의미에서 최초의 자율 로봇을 만들었다. 인공지능 기반 추론을 주위 환경과의 물리적 상호작용으로 전환할 수 있는 기계였다. 설립된 지 거의 반세기가 지난 뒤 SRI인공지능센터는 시리Siri라는 새로운 개인 비서와 함께 스타트업을 분사했고, 이 회사는 2010년 애플에 인수됐다.

하지만 진보는 곧 지나친 자신감과 거대한 약속, 비현실적인 기대로 이어졌다. 1970년 〈라이프Life〉는 SRI에서 개발된 세계 최초 '전자 인간electronic person'으로 불리는 로봇에 관한 기사를 실었다. 당시 MIT의 스타 인공지능 연구원이었던 마빈 민스키는 기사를 작성한 브래드 다라치Brad Darrach에게 '조용한 확신'을 가지고 단언했다.

3~8년 안에 우리는 평범한 사람 수준의 일반적인 지능을 가진 기계를 만나게 될 겁니다. 이 기계는 셰익스피어를 읽고 차에 광을 내고 사내 정치를 하며 농담을 하거나 싸우기도 합니다. 그리고 기계는 놀라운 속도로 스스로 학습하기 시작할 겁니다. 몇 달 뒤면 천재 수준이 되고, 또 몇 달 뒤에는 그 능력이 상상할 수 없을 정도로 커질 겁니다.[4]

다라치는 그가 한 말을 다른 인공지능 연구자들에게 확인했고, 민스키가 언급한 3년에서 8년이라는 기간은 다소 낙관적이라는, 한 15년은 걸릴 거라는 평을 들었다. 하지만 "그런 기계가 나타날 것이며, 제3차 산업혁명이 전쟁과 빈곤을 없애고 과학, 교육, 예술의 성장 시대를 펼쳐나갈 것이라는 데 모두 동의했다."[5]

이런 예측이 완전히 빗나가고, 야망에 크게 못 미치는 기능을 하는 인공지능 시스템을 구축하기도 예상보다 훨씬 어렵다는 사실이 분명해지면서 이 분야에 일었던 열기는 사그라지기 시작했다. 1974년까지 투자자들과 특히 막대한 자금 조달 역할을 했던 정부 기관들 사이에 환상이 깨지면서 이 분야와 많은 인공지능 연구자들의 앞날에 먹구름이 드리워졌다. 인공지능 역사를 통틀어 이 분야는 일종의 집단적 양극성 장애를 겪었다. 높은 활력과 급속한 발전의 시기가 때로는 수십 년에 걸친 환멸과 낮은 투자로 단절돼 이때를 인공지능의 암흑기라는 의미에서 '인공지능의 겨울'이라고 부르게 됐다.

인공지능의 겨울을 주기적으로 겪게 된 원인은 부분적으로 인공지능이 해결하려는 문제가 실제로 얼마나 어려운지를 제대로 인식하지 못한 데서 비롯됐다. 다른 중요한 원인은 1990년대 이전에 컴퓨터가 얼마나 느린지를 단순히 인식하지 못한 것이다. 1956년 다트머스 회의 참석자들의 꿈을 실현할 수 있는 하드웨어를 제공하려면 무어의 법칙이라는 무자비한 체제 아래 수십 년간의 발전이 필요했다.

1990년대 후반에 더 빠른 컴퓨터 하드웨어가 등장하자 일부 극적인 발전이 이루어졌다. 1997년 5월 IBM의 딥블루Deep Blue 컴퓨터가 여섯 번의 대국에서 세계 체스 챔피언 가리 카스파로프Garry Kasparov를 근소한 차이로 이긴 것이다. 일반적으로 이 일은 인공지능의 승리로 알려졌지만 실제로는 무시무시한 계산력을 활용해 올린 개가였다. 냉장고만 한 크기의 맞춤 설계된 하드웨어에서 실행되는 특수 알고리즘이 아무리 유능한 사람의 머리로도 할 수 없는 방식으로 신속하고 월등히 앞서 가능한 모든 수를 검토했다.

2011년 IBM은 왓슨의 등장과 함께 TV 퀴즈 쇼 〈제퍼디!〉에서 세계 최고 참가자들을 쉽게 물리치고 또다시 승리했다. 여러 면에서 훨씬 인상적인 위업이었다. 농담이나 말장난을 알아듣는 능력을 포함해 자연어를 이해해야 했기 때문이다. 왓슨은 딥블루와 달리 엄격하게 정의된 규칙이 있는 보드게임의 한계를 넘어 거의 무한에 가까운 정보량을 처리할 수 있었다. 왓슨은 여러 개의 스마트 알고리즘을 동시에 가동해 〈제퍼디!〉에서 우승했다. 게임에 참여하면서 정답을 찾기 위해 위키피디아 문서에서 가져온 방대한 데이터를 검색하기도 했다.

왓슨은 새로운 시대를 알렸고 언어를 문법적으로 분석하고 인간과 제대로 소통할 수 있는 기계의 출현을 예고했다. 하지만 2011년은 인공지능의 기초 기술이 극적으로 변하기 시작한 해이기도 하다. 왓슨은 통계 기법을 사용해 정보를 이해하는 머신러닝 알고리즘에 의존했지만, 그 뒤로 몇 년 동안 다른 머신러닝이 다시 한번 세상의 주목을 받게 됐고, 곧 인공지능 분야를 장악했다. 반세기 전에 프랭크 로젠블랫이 퍼셉트론에 기반을 두고 고안한 방식이었다.

연결주의자 vs. 상징적 AI, 그리고 딥러닝의 부상

인공지능 분야가 수십 년간 호황과 불황을 겪는 동안, 연구 초점은 더 똑똑한 기계를 만들기 위해 서로 다른 접근법에 집중하는 두 가지 철학 사이를 오고 갔다. 먼저 1950년대 로젠블랫의 신경망 연구에서 하나의 학파가 생겨났다. 이 학파의 지지자들은 지능 시스템이 뇌의 기본 구조를 모델로 삼고 생물학적 뉴런에 느슨하게 기반을 두고 깊이 연결된 구성 요소들을 사용해야 한다고 생각했다. '연결주의connectionism'라고 불리는 이 접근 방법은 지능의 중심 기능이 학습이라고 강조하고 기계가 데이터를 이용해 효율적으로 학습할 수 있으면 인간 뇌의 다른 기능도 나타날 수 있다고 주장한다. 이 모델의 유효성을 강력하게 뒷받침하는 증거가 있다. 바로 인간의 뇌가 서로 연결된 생물학적 뉴런들의 복잡한 시스템으로 구성됐다는 것이다.

한편 경쟁 진영은 논리와 추론의 적용을 강조하는 '상징적symbolic' 접근 방법을 수용하는 연구자들로 이루어졌다. 이들에게 학습은 그다지 중요하지 않았다. 지능의 핵심은 추론과 의사 결정, 행동을 통해 지식을 활용하는 능력에 있었다. 이들은 알고리즘을 설계하는 대신 그들이 구축한 시스템에 정보를 직접 수동으로 인코딩해 '지식공학knowledge engineering'으로 알려진 분야를 낳았다.

상징적 AI는 인공지능의 거의 모든 초기 실용적인 응용프로그램을 움직이게 한 엔진이었다. 예컨대 의사들과 협업하는 지식공학자들은 의사 결정 나무 모델을 도입한 알고리즘을 이용해 질병을 진단하는 시스템을 구축했다. 의료 전문가 시스템은 엇갈린 결과를 생성했고 종종 유연하지 못하거나 신뢰할 수 없는 것으로 드러났다. 하지만 오토파일럿 시스템은 제트 항공기에 사용됐고, 전문가 시스템 연구를 통해 발전한 기법은 점차 소프트웨어 설계의 일반 구성 요소가 되고 더는 '인공지능'으로 분류되지 않는다.

연결주의는 인간의 뇌 기능을 이해하는 것을 목표로 하는 연구에서 시작됐다. 1940년대에 워런 매컬러Warren McCulloch와 월터 피츠Walter Pitts는 뇌의 생물학적 뉴런이 작동하는 방식에 대한 계산적 근사치의 일종으로 인공 신경망이라는 아이디어를 도입했다.[6] 심리학자이자 코넬대학교 심리학과에서 강의하던 프랭크 로젠블랫이 나중에 이 아이디어를 퍼셉트론에 포함했다.

퍼셉트론은 기기에 장착된 카메라를 통해 인쇄된 문자를 인식하는 것처럼 기초적인 패턴 인식 작업을 할 수 있다. 발명가이자 작가이며 현재 구글의 엔지니어링 이사인 레이 커즈와일은 1962년 코넬 연구실에서 로젠블랫을 만났다. 커즈와일은 퍼셉트론에서 시험해볼 샘플을 가져갔고 문자가 적절한 글꼴로 명확히 인쇄되기만 하면 기계는 완벽하게 작동했다고 회상했다. 로젠블랫은 이제 MIT에 입학하려는 젊은 커즈와일에게 퍼셉트론이 여러 층으로 폭포처럼 연결되면 한 층의 출력값이 다음 층의 입력값이 돼 더 나은 결과를 얻을 수 있다고 말했다.[7] 그러나 로젠블랫은 다층 처리를 구현하지 못하고 1971년 보트 사고로 사망했다.

인공 신경망에 일었던 초기 열기는 1960년대 후반이 되자 가라앉기 시작했다. 이런 하락세는 1969년 마빈 민스키가 공동 저자로 참여한 책《퍼셉트론Perceptrons》의 출간이 중요한 원인이 됐다. 민스키는 전체적인 인공지능의 전망에 대해서는 엄청난 확신이 있었지만 아이러니하게도 앞으로 유례없는 진보를 이끌게 될 특정 접근 방식에는 무척 비관적이었다. 그 책에서 민스키와 공동 저자 시모어 페퍼트Seymour Papert는 신경망의 한계를 강조하는 수학적 증명을 제시했고, 이 기술은 복잡하고 실질적인 문제를 해결할 수 없을 것이라고 지적했다.[8]

컴퓨터과학자와 대학원생들이 신경망 연구를 주저하고 기피하게 되자 지금은 '고전적 인공지능'이라고 불리는 상징적 AI 접근 방법이 우세해졌다. 신경망은 1980년대에 잠깐 관심사로 떠올랐다가 1990년대에 다시 등장하게 된다. 하지만 수십 년 동안 상징주의 학파가 지배하면서 전체적인 인공지능 분야의 열기는 극단 사이를 오고 갔다. 연결주의자들에게 인공지능의 겨울은 혹독한 시련과 함께 오래 지속됐고, 상징적 AI에 속한 사람들이 화창한 봄날을 즐기는 동안에도 겨울은 계속됐다.

1970년대와 1980년대 초반까지 얼어붙은 추위는 특히 심했다. 현재 딥러닝의 주요 설계자 중 한 사람으로 인정받는 얀 르쿤은 당시를 회상하며 그 기간에 신경망 연구는 "거의 존재감이 없었고 신경망이라는 문구가 언급된 논문은 즉시 거부될 것이기 때문에 발표할 수 없었다"라고 말했다.[9] 하지만 소수의 연구자는 연결주의자들이 품었던 비전에 믿음을 잃지 않고 있었다. 이들 중 많은 사람이 컴퓨터과학이 아니라 심리학이나 인간의 인지 분야에 배경이 있었으며, 뇌 기능을 수학적 모델로 만들려는 열망이 있었다. 1980년대 초, 캘리포니아대학교 샌디에이고캠퍼스 심리학과 교수로 있던 데이비드 러멜하트David Rumelhart는 오늘날에도 다층 신경망에서 기본 학습 알고리즘으로 사용되는 '역전파backpropagation' 기법을 고안했다. 러멜하트는 노스이스턴대학교의 컴퓨터과학자 로널드 윌리엄스Ronald Williams와 당시 카네기멜론대학에 있던 제프리 힌턴과 함께 알고리즘이 어떻게 사용될 수 있는지를 설명했다. 1986년 세계적인 과학 학술지 〈네이처Nature〉에 게재된 이 논문은 인공지능 분야에서 가장 중요한 논문 중 하나로 평가되고 있다.[10] 역전파는 딥러닝이 인공지능 분야를 지배하게 되는 근본적인 개념적 돌파구를 제시했지만, 이 접근 방법을 제대로 활용할 수 있을 만큼 컴퓨터가 빨라지려면 수십 년이 걸려야 했다. 1981년 당시 제프리 힌턴은 러멜하트 교수와 함께 일하는 젊은 박사 후 연구원이었지만[11] 이후 딥러닝 혁명에서 가장 유명한 인물이 된다.

1980년대 말 무렵에는 신경망을 실제로 응용하기 시작했다. AT&T연구소의 연구원이었던 얀 르쿤은 역전파 알고리즘을 '합성곱 신경망convolutional neural network'이라는 새로운 아키텍처에 사용했다. 합성곱 네트워크에서 인공 뉴런은 포유류의 뇌 시각 피질에서 영감을 받는 방식으로 연결되며, 이 네트워크는 이미지 인식에 특히 효과적으로 설계됐다. 르쿤의 시스템은 손글씨로 쓴 숫자를 인식할 수 있었으며, 1990년대 말 합성곱 신경망 덕분에 현금 자동 인출기가 수표에 쓴 숫자를 인식하게 됐다.

2000년대에는 '빅데이터'가 부상했다. 이제 조직과 정부는 불과 얼마 전까지만 해도 상상할 수 없었던 규모의 정보를 수집하고 분석한다. 그리고 세계적으로 생성되는 총 데이터양이 기하급수적인 속도로 계속 증가할 것은 분명하다. 폭발하듯 분출하는 데이터는 최신 머신러닝 알고리즘과 만나 인공지능 혁명을 가능하게 했다.

가장 중요한 새로운 데이터 중 하나는 프린스턴대학교의 젊은 컴퓨터공학과 교수의 노력으로 결실을 볼 수 있었다. 컴퓨터 비전을 중점적으로 연구하던 리페이페이 교수는 기계가 실제 세계를 시각적으로 이해하려면 사람, 동물, 건물, 차량, 물건 등 우리가 마주칠 수 있는 거의 모든 것의 다양한 변형을 보여주고 적절하게 레이블링된 포괄적인 교육 자료가 필요하다고 생각했다. 2년 반이라는 시간 동안 리 교수는 5,000개 이상의 카테고리에 걸쳐 300만 개가 넘는 이미지에 제목을 붙이는 작업에 들어갔다. 이 일은 모두 수작업으로 진행해야 했다. 오직 사람만이 사진과 설명 레이블을 적절하게 연결할 수 있었다. 이 방대한 작업을 위해 학부생을 고용하려 해도 비용이 엄두가 나지 않자, 리 교수는 아마존의 메커니컬 터크 Mechanical Turk로 눈을 돌렸다. 새로 개발된 이 플랫폼에서 저임금 국가에 사는 원격 노동자들의 손을 빌려 정보 지향적인 작업을 진행할 수 있었다.[12]

이미지넷으로 알려진 리페이페이 교수는 2009년에 프로젝트를 시작했고, 곧 머신 비전 연구에 없어서는 안 될 자원이 됐다. 그리고 2010년부터 대학과 기업 연구소에서 참가한 팀이 방대한 데이터 세트에서 가져온 이미지를 레이블링하는 알고리즘으로 경쟁하는 연례 대회를 조직했다. 인공지능 기반 이미지 인식 대회인 이미지넷 대회ILSVRC가 2년 뒤인 2012년 9월에 개최됐고, 의심할 필요 없이 딥러닝 기술의 중요한 변곡점이 됐다.[13] 제프리 힌턴은 당시 토론토대학교 연구실에 있던 일리야 수츠케버Ilya Sutskever, 알렉스 크리제브스키Alex Krizhevsky와 함께 다층 합성곱 신경망을 가지고 대회에 참가했다. 경쟁 알고리즘을 큰 차이로 앞서며 심층 신경망이 진정한 실용 기술로 진화했다는 확실한 증거를 보여주었다. 힌턴 팀의 승리는 인공지능 연구 커뮤니티에 큰 반향을 일으켰고, 대규모 데이터 세트와 강력한 신경 알고리즘의 생산적인 결합에 이목이 집중됐다. 몇 년 전만 해도 공상과학소설의 영역이라고 확신했던 발전을 불러오게 될 공생 관계였다.

지금까지는 딥러닝의 '표준 역사'라고 부르는 내용을 간략하게 설명했다. 이 이야기에서는 2018년도 튜링상 수상자 제프리 힌턴, 얀 르쿤, 그리고 몬트리올대학교 교수 요슈아 벤지오가 특히 두드러져 보인다. 그래서인지 이들은 흔히 '딥러닝의 대부'라고 불린다. (때로는 '인공지능의 대부'라고도 불리는데 딥러닝이 이 분야를 얼마나 완전히 지배하게 됐고 초기의 상징적 접근법은 얼마나 한쪽으로 밀려났는지를 보여준다.) 하지만 다른 버전의 역사도 있다. 대부분의 과학 분야와 마찬가지로 이 분야에서도 인정 경쟁이 첨예하다. 인공지능의 진보가 사회와 경제의 진정한 역사적 전환으로 이어질 수 있는 한계점을 이미 넘어섰다는 인식이 커지면서 이 경쟁을 더 극단으로 몰고 갔을 수도 있다.

이 대체 역사의 가장 강력한 지지자는 스위스 루가노에 있는 달레몰레인공지능연구소Dalle Molle Institute for Artificial Intelligence Research 소장 유르겐 슈미트후버Jürgen Schmidhuber다. 1990년대에 슈미트후버와 제자들은 '장단기 기억 모델Long Short Term Memory, LSTM'을 구현한 특별한 유형의 신경망을 개발했다. 장단기 기억 모델을 통해 네트워크는 과거의 데이터를 '기억'하고 현재의 분석에 통합할 수 있다. 이 모델은 이전에 나온 단어들이 형성하는 맥락이 정확성에 큰 영향을 끼치는 음성 인식이나 언어 번역과 같은 분야에서 그 중요성이 입증됐다. 구글, 아마존, 페이스북 같은 회사들은 모두 이 장단기 기억 모델에 크게 의존하고 있다. 슈미트후버는 최근 인공지능 진보의 바탕에는 유명한 북미 연구자들의 성과가 아니라 자기 팀의 연구가 있다고 생각한다.

딥러닝의 표준 역사가 간략하게 요약된 부분이 있는《AI 마인드》가 출간된 직후 슈미트후버가 내게 이메일을 보내왔다. 그는 "당신이 쓴 많은 내용은 오해의 소지가 매우 크고, 따라서 매우 실망스럽다!"라고 썼다.[14] 슈미트후버에 따르면 딥러닝은 미국이나 캐나다가 아니라 유럽에 뿌리를 두고 있고, 다층 신경망을 위한 최초의 알고리즘은 1965년 우크라이나의 알렉세이 그리고리예비치 이바흐녠코Alexey Grigorevich Ivakhnenko가 설명했다. 한편 역전파 알고리즘은 러멜하트가 그 유명한 논문을 발표하기 15년 전에 당시 핀란드 학생이었던 세포 리낭마Seppo Linnainmaa가 1970년에 발표했다. 슈미트후버는 자신의 연구가 인정받지 못하는 것에 크게 불쾌해했다. 한편으로 그는 인공지능 콘퍼런스에서 발표를 거칠게 방해하고 딥러닝의 역사를 다시 쓰려는 '음모'와 제프리 힌턴, 얀 르쿤, 요슈아 벤지오에 대한 부분을 강도 높게 비난한 것으로 유명하다.[15] 이 점에 대해 유명한 세 연구자는 적극 반박했다. 르쿤은 〈뉴욕타임스〉 기자에게 "유르겐은 인정에 병적으로 집착하고, 받을 자격이 없는 인정을 계속 요구한다"라고 말했다.[16]

딥러닝의 진정한 기원에 대해서는 의견이 분분하지만 2012년 이미지넷 대회 이후 이 기술이 인공지능 분야와 거대 기술 기업들을 완전히 사로잡은 것은 의심의 여지가 없다. 구글, 아마존, 페이스북, 애플 같은 미국의 거대 기술 기업과 바이두, 텐센트, 알리바바 같은 중국의 기업들은 심층 신경망의 파괴적인 잠재력을 즉시 인식했고, 연구팀을 구성해 이 기술을 제품과 운영에 포함하기 시작했다. 구글은 제프리 힌턴을 영입했고 얀 르쿤은 페이스북의 새로운 인공지능연구소 소장이 됐다. 산업 전체가 인재 전쟁에 뛰어들었다. 갓 졸업한 대학원생이라도 딥러닝 분야의 전문 지식을 갖췄다면 높은 연봉과 스톡옵션을 내세워 적극적으로 채용했다. 2017

년 구글의 CEO 순다르 피차이는 구글이 "인공지능 우선 회사"라고 선언하며 인공지능은 다른 기술 기업들과 경쟁할 가장 중요한 차원 중 하나가 될 것이라고 말했다.[17] 구글과 페이스북에서 딥러닝은 너무 중요한 기술이라 해당 분야 연구원들에게는 최고경영자와 매우 가까운 사무실을 배정한다.[18] 2020년대 말까지 신경망이 이 분야를 장악한다면 미디어는 '딥러닝'과 '인공지능'을 동의어로 사용하게 될 것이다.

5장

딥러닝과 인공지능의 미래

RULE OF
THE
ROBOTS

세계 최대 기술 기업들이 딥러닝을 도입하고, 신경망의 힘을 활용해 더욱 강력한 소비자용·기업용 애플리케이션을 출시하면서 이 기술이 우리 생활의 일부가 된 것은 의심할 필요가 없다. 하지만 진행 속도가 지속 가능하지 않고 미래 발전에 새로운 혁신이 필요하다는 공감이 점점 커지고 있다. 앞으로 만나게 될 가장 중요한 질문은 인공지능의 중심이 다시 한번 상징적 AI를 강조하는 접근 방식으로 돌아갈 것인지와 만약 그렇다면 그 접근법을 어떻게 신경망에 성공적으로 통합할 수 있을지가 될 것이다.

인공지능의 미래를 알아보기 전에 먼저 딥러닝 시스템이 실제로 어떻게 작동하며, 신경망이 유용한 작업을 수행하도록 어떻게 훈련되는지 간단히 살펴보려 한다.

심층 신경망은 어떻게 작동하는가?

미디어에서 종종 딥러닝 시스템을 '인간의 뇌와 같은' 것으로 설명하지만, 이런 표현은 인공지능에 사용되는 신경망이 생물학적 신경망을 얼마나 가깝게 모방했는지에 대한 오해로 쉽게 이어질 수 있다. 인간의 뇌는 알려진 우주에서 가장 복잡한 시스템으로, 대략 1,000억 개의 뉴런과 수백조 개의 상호 연결로 이루어진다. 이 놀라운 수준의 복잡성은 단순히 거대한 연결성에서 생기는 것이 아니다. 오히려 뉴런 자체의 작동과 신호를 전달하고 시간이 지나면서 새로운 정보에 적응하는 방식으로 확장된다.

생물학적 뉴런(신경세포)은 크게 세 부분으로 이루어진다. 핵이 있는 신경세포체, 들어오는 전기신호를 전달하는 '수상(가지)돌기 dendrite', 다른 뉴런으로 신호를 전달하는 길고 가는 '축삭돌기axon'가 그것이다. 수상돌기와 축삭돌기는 일반적으로 넓게 가지를 뻗고 있고 수상돌기는 때때로 수만 개의 다른 뉴런에서 오는 전기 자극을 받는다. 수상돌기를 통해 도달하는 집합적 신호가 뉴런을 자극하면 활동 전위로 알려진 전하가 축삭돌기를 통해 외부로 전달된다. 그러나 뇌의 연결은 전기적으로 이루어지지 않는다. 한 뉴런의 축삭돌기는 '시냅스synapse'로 알려진 접합 부위를 통해 다른 뉴런의 수상 돌기로 화학 신호를 전달한다. 이런 전기 화학적 기능은 뇌의 작동과 학습 및 적응 능력에 중요한 역할을 하지만 우리가 완전히 이해하는 부분은 많지 않다. 예를 들어 즐거움이나 보상과 관련 있는 화학물질인 도파민은 시냅스 틈에서 작동하는 신경전달물질이다.

인공 신경망은 이 모든 세부적인 내용은 제쳐두고 뉴런이 작동하고 연결하는 방식을 수학적으로 윤곽을 잡으려는 시도에 불과하다. 뇌를 모나리자라고 한다면 딥러닝 시스템에 사용되는 구조는 기껏해야 스누피 만화에 등장하는 루시와 비슷하다고 할 수 있다. 인공 뉴런에 대한 기본 계획은 1940년대에 구상됐지만, 그 뒤 수십 년간 이 시스템에 관한 연구는 뇌과학과 크게 분리됐고, 딥러닝 시스템을 구동하는 알고리즘은 독립적으로 개발됐다. 종종 실험은 이루어졌지만, 인간의 뇌에서 실제로 어떤 일이 일어나는지를 시뮬레이션하려는 구체적인 시도는 없었다.

인공 뉴런을 시각화하기 위해 3개 이상의 유입 파이프가 있는 컨테이너를 상상해보자. 각각의 파이프는 물줄기를 전달한다. 파이프들은 대략 생물학적 뉴런의 수상돌기에 해당한다. 나가는 물줄기를 전달하는 축삭돌기 파이프도 있다. 유입 파이프로 전달되는 물의 양이 특정 임곗값에 도달하면 뉴런은 '활성화fire'한 다음 축삭돌기 파이프를 통해 밖으로 나갈 물줄기를 보낸다. 이 간단한 장치를 유용한 계산 기기로 바꾸는 핵심 기능은 각각의 유입 파이프에 설치된 밸브다. 이 밸브를 통해 물의 흐름을 제어할 수 있다. 밸브를 조정해 연결된 다른 뉴런들이 특정 뉴런에 끼치는 영향을 직접 조절하는 것이다. 몇 가지 유용한 작업을 수행하도록 신경망을 훈련하는 과정은 기본적으로 네트워크가 올바르게 패턴을 식별할 때까지 '가중치weight'라고 부르는 이 밸브를 조정하는 일이다.

심층 신경망에서 이런 컨테이너처럼 움직이는 인공 뉴런의 소프트웨어 시뮬레이션은 여러 층으로 배열된다. 뉴런 한 층의 출력은 다음 층 뉴런의 입력에 연결된다. 인접한 층의 뉴런 간 연결은 종종 무작위로 설정된다. 하지만 이미지를 인식하기 위해 설계된 합성곱 네트워크convolutional network 같은 특정한 신경 아키텍처에서 뉴런은 좀 더 의도된 계획에 따라 연결될 수 있다. 정교한 신경망은 100개 이상의 층과 수백만 개의 개별 인공 뉴런을 포함할 수 있다.

일단 이런 네트워크가 구성되면 이미지 인식이나 언어 번역과 같은 특정한 작업을 수행하도록 훈련할 수 있다. 예를 들어, 손글씨로 쓴 숫자를 인식하는 신경망을 훈련하려면 숫자 이미지의 개별 픽셀들이 첫 번째 뉴런 층의 입력값이 된다. 그리고 손으로 쓴 숫자에 해당하는 답이 인공 뉴런의 마지막 층의 출력에 도착한다. 정답을 생성하도록 네트워크를 훈련한다는 것은 훈련 예제를 입력하고 네트워크의 모든 가중치를 조절한 다음 점차 정답에 수렴하는 과정이다. 이런 방식으로 가중치가 최적화되면 훈련 세트에 포함되지 않은 새로운 예제를 네트워크에 사용할 수 있다.

가중치를 조정해 마침내 네트워크가 거의 매번 정답에 수렴하는 데 성공하면 그 유명한 역전파 알고리즘이 등장한다. 복잡한 딥러닝 시스템에는 뉴런 간의 연결이 10억 개가 넘을 수 있고, 각 뉴런에는 최적화해야 하는 가중치가 있다. 역전파는 기본적으로 네트워크의 가중치를 한 번에 하나씩 조정하는 대신 모든 가중치를 집합적으로 조정할 수 있어서 계산 효율성을 크게 높인다.[1] 훈련 과정에서 네트워크의 출력이 정답과 비교되고, 이에 따라 각 가중치를 조정하는 정보가 뉴런 층을 통해 반대로 전파된다. 역전파가 없었다면 딥러닝 혁명은 불가능했을 것이다.

이 모든 것이 신경망을 구성하고 훈련해 유용한 결과를 산출하는 기본적인 메커니즘을 개략적으로 설명하고 있지만, 여전히 근본적인 질문에는 대답하지 못하고 있다. 데이터를 처리하고 때로 초인적인 정확도로 대답을 내놓는 동안 시스템 안에서는 실제로 정확하게 무슨 일이 일어나고 있을까?

간단하게 설명하면 신경망 안에서 지식 표현representation of knowledge이 만들어지고 이 지식에 대한 추상화 수준이 네트워크의 후속 층에서 증가한다. 이것은 시각 이미지를 인식하도록 구성된 네트워크에서 가장 쉽게 이해할 수 있다. 이미지에 대한 네트워크의 이해는 픽셀 수준에서 시작한다. 그리고 그 다음 신경망 층들에서 모서리나 곡선, 질감 같은 시각적 특징이 인식된다. 시스템 내부로 더 깊이 들어가면 훨씬 복잡한 표현이 나타난다. 결국 시스템의 이해가 명확해져서 엄청나게 많은 다른 이미지를 만나도 네트워크에서 이미지를 식별하는 방법으로 이미지의 본질을 포착한다.

사실, 질문에 대한 더 완전한 대답은 실제로 정확히 무슨 일이 일어나는지 모르고, 적어도 쉽게 설명할 수 없다고 인정하는 것이다. 어떤 프로그래머도 다양한 수준의 추상화나 네트워크 안에서 지식이 표현되는 방식을 정의하려 하지 않는다. 이 모든 것은 유기적으로 나타나고 표현은 시스템 전체에서 활성화하는 수백만 개의 상호 연결된 인공 뉴런을 통해 분산된다. 우리는 어떤 의미에서 네트워크가 이미지를 이해한다는 것을 알지만 뉴런 안에서 무엇이 합쳐지는지 정확히 설명하기는 매우 어렵거나, 심지어 불가능하다. 네트워크의 다른 층으로 더 깊이 들어가거나 쉽게 시각화할 수 없는 유형의 데이터에 작동하는 시스템을 분석할 때 더욱더 그렇다. 이러한 상대적인 불투명함, 즉 심층 신경망이 사실상 '블랙박스'라는 우려는 8장에서 다시 다룰 중요한 문제 중 하나다.

딥러닝 시스템의 대다수는 주의 깊게 레이블링되거나 분류된 방대한 데이터 세트를 네트워크에 제공해 유용한 작업을 수행하도록 훈련된다. 예를 들어 심층 신경망은 묘사하는 동물의 이름이 정확하게 레이블링된 수천 개에서 수백만 개의 이미지를 받아 사진 속 동물을 정확히 식별하도록 학습할 수 있다. '지도 학습supervised learning'으로 알려진 이 훈련 방법은 고성능 하드웨어를 사용해도 시간이 많이 소요될 수 있다.

지도 학습은 실제 머신러닝 응용프로그램의 95퍼센트에서 사용되는 학습 방법이다. 이 기법은 인공지능 방사선 시스템('암' 또는 '암 없음'이라는 레이블이 붙은 수많은 의료 이미지로 학습한다), 언어 번역(다른 언어로 미리 번역된 수백만 건의 문서로 학습한다), 그리고 기본적으로 다양한 형태의 정보를 비교하고 분류하는 수없이 많은 응용프로그램에 사용된다. 일반적으로 지도 학습은 레이블이 있는 방대한 데이터가 필요하지만 패턴 인식에 뛰어난 능력을 갖춘 시스템이 만들어내는 결과는 매우 인상적이다. 딥러닝 폭발의 시작을 알린 2012년 이미지넷 대회 이후 5년 만에 이미지 인식 알고리즘의 숙련도가 높아지자 이 연례 대회는 실제 3차원 물체 인식을 포함하는 새로운 도전을 추구하고 있다.[2]

사진에 설명을 첨부하는 것처럼 데이터를 레이블링하는 데 사람만이 할 수 있는 해석이 필요하다면, 이 과정은 비용도 많이 들고 번거롭다. 한 가지 일반적인 해결책은 리페이페이 교수가 이미지넷 데이터 세트에 사용한 접근 방식을 모방하여 크라우드소싱crowdsourcing으로 전환하는 것이다. 메커니컬 터크 같은 플랫폼을 사용하면 적은 비용으로도 이 작업을 수행할 분산된 팀을 고용할 수 있다. 이 과정을 간소화한 덕분에 지도 학습을 대비해 데이터에 주석을 입력하는 효과적인 방법을 찾는 데 집중하는 스타트업이 많이 생겨났다. 특히 시각 정보를 이해해야 하는 응용프로그램에서 방대한 데이터 세트가 정확히 레이블링돼야 하는 중요성은 스케일

AI^{Scale AI}의 급격한 성장으로 잘 설명된다. 2016년 MIT를 중퇴한 알렉산드르 왕^{Alexandr Wang}이 19세에 창업한 스케일AI는 우버, 리프트, 에어비앤비, 웨이모를 포함한 기업의 데이터 레이블링을 담당하는 3만 명이 넘는 크라우드 노동자와 계약했다. 이 회사는 벤처 자금을 1억 달러 이상 확보했고, 지금은 10억 달러 이상의 가치가 있는 스타트업인 실리콘밸리의 '유니콘'으로 등극했다. [3]

하지만 다른 많은 경우에도 거의 헤아릴 수 없는 분량의 훌륭하게 레이블링된 데이터가 자동으로 생성되고 있다. 그리고 이 데이터를 소유한 기업은 사실상 레이블링 작업을 무료로 제공받고 있다. 페이스북, 구글, 트위터 같은 플랫폼에서 생성되는 엄청난 양의 데이터는 이용자들이 주의 깊게 주석을 달기 때문에 큰 가치가 있다. 게시물에 '좋아요'를 누르거나 게시물을 '리트윗'할 때마다, 웹 페이지를 보거나 스크롤을 내릴 때마다, 영상을 시청하며 시간을 보낸 만큼, 다양한 온라인 활동을 하며 시간을 보낸 만큼, 우리는 사실 특정한 데이터 항목에 주석을 첨가하고 있다. 주요 플랫폼 중 하나를 이용하는 수백만 명의 사람들과 마찬가지로 우리는 스케일AI 같은 회사에 고용된 크라우드 노동자와 기본적으로 같은 입장이 된다. 물론 가장 중요한 인공지능 연구가 거대 인터넷 기업과 관련 있는 것은 우연이 아니다. 인공지능과 막대한 데이터 소유권 간의 시너지 효과를 종종 언급하지만, 이 공생 관계의 바탕이 되는 결정적 요소는 거의 비용을 들이지 않고 모든 데이터에 주석을 달 수 있는 거대한 기계를 소유한 것이고, 강력한 신경망에 사용되는 지도 학습의 먹이를 확보할 수 있는 것이다.

일반적으로 지도 학습이 지배적이라면 또 다른 중요한 기법인 '강화 학습reinforcement learning'은 특정 응용프로그램에 사용된다. 강화 학습은 반복적인 연습이나 시행착오를 통해 역량을 기른다. 알고리즘이 지정된 목표를 달성하면 디지털 보상을 받는다. 기본적으로 개를 훈련하는 방법과 같다. 개는 처음에 우연히 행동을 하지만 적절한 명령에 따라 앉을 수 있게 되면 간식을 받는다. 이 과정을 충분히 반복하면 개는 확실하게 앉는 법을 학습한다.

강화 학습의 선두 주자는 런던에 기반을 둔 기업 딥마인드로, 지금은 구글의 모회사인 알파벳이 소유하고 있다. 딥마인드는 강화 학습을 바탕으로 하는 연구에 막대한 투자를 했고 여기에 강력한 합성곱 신경망을 결합해 '심층 강화 학습deep reinforcement learning'을 개발했다. 딥마인드는 2010년 설립 직후 비디오게임을 할 수 있는 인공지능 시스템을 개발할 때부터 강화 학습을 적용하기 시작했다. 2013년 1월 회사는 DQNDeep Q-Network이라는 시스템을 개발했다고 발표했다. DQN은 〈스페이스 인베이더Space Invaders〉, 〈퐁Pong〉, 〈브레이크아웃Breakout〉 같은 아타리Atari 게임을 할 수 있는 딥러닝 인공지능 알고리즘이다. 딥마인드 시스템은 오직 픽셀과 게임 점수를 사용해 스스로 게임 방법을 학습할 수 있었다. 수천 번의 시뮬레이션 게임에서 기법을 연마한 뒤 DQN은 6개 게임에서 컴퓨터가 달성

로봇의 지배

한 최고 점수를 기록했고, 3개 게임에서 정상급 프로게이머를 이겼다.[4] 2015년까지 이 시스템은 49개 아타리 게임을 정복했다. 딥마인드는 "고차원 감각 입력과 행동 사이의 구분"을 연결하는 최초의 인공지능 시스템을 개발했으며, DQN은 "다양한 도전 과제에서 뛰어난 능력을 발휘하는 학습 능력이 있다"라고 공언했다.[5] 이런 성과는 구글 창업자 래리 페이지를 포함한 실리콘밸리 거물들의 관심을 끌었다. 2014년 구글은 페이스북의 경쟁 제안을 물리치고 4억 달러에 딥마인드를 인수했다.

심층 강화 학습의 가장 주목할 만한 성과는 2016년 3월 딥마인드가 개발한 인공지능 바둑 프로그램 알파고가 서울에서 열린 5전 3선승 경기에서 당시 세계 최고 바둑 기사 이세돌을 이긴 것이다. 수천 년 동안 바둑을 두어온 아시아에서 출중한 바둑 실력은 높이 평가됐다. 공자의 글에도 바둑이 언급되고, 그 기원은 중국 문명이 시작될 무렵까지 거슬러 올라간다. 한 이론에 따르면 바둑은 기원전 2000년 이전, 요임금이 다스리던 시기에 만들어졌다고 한다.[6] 바둑은 서예, 회화, 현악기 연주와 함께 고대 중국 지성이 갖추어야 할 네 가지 기본 소양 중 하나로 간주됐다.

체스와 달리 바둑은 알고리즘의 무차별 대입 공격에도 영향을 받지 않을 만큼 매우 복잡하다. 바둑을 둘 때 가로세로 각 19칸 격자로 이루어진 바둑판은 흰색과 검은색의 바둑돌로 채워진다. 딥마인드의 CEO 데미스 하사비스가 알파고의 성취를 이야기할 때 즐겨 언급하듯이, 바둑판 위에 바둑돌을 놓을 수 있는 수는 알려진 우주의 원자 수보다 많다. 수천 년 동안 이 게임을 해왔지만 두 게임이 완전히 같은 방식으로 진행될 가능성은 놀랍게도 거의 없다. 다시 말해 더 제한적인 규칙이 있는 게임과 달리, 앞으로 둘 수 있는 전체 범위를 먼저 예상해 설명하려는 시도는 강력한 하드웨어에서도 계산적으로 도달할 수 없다.

방대한 수준의 복잡성을 제외하고도 바둑을 두려면 인간의 직관에 크게 의존해야 한다. 고수들에게 특정한 수를 둔 이유를 물으면 종종 당황한다. 그들은 바둑판의 특정 위치에 바둑돌을 두게 하는 것은 '감'이라고 설명한다. 이것이 바로 컴퓨터의 능력을 뛰어넘는 유형의 일이다. 우리가 적어도 가까운 미래에 자동화의 위험에서 안전할 것으로 기대하는 직업도 바로 이런 일이다. 그럼에도 바둑은 컴퓨터과학자 대부분이 그런 위업이 가능하리라 생각한 것보다 최소 10년 일찍 기계에 무너졌다.

딥마인드 팀은 지도 학습 기법을 사용해 알파고의 신경망이 인간 바둑 최고수들이 둔 경기 기보에서 추출한 3,000만 번의 수를 훈련하도록 했다. 그리고 강화 학습으로 전환해 시스템 스스로 경기를 하도록 했다. 수천 번의 시뮬레이션 경기를 치르고 경기력 개선을 위해 보상 기반의 끊임없는 압력을 받으면서 알파고의 심층 신경망은 점차 인간의 능력을 뛰어넘는 방향으로 발전했다.[7] 2016년 알파고가 이세돌을 상대로 승리를 거두고 1년 뒤 세계 1위 커제Ke Jie를 누르자 다시금 인공지능 연구 커뮤니티는 충격에 빠졌다. 이런 성과는 벤처캐피털리스트이자 작가인 리카이푸^{Kai-Fu Lee}가 중국판 '스푸트니크 모멘트^{Sputnik moment}'라고 부르는 일로 이어졌다. 그 여파로 중국 정부는 인공지능 분야의 선두 주자가 되기 위해 발 빠르게 움직였다.[8]

지도 학습이 많은 양의 레이블링된 데이터에 의지한다면, 강화 학습은 엄청난 양의 연습이 필요하고 대부분 처참한 실패로 끝난다. 하지만 강화 학습은 게임에 적합하다. 알고리즘은 인간이 평생 할 수 있는 것보다 훨씬 많은 시합을 짧은 시간에 해낼 수 있다. 이런 접근 방법은 고속으로 시뮬레이션할 수 있는 실제 활동에도 적용할 수 있다. 현재 강화 학습을 가장 활발하게 적용하는 분야가 자율 주행차 훈련이다. 웨이모나 테슬라가 사용하는 자율 주행 시스템은 실제 자동차나 실제 도로를 접하기 전에 고성능 컴퓨터에서 고속으로 훈련을 받고, 이렇게 시뮬레이션된 자동차는 수천 번 치명적인 충돌 사고를 겪으며 점차 학습한다. 알고리즘이 충분히 훈련돼 더는 충돌이 일어나지 않으면 소프트웨어를 실제 자동차로 옮길 수 있다. 이런 방법이 일반적으로 효과는 있지만 그렇다고 운전 방법을 터득하려고 수천 번의 충돌을 겪을 필요는 없다. 기계 안에서 학습이 이루어지는 방법과 인간의 뇌에서 훨씬 적은 데이터로 학습이 이루어지는 방법의 극명한 차이는 현재 인공지능 시스템의 한계와 앞으로 개선될 기술의 엄청난 잠재력을 모두 강조한다.

경고 신호,
인공지능의 겨울이 다시 온다면

2010년대는 인공지능 역사에서 가장 흥미롭고 중요한 10년이었다. 인공지능에 사용되는 알고리즘의 개념적 개선이 분명히 있었지만, 이 모든 발전의 주요 동인은 단지 더 많은 훈련 데이터를 처리할 수 있는 더 빠른 컴퓨터 하드웨어에서 더 확장된 심층 신경망을 사용한 것이었다. '규모를 확장하는' 전략은 딥러닝 혁명이 시작된 2012년 이미지넷 대회 이후 더 분명해졌다. 같은 해 11월 〈뉴욕타임스〉 1면에 실린 기사는 딥러닝 기술에 대한 인식을 대중적으로 넓히는 데 중요한 역할을 했다. 존 마코프John Markoff는 제프리 힌턴의 말을 인용하며 이 기사를 마무리했다. "이 접근 방법의 요점은 아름답게 확장하는 것이다. 기본적으로 우리는 계속 더 크게, 더 빠르게 만들면 된다. 그러면 더 나아진다. 지금은 뒤돌아볼 때가 아니다."[9]

하지만 발전의 주요 엔진에서 폭발음이 나고 있다는 증거가 나타나고 있다. 연구 기관인 오픈AI의 분석에 따르면 최첨단 인공지능 프로젝트에 필요한 컴퓨팅 리소스가 "기하급수적으로 증가"해 3.4개월마다 2배로 늘고 있다.[10] 2019년 12월 〈와이어드Wired〉는 페이스북 인공지능 부문 부사장 제롬 페센티Jerome Pesenti와의 인터뷰에서 페이스북처럼 자금력이 충분한 회사도 앞으로 재정적으로 지속 가능하지 못할 수 있다고 밝혔다.

딥러닝을 확장하면 작동도 더 잘 되고 더 나은 방식으로 더 큰 문제를 해결할 수 있습니다. 그래서 규모를 확장하면 이점이 있습니다. 하지만 이런 발전 속도를 지속할 수는 없습니다. 성과가 좋은 실험들을 살펴보면 해마다 비용이 10배씩 증가하고 있습니다. 지금 당장은 실험 비용이 100만 달러 단위이지만, 그렇다고 1억 또는 10억 달러 단위가 되지는 않을 겁니다. 가능한 일도 아니고 감당할 만한 곳도 없습니다.[11]

페센티는 규모 확장이 발전의 주요 원동력이 될 가능성에 대해 "언젠가 벽에 부딪힐 것이고 여러 면에서 이미 그런 상태"라고 엄중히 경고했다. 더 큰 신경망으로 확장할 때 부딪히는 재정적 한계 말고도 환경적으로 중요하게 고려해야 할 사항이 있다. 2019년 매사추세츠대학교 애머스트 연구원들의 분석에 따르면 매우 큰 딥러닝 시스템을 훈련할 때 배출되는 이산화탄소의 양이 자동차 5대의 운행연한에 배출되는 양에 해당한다고 한다.[12]

굉장히 효율적인 하드웨어와 소프트웨어를 개발해 재정적·환경적 문제를 극복할 수 있다고 해도 전략적인 규모 확장만으로는 지속 가능한 발전을 이룰 수 없다. 연산 능력에 대한 투자가 꾸준히 증가하면서 좁은 영역에 탁월한 숙련성을 가진 시스템은 만들어졌다. 하지만 심층 신경망에 몇 가지 중요한 개념적 혁신이 이루어지지 않는 한, 이 기술은 중요한 여러 응용프로그램에 적합하지 않게 돼 신뢰성 한계에 부딪힐 것이 분명해지고 있다. 심층 신경망의 약점은 비카리우스(3장에서 만났던 손재주 있는 로봇을 만드는 작은 기업이다) 연구팀이 딥마인드의 DQN(아타리 게임을 제패하도록 학습한 시스템)이 사용하는 신경망을 분석했을 때 잘 드러났다.[13] 테스트는 브레이크아웃Breakout 게임으로 진행됐다. 플레이어가 빨리 움직이는 공을 바닥에 떨어뜨리지 않고 벽돌을 깨기 위해 패들을 조작하는 이 게임에서 패들을 화면에서 몇 픽셀만 위로 이동해도 초인간적이던 시스템 성능이 급격히 떨어진다. 딥마인드의 소프트웨어는 작은 변화에도 적응할 수 없다. 이전 수준으로 되돌릴 수 있는 유일한 방법은 리셋해 새로운 화면 설정에 맞는 데이터를 가지고 시스템을 완벽하게 재훈련하는 것이다.

　이것은 딥마인드의 강력한 신경망이 브레이크아웃 화면의 표현을 인스턴스화instantiate하지만, 이 표현은 네트워크 깊이 더 높은 수준의 추상화 단계에서도 본래 픽셀에 단단히 고정돼 있다는 것을 알려준다. 패들을 움직일 수 있는 실제 물체로 이해하지 못한 것이 분명하다. 다시 말해 이 시스템은 화면의 픽셀이 나타내는 물체나 그 물체의 움직임을 지배하는 물리학을 인간처럼 이해하지 못한다. 아는 것은 오직 픽셀뿐이다. 일부 인공지능 연구자들은 더 빠른 하드웨어에서 더 많은 데이터를 소비하는 인공 뉴런 층이 더 많이 있다면 더 포괄적인 이해가 나타날 것으로 계속 믿을 수 있지만 나는 그럴 가능성이 매우 낮다고 생각한다. 인간과 같은 세계관을 가진 기계를 만나려면 더 근본적인 혁신이 필요하다.

인공지능 시스템이 융통성이 없고 입력 데이터에 생긴 예상치 못한 작은 변화에도 적응하지 못하는 이런 일반적인 유형의 문제를 연구자들은 '취성脆性, brittleness'이라고 부른다. 다루기 까다로운 인공지능 응용프로그램 때문에 물류 창고 로봇이 가끔 다른 물건을 상자에 담아 포장한다면 이는 심각한 문제가 아니다. 하지만 다른 응용프로그램에서 이런 기술적 실수가 생기면 재앙이 될 수 있다. 예컨대 현재 완전 자율 주행차를 향한 진행 상황이 초기의 자신만만했던 예측에 부응하지 못하는 이유이기도 하다.

2020년대 말 이런 한계에 초점이 맞춰지면서 이 분야가 다시 한번 섣부른 과대광고를 통해 비현실적인 수준으로 기대치를 몰아갈 위기가 있었다. 기술 매체와 소셜 미디어에서 인공지능 분야가 가장 무서워하는 '인공지능의 겨울'이라는 표현이 다시 나타나기 시작했다. 2020년 1월 요슈아 벤지오는 BBC와의 인터뷰에서 "인공지능의 능력은 다소 과장됐습니다. 그런 일에 관심이 있는 특정 기업들에 의해서 말이죠"라고 말했다.[14]

대부분의 우려는 3장에 살펴본 것처럼, 축적된 과대광고의 절대 정점에 이른 산업과 관련이 있다. 바로 자율 주행차 산업이다. 2010년 초 낙관적인 예측에도 불구하고 다양한 상황에서 복잡한 문제를 처리할 수 있는 진정한 의미의 무인 차량은 여전히 현실과 멀다는 것이 분명해졌다. 웨이모, 우버, 테슬라 같은 회사들은 자율 주행 차량을 공공 도로에 올려놓았지만, 매우 제한된 몇 가지 실험을 제외하고는 항상 인간 운전자가 차량을 제어해야 했다. 차량의 작동을 감독하는 운전자가 자리에 있었지만 수많은 치명적인 사고가 발생하자 업계 평판이 실추됐다. 2018년에 널리 공유된 블로그 게시물 '인공지능의 겨울이 온다^{AI Winter Is Well on Its Way}'에서 머신러닝 연구원 필립 피에크니에프스키^{Filip Piekniewski}는 캘리포니아주에서 요구하는 기록에 따르면 테스트 중인 자동차는 자율 주행 시스템 해제 없이 "말 그대로 10마일(약 16킬로미터) 이상 운전할 수 없다"라고 지적한다.[15]

개인적인 의견이지만, 다시 한번 인공지능의 겨울이 온다면 그때는 온화한 겨울이 될 것 같다. 발전의 둔화에 대한 우려는 충분히 근거가 있지만 지난 몇 년 동안 인공지능이 거대 기업의 인프라와 사업 모델에 깊이 통합된 것도 사실이다. 이들 기업은 컴퓨팅 리소스와 인공지능 분야 인재에 막대하게 투자해 상당한 이익을 거뒀고, 지금은 인공지능이 시장 경쟁력에서 절대 위치를 차지한다. 마찬가지로 거의 모든 기술 스타트업이 현재 어느 정도는 인공지능에 투자하고 있고 다른 산업의 크고 작은 기업들도 이 기술을 도입하기 시작했다. 상업 영역으로의 성공적인 통합은 인공지능의 겨울 이전에 존재했던 그 어떤 것보다 중요하다. 기업 세계의 지원군으로부터 도움을 받고 어떤 침체도 완화할 수 있는 보편적 추진력을 얻었기 때문이다.

한편으로 발전의 주요 동인인 확장성의 감소가 긍정적인 면을 가질 수 있다는 의미도 있다. 더 많은 컴퓨터 리소스를 투입하면 더 큰 발전을 이룰 수 있다는 믿음이 퍼져 있지만 진정한 혁신이라는 훨씬 더 어려운 연구에 대한 인센티브는 매우 부족하다. 무어의 법칙이 바로 그런 경우였다. 컴퓨터 처리 속도가 2년마다 2배가 될 것이라는 거의 절대적인 믿음이 있을 때 반도체 산업은 인텔이나 모토로라 같은 기업의 마이크로프로세서보다 더 빠른 제품을 출시하려고 집중하는 경향이 있었다. 최근 몇 년 동안 컴퓨터 속도에 대한 신뢰가 떨어지고 칩에 각인되는 회로의 크기가 거의 원자 크기로 줄어들면서 무어의 법칙의 전통적 정의는 끝을 향해 가고 있다. 엔지니어들은 '틀에서 벗어난' 사고를 더 많이 하게 됐고 새로운 혁신이 탄생했다. 대규모 병렬 컴퓨팅을 위한 소프트웨어나 심층 신경망에 필요한 복잡한 연산에 최적화된 완전히 새로운 칩 아키텍처가 나타났다. 딥러닝과 더 넓게는 인공지능에서도 아이디어 폭발이 일어날 수 있다고 생각한다. 단순히 더 큰 신경망 확장에 의지하는 것은 발전을 향해 가는 길이 아니기 때문이다.

일반 기계 지능을 향한 여정

현재 딥러닝 시스템의 한계를 극복하려면 기계 지능이 인간의 뇌 능력에 매우 근접하는 혁신이 필요하다. 그 과정에는 큰 장애물들이 많지만, 인공지능의 최종 목표에서 항상 절정을 이룬다. 그 목표란 인간 수준 이상으로 의사소통하고 추론하며 새로운 아이디어를 창출하는 기계를 만드는 것이다. 연구자들은 이런 기계를 흔히 '일반 인공지능artificial general intelligence, AGI'이라고 부른다. 일반 인공지능에 가까운 것이 현실에는 존재하지 않지만, 공상과학에서는 여러 차례 등장했다. 영화 〈2001: 스페이스 오디세이〉의 엔터프라이즈 메인 컴퓨터 할HAL, 〈스타트렉〉의 미스터 데이터Mr. Data, 영화 〈터미네이터〉와 〈매트릭스〉에서 그린 디스토피아적 세계가 그 예다. 인간을 뛰어넘는 능력을 갖춘 일반 인공지능의 개발이 인류 역사상 가장 중요한 혁신이 될 수도 있다. 그런 기술은 궁극의 지적 도구가 돼 수많은 분야에서 발전 속도를 비약적으로 가속할 것이다. 인공지능 전문가들 사이에는 일반 인공지능을 달성하기까지 시간이 얼마나 걸릴지를 놓고 의견이 분분하다. 극도로 낙관적인 몇몇 연구자들은 5년에서 10년 사이에 이 획기적인 일이 일어날 것이라고 하고, 다른 연구자들은 좀 더 신중하게 100년은 넘게 걸릴 것이라고 말한다.

가까운 미래에 있을 연구는 실제 인간 수준의 인공지능을 성취하는 데 집중하기보다 성취를 향한 여정과 그 과정에 있는 장애물을 성공적으로 극복하는 데 필요한 수많은 혁신에 중점을 둔다. 생각하는 기계를 만들려는 탐구는 순전히 이론적인 과학 프로젝트가 아니라 현재의 한계를 극복하고 새로운 역량을 제시하는 인공지능을 구축하기 위한 일종의 로드 맵을 보여준다. 그 길을 따라가면 상업적으로나 과학적으로 가치가 높은 실용적인 응용프로그램을 풍성한 결실로 수확할 것이 거의 확실하다.

실용적인 단기 혁신과 인간 수준의 기계 지능을 향한 탐구의 결합은 구글에서 인공지능을 연구하는 다양한 팀의 연구 철학으로 설명할 수 있다. 구글의 인공지능 총괄 책임자인 제프 딘^{Jeff Dean}에 따르면, 구글이 2014년에 인수한 독립 회사 딥마인드는 일반 인공지능에 도달하기 위해 해결해야 하는 구체적인 문제에 대해 "구조화된 계획"을 가지고 접근하지만, 구글의 다른 연구 그룹은 "보다 유기적인" 접근법을 취하고 있다. "우리가 중요하다고 알고 있지만, 아직 할 수 없는 일을 해내는 데 집중하고, 일단 그 문제를 해결하고 나면 그다음에 해결하고 싶은 문제를 찾는" 식이다. 그는 구글의 모든 인공지능 연구 그룹이 "지능적이고 유연한 인공지능 시스템을 구축하기 위해 협력하고 있다"라고 말한다.[16] 시간이 지나면 하향식 계획과 단계별 탐색 중 더 성공적인 접근법을 알 수 있겠지만 두 방법 모두 즉시 적용해 중요한 새로운 아이디어를 만들어낼 가능성이 크다.

앞에 놓인 도전에 맞서는 다양한 연구 철학과 전략을 가진 팀들이 발전을 주도하고 있다. 이들의 공통점은 적어도 지금까지는 최종 목표가 인간의 인지 능력을 모델로 한다는 것이다.

한 가지 중요한 접근법은 영감을 얻기 위해 인간 뇌의 내부 작동을 직접 살펴본 것이다. 여기에 속하는 연구자들은 인공지능이 신경과학에서 직접 정보를 얻어야 한다고 생각한다. 이 분야의 리더가 딥마인드다. 이 회사의 설립자이자 CEO인 데미스 하사비스는 일반적인 인공지능 연구자와 달리 대학원에서 컴퓨터과학이 아니라 신경과학을 공부하고 유니버시티칼리지 런던ᵁᶜᴸ에서 이 분야의 박사 학위를 받았다. 하사비스에 따르면 딥마인드에서 가장 큰 단일 연구 그룹은 최신 뇌과학 연구를 인공지능에 적용하는 방법을 찾는 데 집중하는 신경과학자들로 구성돼 있다.[17]

이들의 목표는 뇌가 작동하는 방식을 세부적으로 복제하기보다 기본 작동 원리에서 영감을 얻는 것이다. 인공지능 전문가들은 이런 접근 방법을 종종 동력 비행의 성공과 그 뒤에 나타난 현대 항공기 설계에 빗대어 설명한다. 항공기는 분명히 새에서 영감을 얻었지만 그렇다고 날개를 퍼덕거리거나 조류의 비행을 그대로 모방하지 않는다. 일단 엔지니어들이 공기역학을 이해하면 새가 나는 기본 원리에 따라 작동하지만 여러 면에서 새보다 뛰어난 기계를 만드는 것이 가능하다. 하사비스와 딥마인드 팀은 인간과 어쩌면 기계 지능의 기본 원리가 되는 일종의 '지능의 공기역학'이 있다고 믿는다.

딥마인드의 학제 간 팀은 2018년 5월에 발표한 연구에서 이러한 일반 원칙이 실제로 존재한다는 몇 가지 설득력 있는 증거를 제시했다. 2014년 노벨 생리의학상은 공간을 탐색하는 특별한 유형의 뉴런을 발견한 공로로 세 명의 신경과학자 존 오키프John O'Keefe, 마이브리트 모세르May-Britt Moser, 에드바르 모세르Edvard Moser에게 수여됐다. 격자 세포grid cell라고 불리는 이 뉴런은 동물이 환경을 탐색할 때 뇌에 규칙적으로 육각형 패턴을 활성화한다. 격자 세포는 동물이 복잡하고 예측할 수 없는 환경에서 길을 찾을 때 방향을 잃지 않게 하는 매핑 시스템mapping system을 신경학적으로 표현한 것으로, '몸 안의 GPS'를 구성하는 것으로 보인다.

딥마인드는 한 가지 계산 실험을 진행했다. 동물이 어둠 속에서 먹이를 찾을 때 의존하는 움직임 기반 정보를 시뮬레이션한 데이터로 강력한 신경망을 훈련하는 실험이었다. 놀랍게도 연구원들은 격자 세포와 비슷한 구조가 네트워크 안에서도 자연스럽게 나타나는 것을 발견했다. 이는 먹이를 찾는 포유류에서 관찰되는 신경 활동 패턴에 뚜렷하게 수렴했다.[18] 다시 말해 같은 탐색 구조가 생물학과 디지털이라는 완전히 다른 두 가지 기질에서 자연스럽게 나타난 것이다. 하사비스는 이것이 딥마인드가 성취한 가장 중요한 혁신 중 하나라고 말한다. 연구는 격자 세포를 사용하는 내부 시스템이 구현의 세부 사항에 상관없이 모든 시스템에서 탐색 정보를 나타내는 가장 효율적인 방법이라는 것을 알려준다.[19] 이 연구를 설명한 논문이 〈네이처〉에 게재되자,[20] 신경과학 분야에 큰 반향을 일으켰으며 이와 같은 통찰은 회사의 학제 간 접근 방식이 양방향 도로처럼 인공지능 연구가 뇌에서 배울 뿐 아니라 반대로 뇌를 이해하는 데 기여할 수 있다는 것을 보여주었다.

2020년 초, 딥마인드는 다시 한번 신경과학에 중요한 기여를 했다. 뇌에서 도파민 뉴런의 작동을 연구해 강화 학습에 활용한 것이다.[21] 1990년대부터 신경과학자들은 동물이 특정 행동을 할 때 받을 수 있는 보상을 특별한 뉴런이 예측한다고 이해했다. 실제 받은 보상이 예상보다 크면 상대적으로 더 많은 도파민이 분비됐다. 하지만 예상보다 작으면 '기분을 좋게 하는' 화학물질이 덜 생성됐다. 컴퓨터를 이용하는 강화 학습도 거의 같은 방식으로 움직인다. 알고리즘이 예측하고 예측 결과와 실제 결과 사이의 차이에 따라 보상이 조정된다.

딥마인드의 연구원들은 평균 예측값이 아니라 예측 분포를 만들고 그에 따라 보상을 조정해 강화 학습 알고리즘을 크게 개선할 수 있었다. 그런 다음 하버드 연구팀과 함께 뇌에서 같은 반응이 일어나는지 실험했고 쥐의 뇌에서 실제로 비슷한 예측 분포가 나타나는 것을 확인할 수 있었다. 일부 도파민 뉴런은 잠재 보상에 대해 상대적으로 더 비관적이고, 다른 뉴런은 더 낙관적으로 나타났다. 다시 말해 딥마인드는 디지털 알고리즘과 생물학적 뇌에서 매우 유사한 결과를 나타내는 같은 기본 메커니즘을 다시 한번 입증했다.

이런 연구는 하사비스와 연구팀이 강화 학습에 갖는 자신감과 강화 학습이 일반 인공지능으로 가는 노력의 중요한 요소라는 믿음을 반영한다. 그런 점에서 이들은 평균에서 크게 벗어난 아웃라이어다. 예컨대 페이스북의 얀 르쿤은 강화 학습이 상대적으로 미미한 역할을 할 것이라고 언급했다. 그는 종종 프레젠테이션에서 지능이 케이크라면 강화 학습은 케이크 맨 위에 있는 체리에 해당한다고 말한다.[22] 딥마인드 팀은 강화 학습이 가장 중심이 되고, 일반 인공 지능을 성취하는 실행 가능한 방법을 제공한다고 믿는다.

우리는 일반적으로 강화 학습을 바둑을 두거나 시뮬레이션으로 자동차를 운전하는 방법을 학습하는 것처럼 외부의 매크로 프로세 스macro process를 최적화하는 보상 기반 알고리즘 관점에서 설명한다. 그러나 하사비스는 강화 학습이 뇌 내부에서 중요한 역할을 하고 지능이 나타나는 데 필수일 수 있다고 지적한다. 강화 학습은 뇌를 호기심과 학습, 그리고 추론으로 이끄는 주요한 메커니즘일 수 있다. 예를 들어 뇌의 고유한 목적이 끊임없이 쏟아지는 엄청난 양의 원데이터를 단순히 탐색하고 순서를 정하는 것이라고 가정해보자. 하사비스의 말에 따르면, "우리는 새로운 것을 보면 뇌에서 도파민 이 분비된다는 것을 안다." 만약 뇌에서 "정보와 구조를 찾는 것 그 자체가 보상이라면 이는 매우 유용한 동기다."[23] 다시 말해 우리 주 변 세계를 이해하도록 끊임없이 동력을 제공하는 엔진이 도파민 생 성과 연결된 강화 학습 알고리즘일 수 있다.

인공지능 스타트업 엘리멘털 코그니션Elemental Cognition의 창업자이 자 CEO인 데이비드 페루치David Ferrucci는 일반 인공지능 구축에 완전 히 다른 접근 방법을 추구하고 있다. 페루치는 2011년 TV 퀴즈 쇼

〈제퍼티!〉에서 켄 제닝스Ken Jennings와 다른 참가자들을 이긴 IBM 왓슨 개발팀을 이끈 것으로 유명하다. 왓슨의 승리 후 페루치는 IBM을 떠나 월스트리트의 헤지펀드 브리지워터 어소시에이츠Bridgewater and Associates에 합류했다. 그곳에서 인공지능을 이용해 거시 경제를 이해하는 작업을 하고 브리지워터의 창업자 레이 달리오Ray Dalio의 경영과 투자 철학을 회사 전체에 사용되는 알고리즘에 구현한 것으로 알려져 있다.

이제 페루치는 브리지워터의 응용 인공지능 책임자와 이 펀드에서 초기 벤처 자금을 지원한 엘리멘털 코그니션의 대표로 시간을 나눠 쓰고 있다.[24] 페루치는 자신이 세운 스타트업이 "실제 언어 이해"에 초점을 맞추고 있다고 말한다. 이 회사는 자료에 대한 시스템의 이해를 높이고 결론을 설명하기 위해 자율적으로 텍스트를 읽은 다음 인간과 상호작용하는 대화에 참여할 수 있는 알고리즘을 개발하고 있다. 페루치는 이렇게 설명했다.

> 우리는 언어의 표면 구조나 단어의 빈도에 나타나는 패턴을 넘어 근본적인 의미를 알려고 합니다. 그것을 통해 인간이 추론하고 의사소통하기 위해 만들고 사용하는 내부적 논리 모델을 구축하고 호환 가능한 지능을 생성하는 시스템을 만들고자 합니다. 호환 가능한 지능은 인간의 상호작용, 언어, 대화, 다른 관련 경험을 통해 자율적으로 배우고 개선할 수 있습니다.[25]

이 말은 인간 수준의 지능에 가까이 가겠다는 무척 야심 찬 목표처럼 들린다. 기존 자연어 처리 인공지능 시스템은 게임 패들이 몇 픽셀만 위로 움직여도 딥마인드의 DQN에 나타나는 비슷한 한계를 겪고 있다. 화면의 픽셀이 움직일 수 있는 물체를 나타낸다는 것을 DQN이 이해하지 못하는 것처럼 현재 언어 시스템도 처리하는 단어가 무엇을 의미하는지 전혀 이해하지 못한다.

페루치는 언어 이해 문제를 해결하면 일반 지능으로 가는 명확한 길이 나타날 것으로 믿는다. 그는 딥마인드 팀이 시도하는 방식처럼 뇌의 생리학을 탐구하는 대신, 인간 수준의 언어 이해와 논리와 추론 사용 능력에 접근하는 시스템을 직접 설계해 제작하는 것이 가능하다고 생각한다. 일반 지능을 만들 수 있는 기본 블록이 이미 존재한다고 믿는다는 면에서 그는 인공지능 연구자들 사이에서도 예외적이다. "나는 다른 사람들처럼 우리가 어떻게 해야 할지 모른 채 그저 엄청난 혁신을 기다린다고 생각하지 않습니다. 그렇게 해야 한다고 생각하지도 않습니다. 우리는 어떻게 해야 할지 알고 있고, 단지 그 방법을 증명하면 됩니다."[26]

페루치는 비교적 가까운 미래에 이 목표를 달성할 것이라는 전망에 매우 낙관적이다. 2018년 다큐멘터리에서 그는 "3년에서 5년 사이에 인간이 생각하는 방식과 다르지 않게 자율적으로 이해하고, 이해를 증진하는 방법을 학습하는 컴퓨터 시스템을 갖게 될 것"이라고 말했다.[27] 내가 직접 그 시기에 대해 물었을 때는 3년에서 5년

이 지나치게 낙관적이라고 생각했는지 다소 물러섰다. 하지만 그는 여전히 "앞으로 10년 안에는 볼 수 있을 것이고, 50년이나 100년까지 기다리지 않아도 될 것"이라고 말했다.[28]

이 목표를 달성하기 위해 엘리멘털 코그니션 팀은 일종의 하이브리드 시스템을 구축하고 있다. 심층 신경망과 다른 머신러닝 접근법을 포함하고 논리와 추론을 처리하는 기존 프로그래밍 기법을 사용해 구축한 소프트웨어 모듈을 결합했다. 앞으로 살펴보겠지만 오로지 신경망에 기반을 두는 전략과 반대되는 하이브리드 접근 방법의 효능에 대한 논쟁은 인공지능 분야가 직면한 가장 중요한 질문 가운데 하나로 떠오르고 있다.

현재 구글의 엔지니어링 이사인 레이 커즈와일도 언어 이해에 중점을 둔 방향으로 일반 지능을 추구한다. 커즈와일은 2005년에 출간돼 그를 '특이점Singularity' 전도사로 자리 잡게 해준 책 《특이점이 온다》의 저자로 유명하다.[29] 커즈와일과 그의 많은 추종자들은 초인간적 기계 지능의 출현으로 생기는 특이점이 언젠가 인류 역사의 포물선에서 급격한 상향 곡선을 그릴 것이며, 기술 가속이 완전에 가까울 정도로 정점에 이르면 변곡점에 도달해 인간 생활과 문명의 모든 측면을 완전히, 그리고 이해할 수 없을 정도로 바꿔놓을 것이라고 믿는다.

2012년 커즈와일은 인간의 인지에 대한 개념적 모델을 설명하는 책 《마음의 탄생》을 출간했다.[30] 커즈와일에 따르면 뇌는 약 3억 개의 계층적 모듈로 구동되며, 각각의 모듈은 "순차적인 패턴을 인식하고 일정한 양의 변동성을 수용할 수 있다."[31] 커즈와일은 모듈식 접근 방법이 궁극적으로 지도 학습이나 강화 학습 기법이 의존하는 현재의 딥러닝 시스템보다 훨씬 적은 데이터로 학습할 수 있는 시스템이 될 것으로 믿는다. 커즈와일이 이 아이디어를 실행하는 데 필요한 벤처 자금을 구하러 구글의 래리 페이지를 만났을 때 그는 오히려 구글에 와서 회사가 가진 거대한 컴퓨팅 리소스를 활용해 비전을 추구해보라는 권유를 받았다.

커즈와일은 일반 인공지능이 2029년 무렵에 성취될 것으로 수십 년 전부터 예견해왔고 여전히 그렇게 믿고 있다. 많은 인공지능 연구자들과 달리 그는 인간 수준의 지능을 측정하는 효과적인 방법으로 튜링 테스트를 계속 신뢰하고 있다. 앨런 튜링이 1950년 그의 논문에서 고안한 이 방법은 기본적으로 대화를 통해 상대방이 인간인지 기계인지를 판단한다. 만약 심사자가 사람과 컴퓨터를 구분할 수 없으면 컴퓨터는 튜링 테스트를 통과한 것이 된다. 그러나 많은 전문가들은 튜링 테스트가 속임수에 취약한 것으로 밝혀졌기 때문에 인간 수준의 기계 지능을 측정하는 효과적인 방법으로 인정하지 않는다. 예컨대 2014년 영국 레딩대학교에서 열린 한 대회에서 13세의 우크라이나 소년으로 설정한 챗봇이 심사 위원들을 속이고 알고리즘 최초로 튜링 테스트를 통과했다. 대화 시간은 겨우 5분이었고 인공지능 분야에서 이 결과를 진지하게 받아들이는 사람은 아무도 없었다.

그렇지만 커즈와일은 조건을 보완하면 이 테스트가 진정한 기계 지능의 지표가 될 것으로 믿는다. 2002년 그는 소프트웨어 기업가 미첼 카포르Mitchell Kapor와 2만 달러를 걸고 공식적으로 내기했다. 3명의 심사 위원과 4명의 참가자(즉, 3명의 인간과 인공지능 기반 챗봇)를 포함하는 복잡한 규칙도 정했다.[32] 2029년 말까지 인공지능이 인간 참가자와 두 시간 동안 일대일 대화를 나눈 뒤 심사 위원 다수가 인공지능 시스템이 인간이라고 판단하면 커즈와일이 내기에서 이긴다. 개인적으로 이런 테스트를 통과한다면 인간 수준의 인공지능이 도래했다는 강력한 지표가 될 것 같다.

커즈와일은 발명가로서 훌륭한 경력이 있지만, 지금은 주로 장기적인 기술 가속화에 대한 합리적이고 잘 정립된 이론을 가진 미래학자로 인식되는 경향이 있다. 이 모든 진보가 어디로 이어질 것인지에 대한 그의 견해는 좀 이상하기도 하고 엉뚱해 보이기도 한다. 일설에 따르면 커즈와일은 수명 연장을 위해 매일 100개 이상의 건강 보조제를 먹는다고 한다.[33] 실제로 그는 자신이 이미 '장수 탈출 속도longevity escape velocity'를 달성했다고 믿는다. 다시 말해 그는 다음에 나타날 생명 연장 의료 혁신의 혜택을 누릴 만큼 오래 살 것을 기대한다.[34] 이 과정을 무한히 반복하고 버스와 충돌하지 않으면, 영원히 죽지 않을 것이다. 커즈와일은 10년 안에 우리 모두 이런 계획에 접근할 수 있다고 말했다. 그는 진보한 인공지능을 고충실도 생화학 시뮬레이션에 적용하는 것이 이 발전의 핵심 동인이라고 생각한다. 그는 이렇게 말했다. "생물학을 시뮬레이션할 수 있다면 불가능한 일도 아닙니다. 우리는 몇 년이 아니라 몇 시간 만에 임상 시험을 할 수도 있습니다. 그리고 자율 주행차나 보드게임, 수학에서 하는 것처럼 우리 자신의 데이터를 생성할 수 있습니다." [35]

커즈와일은 이런 생각과 아마도 불멸의 가능성에 대한 진심 어린 믿음 때문에 비웃음을 많이 산다. 그리고 다른 많은 인공지능 연구자들은 일반 지능을 달성하기 위한 그의 계층적 체계를 무시하는 경향이 있다. 하지만 내가 커즈와일과 대화를 나누며 알게 된 점은 그가 구글에서 인공지능에 대해 하는 일에는 탄탄한 기반을 갖췄다는 것이다. 2012년 구글에 합류한 이후 그가 이끄는 팀은 고급 언어 기능을 갖춘 시스템을 만들기 위해 뇌에 대한 그의 계층 이론과 최신 딥러닝 연구를 융합하는 데 집중해왔다. 그의 노력이 거둔 초기 성과는 지메일Gmail에서 알맞은 메일 내용을 생성하는 '스마트 답장Smart Reply' 기능이다. 물론 인간 수준의 인공지능과 전혀 다른 것이긴 하지만 커즈와일은 여전히 그의 전략에 확신이 있다. 그는 "인간이 이 계층적 접근 방법을 사용"하면 결국 "일반 인공지능도 충분히 사용할 수 있을 것"이라고 말한다. [36]

한편, 일반 인공지능으로 가는 또 다른 길은 오픈AI에서 구축하고 있다. 샌프란시스코에 기반을 둔 이 연구 기관은 일론 머스크, 피터 틸, 링크드인의 공동 창업자 리드 호프먼의 재정 지원을 받아

2015년에 설립됐다. 오픈AI는 처음부터 일반 인공지능의 안전하고 윤리적인 탐구를 사명으로 하는 비영리단체로 시작했다. 초인간적 기계 지능이 언젠가 인류의 진정한 위협이 될 수 있다는 일론 머스크의 깊은 우려에 일부 대응하는 면도 있다. 시작부터 오픈AI는 이 분야의 최고 연구자들을 영입했다. 여기에는 2012년 이미지넷 대회에서 우승한 제프리 힌턴 교수 팀의 일원이었던 일리야 수츠케버도 포함됐다.

2019년, 실리콘밸리 최고 스타트업 인큐베이터 와이컴비네이터를 총괄하던 샘 올트먼Sam Altman이 오픈AI의 최고경영자를 맡으면서 이 조직은 복잡한 법률 작업을 거쳐 본래의 비영리단체에 연결된 영리회사가 됐다. 이는 컴퓨팅 리소스에 필요한 막대한 자금을 마련하고 점점 더 부족해지는 인공지능 분야의 인재를 데려오기 위해 민간 부문에서 충분한 투자를 유치하려는 목적으로 진행된 일이었다. 영리한 전략은 곧 결실을 보았다. 2019년 7월 마이크로소프트는 이 회사에 10억 달러를 투자할 것이라고 발표했다.

일반 인공지능 경쟁에서 오픈AI는 기존 기업과 비교하면 직원 수는 적을 수 있지만, 구글 딥마인드에는 자금력이 가장 좋은 경쟁자일 것이다. 딥마인드처럼 오픈AI도 강화 학습으로 훈련한 강력한 심층 신경망을 개발하고, 〈도타 2Dota2〉 같은 비디오게임에서 최고 인간 게이머를 이길 수 있는 시스템을 만들었다. 하지만 오픈AI는 오직 더 강력한 컴퓨팅 플랫폼에서 더 큰 심층 신경망을 구축하는 데 집중하는 전략으로 차별화하고 있다. 이 분야에서 확장성은 지속할 수 없는 전략이라는 경고의 소리가 높지만 오픈AI는 오히려 더 깊이 투자하고 있다. 사실 마이크로소프트의 10억 달러 투자는 대부분 클라우드 컴퓨팅 사업인 애저^{Azure}에서 제공하는 컴퓨팅 성능의 형태로 제공될 것이다.

오픈AI가 지향하는 "클수록 좋다"는 사고방식은 확실히 상당한 진보를 이뤘다. 가장 주목할 만하지만 논쟁의 여지도 많은 혁신은 2019년 2월 강력한 자연어 처리 시스템 GPT-2의 시연과 함께 등장했다. GPT-2는 인터넷에서 다운로드한 방대한 텍스트로 훈련한 '생성^{generative}' 신경망으로 구성된다. 생성 시스템에서 심층 신경망의 출력은 기본적으로 뒤집혀 있어서 데이터를 식별하고 분류하기보다 훈련 데이터와 대체로 비슷하지만 완전히 새로운 예제를 생성한다. 생성 딥러닝 시스템은 현실과 구분이 어렵거나 거의 불가능한 미디어 조작을 가리키는 이른바 딥페이크^{deepfake}의 바탕이 되는 기술이다. 딥페이크는 인공지능과 연관된 중요한 위험 요소로, 8장에서 그 의미를 논의한다.

GPT-2는 한두 문장의 텍스트가 입력되면 시스템이 완전한 이야기를 생성하도록 설계되었다. 실제로 입력이 중단된 부분을 찾아 이야기를 완성한다. GPT-2는 인공지능 연구자와 특히 미디어에 큰 파장을 일으켰다. 만들어진 이야기가 대부분 놀라울 정도로 일관성이 있었기 때문이다. 사실 너무 일관성이 있어서 오픈AI는 다른 인공지능 연구자들과 GPT-2 코드를 공유하기를 거부했다. 이전 프로젝트와 마찬가지로 시스템이 오용될 수 있다는 우려가 이유였다. 오픈AI 경영진은 GPT-2 시스템에서 생성된 텍스트가 인터넷을 가짜 뉴스로 채우고 전자 상거래 사이트를 조작된 제품 리뷰로 도배할 수 있다고 걱정했다. 이 결정은 공개적인 아이디어 교환을 중요하게 생각하는 인공지능 연구계의 비난을 불러일으켰다. 1년도 되지 않아 오픈AI는 결국 결정을 바꿔 GPT-2 코드를 공개했다. 큰 환영은 없었지만, 악의적으로 사용된 증거도 없었다. 오히려 회사가 의도적으로 연구를 과장하고 홍보를 노렸다는 비난으로 이어졌다.

GPT-2로 생성된 기사는 문법이나 구조 면에서는 대체로 만족할 만하지만 집중하지 않고 읽어도 이야기 전개에 몇 가지 문제가 있다는 것을 분명히 알 수 있다. 오픈AI 웹 사이트에 공개된 GTP-2로 작성된 예시를 일부 가져왔다.

사람이 작성해 입력한 문장:

충격적인 발견이다. 한 과학자가 이전에 탐험되지 않은 안데스산맥 계곡 외딴곳에 사는 유니콘 무리를 발견했다. 연구자들을 더욱 놀라게 한 것은 유니콘이 완벽한 영어를 구사한다는 사실이다.

GPT-2가 생성한 문장:

그 과학자는 독특한 뿔을 보고 이 무리에게 오비디우스의 유니콘이라는 이름을 붙였다. 뿔이 네 개 달린 은백색의 유니콘은 지금까지 과학계에 알려지지 않았다.

거의 두 세기가 지난 지금, 이 기이한 현상을 일으킨 신비가 마침내 풀린다.

라파스대학교의 진화생물학자인 호르헤 페레스 박사와 동료들은 안데스산맥을 탐험하다가 다른 동물이나 사람이 없는 작은 계곡을 발견했다. 페레스는 계곡에 자연 분수처럼 보이는 것이 있다는 걸 알아챘다. 두 개의 바위 봉우리와 하얀 눈으로 둘러싸여 있었다.

페레스와 다른 사람들은 계곡으로 더 들어갔다. "한 봉우리 정상에 도달했을 때 크리스털을 뿌려놓은 것처럼 물이 파랗게 보였습니다"라고 페레스가 말했다.

페레스와 친구들은 유니콘 무리를 보고 놀랐다. 이 생명체는 공중에서 볼 수 있었다. 너무 많이 움직이지 않고도 뿔을 만질 수 있을 정도로 가까이 있었다.

이 낯선 생명체를 조사하는 동안 과학자들은 이들이 꽤 규칙적인 영어를 구사하는 걸 발견했다. 페레스는 이렇게 말했다. "예를 들어 우리는 이들이 방언이나 변증법처럼 공통 '언어'를 가지고 있다는 걸 알 수 있었습니다." [37]

이야기는 몇 단락 더 계속된다. 처음에 우리는 "뿔이 네 개 달린" 새로운 유니콘 종이 발견됐다는 것을 알게 되고, 나중에는 유니콘이 "규칙적인 영어"를 구사한다는 이야기를 듣는다. 유니콘이 "공통 '언어'를 가지고 있고" 이 언어는 "방언이나 변증법"과 비슷하다. 그리고 이 문장은 정확히 무엇을 의미하는지 궁금증이 남는다. "이 생명체는 공중에서 볼 수 있었다. 너무 많이 움직이지 않고도 뿔을 만질 수 있을 정도로 가까이 있었다."

이 모든 것을 종합하면 분명해진다. 오픈AI가 개발한 거대한 시스템을 구성하는 수백만 개의 인공 뉴런 안에서 실제로 무엇인가가 합쳐졌지만 진정한 이해는 존재하지 않는다. 시스템은 유니콘이 무엇인지, "뿔이 네 개 달린" 변종이 유니콘의 정의와 모순되는지 알지 못한다. GPT-2는 엘리멘털 코그니션의 데이비드 페루치 팀과 구글의 레이 커즈와일이 해결하려고 노력하는, 같은 근본적인 한계를 겪고 있다.

2020년 5월 오픈AI는 훨씬 더 강력한 시스템인 GPT-3를 공개했다. GPT-2의 신경망이 네트워크 훈련에 최적화된 15억 개의 가중치를 포함했다면, GPT-3는 그 수를 1,750억 개로 100배 이상 늘렸다. GPT-3의 신경망은 약 0.5테라바이트 텍스트로 훈련했다. 약 600만 개의 문서로 구성된 영어 위키백과가 고작 0.6퍼센트를 차지하는 엄청난 양이다. 오픈AI는 먼저 선별된 인공지능 연구자와 기자로 구성된 그룹에 접근 권한을 주고 나중에 이 시스템을 첫 번째 상용 제품으로 전환할 계획을 발표했다.

그 뒤 몇 주 동안 사람들이 GPT-3를 테스트하면서 소셜 미디어는 새로운 시스템에 대한 감탄으로 가득했다. 적절한 프롬프트가 주어지면 GPT-3는 설득력 있는 기사를 작성하거나 오래전에 죽은 작가의 스타일로 시를 쓰거나, 역사적 인물이나 허구적 인물 사이에 가짜 대화를 생성할 수도 있었다. 한 대학생이 이 시스템을 이용해 모든 게시물을 작성하고 자기 계발 블로그에 올려 높은 순위를 차지했다.[38] 이 모든 것은 이 시스템이 인간 수준의 기계 지능으로 가는 중요한 돌파구를 제시했다는 추측으로 빠르게 이어졌다.

하지만 눈길을 끄는 사례는 여러 차례 시도한 끝에 선별된 것이었고, GPT-3는 이전 버전과 마찬가지로 일관성이 부족한 글을 자주 생성한다는 것이 드러났다. 오픈AI의 GPT 시스템은 모두 강력한 예측 엔진이 핵심이다. 일련의 단어가 주어지면 다음에 올 단어가 무엇인지 예측하는 데 탁월하다. GPT-3는 이 기능을 비교 대상이 없는 수준으로 끌어올렸다. 시스템이 훈련한 많은 양의 텍스트가 실제 지식을 압축하고 있었기 때문에 시스템은 종종 아주 유용한 출력을 생성했다. 그러나 일관성이 없었다. GPT-3는 쓸모없는 결과물을 자주 생성하고, 인간이라면 간단히 할 수 있는 작업과 씨름했다.[39] 이전 버전과 비교하면 GPT-3는 확실히 유니콘 이야기를 더 흥미진진하게 작성할 수 있다. 하지만 여전히 유니콘이 무엇인지는 이해하지 못한다.

오픈AI가 문제를 향해 그저 컴퓨팅 자원을 계속 던지기만 하면, 단지 거대한 신경망을 구축하기만 하면 진정한 이해가 나타날 가능성이 있을까? 내 생각에는 그럴 가능성은 매우 낮고 많은 인공지능 전문가들도 확장성에 대한 오픈AI의 믿음에 매우 비판적이다. 캘리포니아대학교 버클리캠퍼스의 컴퓨터과학 교수이자 가장 인정받는 인공지능 대학 교재의 공동 저자인 스튜어트 러셀Stuart Russell은 일반 인공지능을 달성하려면 "더 큰 데이터 세트나 더 빠른 기계와는 전혀 상관이 없는" 획기적인 혁신이 필요하다고 말한다.[40]

오픈AI 팀은 여전히 자신감이 넘친다. 2018년 기술 콘퍼런스 연설에서 이 회사의 최고 과학자 일리야 수츠케버는 "우리는 지난 6년 동안 이 분야의 진행 상황을 검토했습니다. 우리가 내린 결론은 이제 일반 인공지능을 진지한 가능성으로 받아들여야 한다는 것입니다"라고 말했다.[41] 몇 달 뒤 다른 콘퍼런스에서 오픈AI의 CEO 샘 올트먼은 이렇게 언급했다. "나는 일반 인공지능을 구축하는 비결 중 많은 부분이 단지 시스템을 크게, 크게, 더 크게 확장하는 것이라고 생각합니다."[42] 이 접근법에 관한 판단은 아직 내려지지 않았지만 오픈AI가 성공하려면 신경망의 크기가 아니라 진정한 혁신을 위한 노력을 확장해야 한다고 생각한다.

상징적 AI의 부활과 내재 구조의 중요성

연구자들이 앞으로의 도전 과제와 씨름하는 동안 상징적 AI 진영이 지지하는 철학이 되살아나고 있다. 인공지능이 앞으로 나아가려면 상징주의자들이 시도했지만 대부분 실패한 문제를 해결해야 한다고 많은 사람이 인정한다. 오픈AI와 관련이 있어 보이는 비교적적은 수의 딥러닝 순수주의자를 제외하고, 더 빠른 하드웨어와 더 많은 데이터를 활용해 기존 신경 알고리즘을 확장하면 일반 지능에 필수인 논리적 추론과 상식적 이해를 생성할 수 있다는 확신이 일반 연구자들 사이에는 거의 존재하지 않는다.

좋은 소식은 이번에는 상징주의와 연결주의 철학 사이의 사상 경쟁 대신 화해와 통합된 노력을 볼 수 있다는 것이다. 새로운 연구 분야는 '뉴로−심볼릭 AI neuro-symbolic AI'라고 불리고 있으며, 인공지능의 미래를 위해 가장 중요한 이니셔티브 중 하나가 될 수 있다. 수십 년 동안 치열했던 경쟁은 역사 속으로 사라지고 새로운 세대의 인공지능 연구자들은 두 가지 접근법의 차이를 연결하려고 노력하는 것 같다. 매사추세츠주 케임브리지에 있는 MIT−IBM 왓슨 AI 연구소 소장 데이비드 콕스David Cox는 젊은 연구자들에게는 "그런 역사가 전혀 없고 두 접근법이 교차하는 곳을 즐겁게 탐구하고 인공지능으로 멋진 일을 하고 싶을 뿐"이라고 말한다. [43]

통합 방법에 대해서는 두 가지 관점이 있다. 먼저, 가장 간단한 방법은 신경망과 기존 프로그래밍 기법으로 구축한 소프트웨어 모듈을 결합하는 하이브리드 시스템을 구축하는 것이다. 논리적이고 상징적인 추론을 처리할 수 있는 알고리즘은 학습에 중점을 둔 심층 신경망에 어떻게든 연결될 것이다. 이는 엘리멘털 코그니션의 데이비드 페루치가 추구하는 전략이다. 두 번째 접근 방법은 상징적 AI를 신경망 아키텍처에 직접 구현하는 방법을 찾는 것이다. 이것은 필요한 구조를 심층 신경망에 만들거나, 개인적인 추측에 가깝지만, 딥러닝 시스템과 학습 방법을 효율적으로 설계해 필요한 구조가 어떻게든 유기적으로 통합되는 방식으로 달성될 것 같다. 젊은 연구자들은 모든 가능성을 기꺼이 고려하겠지만, 경력이 많은 연구자 사이에서는 최선의 방법을 놓고 계속 첨예한 논쟁이 벌어지고 있다.

하이브리드 접근 방식을 드러내놓고 지지하는 사람 가운데는 최근까지 뉴욕대학교에서 심리학과와 신경과학과 교수였던 게리 마커스Gary Marcus가 있다. 마커스는 딥러닝을 지나치게 강조한다고 느껴 혹독하게 비평해왔다. 심층 신경망은 피상적이고 불안정할 수밖에 없고, 상징적 AI에서 얻은 아이디어를 하이브리드 시스템에 직접 주입하지 않는 한 일반 지능이 나타날 가능성은 매우 낮다고 주장하는 글을 쓰고 논쟁에 참여해왔다. 마커스는 경력 대부분을 아이가 어떻게 언어를 배우고 습득하는지를 연구하는 데 보냈고, 순수한 딥러닝 접근법이 인간 어린이의 놀라운 능력에 근접할 가능성은 거의 없다고 판단했다. 그의 비판이 딥러닝 커뮤니티에서 항상 잘 받아들여진 것은 아니다. 그는 2015년에 우버에 합병된 머신러닝 스타트업을 공동 창업했지만, 사람들은 그를 아웃사이더이자 이 분야에 크게 기여하지 않은 사람으로 생각했다.

일반적으로 딥러닝에 경험이 많은 연구자들은 하이브리드 접근법을 무시하는 경향이 있다. 요슈아 벤지오는 이 목표가 "기존 인공지능이 풀리던 문제 가운데 일부를 딥러닝에서 나온 블록으로 해결하려는 것"이라고 말했다.[44] 제프리 힌턴은 "하이브리드는 답이 아니라고 믿는다"라고 말하며 이 시스템을 전기모터를 사용해서 내연기관에 기름을 넣으려는 격이라고 깎아내렸다.[45] 문제는 아직 상징적 AI의 기능을 온전히 신경망으로 구축된 시스템에 통합할 명확한 전략이 없다는 것이다. 마커스가 지적했듯이 딥러닝의 가장 두드러진 성과는, 딥마인드의 알파고 시스템을 포함해, 사실 하이브리드 시스템에서 나왔다. 심층 신경망과 함께 기존 검색 알고리즘에 의존했기에 성공할 수 있었다.

연구자들이 하이브리드 모델의 효능을 두고 논쟁을 벌이는 동안 머신러닝 시스템에 구축된 내재 구조의 중요성에 초점을 맞춘 논쟁이 같이 진행됐다. 심층 신경망이 사전 설계된 구조를 어느 정도 통합하는 경우가 종종 있었지만(이미지 인식에 사용되는 합성곱 아키텍처가 한 예다) 강경한 딥러닝 지지자들은 이런 부분은 최소화해야 하고 백지에 가까운 상태에서 기술이 발전할 수 있다고 믿는다. 예컨대 얀 르쿤은 "장기적으로 정확한 특정 구조는 필요하지 않을 것"이라고 말했고 "시각 피질이든 전두엽 피질이든 피질의 미세구조는 전체적으로 같다"라며 인간의 뇌에 그런 신경 구조가 있다는 증거는 없다고 지적했다.[46] 이 진영의 연구자들은 혁신은 상대적으로 일반 신경망의 능력을 개선하는 향상된 훈련 기법을 개발하는 데 초점을 맞춰야 한다고 주장한다.

아동 인지 발달 연구에 배경이 있는 마커스 같은 연구자들은 '백지상태' 철학에 적극적으로 반발한다. 어린아이의 뇌에는 추가 학습을 시작하도록 돕는 내재 기능이 있는 것이 분명해 보이기 때문이다. 아기들은 태어난 지 며칠 만에 사람의 얼굴을 인식할 수 있다. 동물의 세계는 학습에 의존하지 않고 바로 사용할 수 있는 지능의 존재를 훨씬 분명하게 보여준다. 콜드스프링하버연구소Cold Spring Harbor Laboratory의 신경과학자 앤서니 자도르Anthony Zador는 "다람쥐는 태어난 지 몇 달이 지나면 나무에서 나무로 뛰어 건너고 망아지는 불과 몇 시간이면 걸어 다닌다. 거미는 태어나면서부터 사냥할 준비가 돼 있다"라고 확인한다.[47] 게리 마커스는 가파르고 위험한 지형에서 서식하는 야생 염소 아이벡스Alpine ibex를 자주 언급한다. 갓 태어난 아이벡스는 몇 시간 만에 일어서 비탈을 돌아다닐 수 있다. 이런 환경에서 시행착오를 통한 학습은 죽음을 의미한다. 마치 플러그를 꽂으면 바로 쓸 수 있는 기술과 같다. 상자에서 꺼내기만 하면

된다. 이쪽 진영의 연구자들은 더 일반적이고 유연한 인공지능에도 신경망 구조에 직접 주입하거나 하이브리드 접근법을 통해 통합할 내장된 인지 기계가 필요하다고 믿는다.

딥러닝 지지자들은 궁극적으로 내재 구조가 중요하겠지만, 때로는 이 구조가 지속적인 학습 과정의 일부로 유기적으로 발생할 수 있다고 제안한다. 그러나 생물학적 뇌를 살펴보면 뇌의 어떤 구조도 장기 학습의 결과로 생길 수는 없을 것 같다. 우리는 동물의 일생에 걸친 학습이 어느 정도 뇌를 재구성한다고 알고 있다. 흔히 "함께 활성화하는 신경세포들은 함께 연결된다"라고 하는 것처럼 말이다. 문제는 개별 유기체가 평생 학습해 개발된 신경 구조를 자손에게 전달할 방법이 없다는 것이다. 어떤 것을 학습한 다음 학습과 관련된 뇌 구조를 설명하는 정보를 동물의 난자 또는 정자 세포속 유전암호로 보낼 능력도 없다. 개별 생명체 안에서 뇌 구조가 어떻게 발달하든지 그 유기체와 함께 죽는다. 그러므로 뇌의 모든 구조는 정상적인 진화 과정에서 비롯한 결과라는 것이 분명해 보인다. 다시 말해 드물게 발생하는 돌연변이는 유기체가 처한 환경에서 더 잘 번성하게 하고 따라서 자손에게 전달될 가능성이 크다. 한 가지 방법은 진화나 유전 알고리즘을 사용해 이 과정을 직접 복제하는 것이다. 필요한 구조를 그대로 만드는 편이 진보를 이루는 훨씬 빠른 방법일 수 있다.

하이브리드 접근법과 순수 신경 접근법 사이의 논쟁에서 딥러닝 지지자들이 반박할 수 있다고 말할지 모른다. 인간의 뇌에는 신경망이 처리할 수 없는 작업을 수행하는 특수 알고리즘을 실행할 별도의 컴퓨터가 없다. 단지 신경세포가 있을 뿐이다. 나는 하이브리드 접근법이 더 짧은 기간에 실용적인 결과를 보여줄 것 같다. 순수한 신경 구현은 생물학적 진화로 형성된 길이 분명하지만, 다른 기법을 이용해 더 빨리 진행할 가능성을 외면해서는 안 된다. 실행 가능한 접근법이 단지 세련되지 못하다는 이유로 무시해서도 안 된다. 우리가 달에 착륙했을 때 SF영화에 나오는 우주선처럼 매끄럽게 하강해서 착륙한 다음 다시 이륙한 것이 아니다. 오히려 우리에게 있었던 것은 달 착륙선과 달까지 가는 동안 버려야 했던 많은 부품을 포함한 무척 복잡하고 투박한 기계장치였다. 언젠가 우리도 SF영화에 나오는 우주선을 갖게 되겠지만 그러는 동안 우리는 이미 달에 착륙했다.

일반 기계 지능을 위한 혁신 과제

인공지능 연구자 대부분이 인간 수준의 인공지능에 가까이 가려면 중요한 혁신이 필요하다고 인식하지만, 어떤 도전 과제가 가장 중요하고 어떤 문제를 가장 먼저 해결해야 하는지 광범위한 합의를 이루지는 못했다. 얀 르쿤은 종종 산맥을 탐색하는 비유를 사용한다. 가장 높은 봉우리에 오른 다음에야 그 뒤에 있는 장애물을 볼 수 있다. 극복해야 할 장애물은 중첩돼 있고 예외 없이 자연어를 제대로 이해하고 의미 있는 대화에 제약 없이 참여할 수 있는 능력을 갖춘 기계를 만드는 목표와 만난다. 이제 인공지능이 해결해야 하는 몇 가지 핵심 과제를 좀 더 자세히 살펴보려 한다. 누락 없이 완벽한 목록은 아니지만, 기계 기능이 이 걸림돌을 제거하면 지금 존재하는 어떤 것보다 일반 인공지능에 비약적으로 가까이 접근할 수 있을 것이다. 마찬가지로 이 도전 과제 중 하나라도 해결하는 데 뛰어난 능력을 발휘하는 시스템은 막대한 상업적·과학적 가치를 지닌 실용적인 응용프로그램을 낳을 수 있을 것이다.

상식적인 추론

우리가 상식이라고 부르는 것은 기본적으로 세계와 세계가 작동하는 방식을 공유하는 지식을 지칭한다. 우리는 생활의 거의 모든 면을 상식에 의지하지만, 특히 상식은 의사소통하는 방식에 중요한 역할을 한다. 상식은 무언의 공백을 채우고 엄청난 양의 추가 정보를 생략해 언어를 극적으로 압축한다. 성인이라면 내재한 지식 체계를 어렵지 않게 사용할 수 있지만, 기계가 하기에는 엄청나게 힘든 도전이라는 것이 밝혀졌다. 인공지능에 상식을 불어넣는 일은 구조와 지식을 인공지능 시스템에 구축해야 하는 만큼 상징적 AI와 순수 신경망 접근법이 대립해온 논쟁에 깊이 연관된 주제다.

최근 몇 년 동안 텍스트를 분석한 다음 그 내용에 대한 질문에 올바르게 대답할 수 있는 인공지능 시스템에 중요한 진전이 있었다. 예컨대 2018년 1월 마이크로소프트와 중국 테크 기업 알리바바가 공동으로 제작한 소프트웨어는 스탠퍼드대학교의 연구자들이 만든 독해 시험에서 인간의 평균 점수를 약간 상회했다.[48] 스탠퍼드 테스트는 위키피디아 문서를 바탕으로 질문을 제시하고 정답은 인공지능 시스템이 '읽은' 문서에서 그대로 가져온 텍스트 범위 안에서 구성됐다. 다시 말해 이 시험은 제대로 이해했는지가 아니라 정보 추출과 패턴 인식의 결과를 본 것이다. 앞에서 살펴본 것처럼 이것은 딥러닝 시스템이 뛰어나게 잘하는 일이다. 하지만 질문이 어느 정도 수준의 추론이나 세상에 대한 암묵적 지식에 의존해야 하는 상식을 요구하면 이 테스트에서 성과가 심각하게 떨어진다.

인공지능 시스템이 상식 때문에 겪는 어려움을 이해하는 가장 좋은 방법은 위노그래드 스키마Winograd schema라고 알려진 특별히 구성된 문장을 살펴보는 것이다. 스탠퍼드대학교 컴퓨터과학 교수인 테리 위노그래드Terry Winograd가 개발한 이 문장들은 모호한 대명사를 활용해서 기계 지능의 상식적인 추론 능력을 테스트한다. 다음 예를 보자.[49]

시의회가 시위대에 허가를 거부했다. 그들은 폭력을 두려워했기 때문이다.

누가 폭력을 두려워했을까?

정답은 쉽다. 시의회다. 하지만 이 문장에서 단어 하나를 바꿔보자.

시의회는 시위대에 허가를 거부했다. 그들은 폭력을 옹호했기 때문이다.

누가 폭력을 옹호했을까?

'두려워하다'를 '옹호하다'로 바꾸자 대명사 '그들은'의 의미가 완전히 달라졌다. 문장에서 정보만 추출해서는 이 질문에 올바르게 대답할 수 없다. 세상에 대해 이해해야 한다. 특히 시의회는 평화로운 거리를 선호하지만 성난 시위대는 폭력을 쓸 수 있다.

괄호 안에 있는 단어에 따라 문장의 의미가 달라지는 몇 가지 다른 예다.

그 트로피는 갈색 여행 가방에 맞지 않는다. 그것이 너무 [작기/크기] 때문이다.

무엇이 너무 [작은가/큰가]?

배송 트럭이 스쿨버스 옆을 쌩하고 지나갔다. 그것이 너무 [빨랐기/느렸기] 때문이다.

무엇이 그렇게 [빨리/느리게] 갔는가?

계단 [위/아래]에 도착한 다음 톰은 로이에게 책가방을 내던졌다.

누가 계단 [위/아래]에 도착했는가?

이와 같은 질문들은 글을 읽을 수 있는 정상적인 성인이라면 누구나 거의 만점에 가까운 점수를 얻을 수 있다. 그러므로 합격점을 매우 높게 설정해야 한다. 하지만 최고 수준의 컴퓨터 알고리즘이 위노그래드 스키마 목록을 접하면 아무렇게나 찍은 것보다 약간 더 나은 점수를 얻는다.

기계 지능에 상식을 구축하기 위한 가장 중요한 이니셔티브 중 하나가 워싱턴주 시애틀에 있는 앨런인공지능연구소에서 진행되고 있다. 앨런연구소의 CEO 오렌 에치오니Oren Etzioni는 마이크로소프트의 공동 창업자 폴 앨런Paul Allen이 인공지능 시스템에 갖는 비전을 달성하려는 노력으로 모자이크 프로젝트Project Mosaic가 성장했다고 말했다. 그 비전이란 과학 교과서 한 장 전체를 읽고 그 장 마지막에 있는 질문에 답할 수 있는 시스템을 구축하는 것이다. 에치오니는 이 과제를 달성하려는 팀의 시도는 '최첨단' 수준이었지만 그 결과는 그 뛰어난 수준에 훨씬 못 미치는 D 정도의 성적을 받았다고 했다. 가장 큰 걸림돌 중 하나는 질문에 대답하는 동안 상식과 논리적 추론을 처리하는 능력이었다. 예컨대 생물학 교과서에서 광합성에 대한 사실적 자료를 학습하는 것은 인공지능 시스템에 무척 쉬운 일이다. 하지만 에치오니의 말에 따르면 정말 어려운 일은 이런 질문을 받을 때라고 한다. "어두운 방에 식물이 있고 창문 가까이 옮기면 이 식물의 잎은 더 빨리, 더 느리게, 같은 속도로, 이 세 가지 중 어떻게 자랄까?"[50] 이 질문에 답하려면 창문 가까이에 빛이 더 잘 든다는 것을 이해하고 그렇기 때문에 식물이 더 빨리 자랄 것이라고 추론할 수 있어야 한다.

모자이크 프로젝트의 첫 번째 목표는 기계의 상식 능력을 측정하는 표준을 마련하는 것이다. 이 작업이 완료되면 연구소는 인공지능 시스템에 상식을 불어넣을 때 필요한 세상에 대한 기본 지식을 생성하기 위해 '크라우드소싱, 자연어 처리, 머신러닝, 머신 비전'[51]을 포함한 다양한 기법을 사용할 계획이다.

에치오니와 그의 팀은 다양한 기법을 조합하는 하이브리드 접근법을 강하게 신뢰하지만 이런 아이디어는 확고한 딥러닝 지지자들 사이에는 별다른 감흥을 일으키지 못한다. 내가 요슈아 벤지오에게 모자이크 프로젝트 같은 노력이 중요하다고 생각하는지, 그리고 학습 과정에서 상식적인 추론이 어떤 형태로든 유기적으로 나타날 것 같은지 물었을 때 그는 딥러닝 접근법에 대한 믿음을 조금도 의심하지 않았다. "물론 학습 과정의 한 부분으로 상식이 나타날 겁니다. 하지만 누군가의 머릿속에 약간의 지식을 집어넣어준다고 상식이 나타나는 것은 아닙니다. 그것은 인간에게 작동하는 방식이 아니죠."[52] 얀 르쿤도 마찬가지로 상식에 도달하는 길은 학습이라고 믿는다. 그는 페이스북의 인공지능 연구팀이 하고 있는 일을 말해주었다. "기계가 다양한 데이터를 관찰해 학습하도록 하고 있습니다. 세상이 어떻게 돌아가는지를 배우는 거죠. 우리는 세상의 모델을 구축하고 있습니다. 어떤 형태로든 상식이 생기면 이 모델은 기계가 사람의 행동 양식을 학습하는 일종의 예측 모델로 사용할 수 있을 겁니다."[53]

좋은 소식은 두 가지 접근법 모두 세계에서 가장 뛰어난 인공지능 연구자들에 의해 적극적으로 추진되고 있다는 것이다. 인간에게는 당연한 상식적인 추론을 안정적으로 사용할 수 있는 인공지능 시스템을 만드는 획기적인 혁신은, 그것이 유기적인 발생에서 기인하든지, 좀 더 공학적인 접근의 결과인지에 상관없이 보기 드문 놀라운 발전이 될 것이다.

비지도 학습

앞에서 살펴봤듯이 딥러닝 시스템 훈련에 사용되는 두 가지 주요 기법은 레이블링된 엄청난 양의 데이터가 필요한 지도 학습과 알고리즘이 한 가지 작업에 성공하려면 수많은 시행착오를 반복해야 하는 강화 학습이다. 인간도 이런 기법을 사용하지만, 어린아이에게 일어나는 학습에는 아주 작은 부분을 차지할 뿐이다. 어린아이는 부모의 목소리에 귀를 기울이거나 주변 환경에 참여하고 직접 실험해보는 단순한 관찰을 통해 배운다.

갓 태어난 아기는 거의 즉시 주변 환경에서 직접 학습하는 과정을 시작한다. 이 일은 의도적으로 주변 환경과 상호작용할 수 있는 신체 능력을 갖추기 훨씬 전에 일어난다. 아기는 세계에 대한 물리적 모델을 형성하고 상식의 기초가 되는 지식 기반을 구축하기 시작한다. 구조화되고 레이블링된 데이터의 도움 없이 직접 학습하는 능력을 '비지도 학습unsupervised learning'이라고 한다. 이 놀라운 능력은 어린아이의 뇌에 내재한 인지 구조에 의해 활성화될 수 있다. 하지만 의심의 여지 없이, 인간 아이가 독립적으로 학습하고 특히 언어를 습득하는 능력은 가장 강력한 딥러닝 시스템으로 달성할 수 있는 그 무엇보다 훨씬 뛰어나다.

초기의 비지도 학습은 나중에 고급 지식 습득을 지원한다. 아이가 좀 더 자라면 어느 정도는 지도 학습으로 바뀌지만, 이때 필요한 훈련 데이터는 가장 발전한 알고리즘에 필요한 데이터에 비하면 아주 미미하다. 심층 신경망이 이미지로 나타나는 동물에 안정적으로 이름을 붙이려면 레이블링된 학습용 사진이 수천 장은 필요하다. 반면에 아이는 부모가 동물을 가리키며 "이건 개야"라고 말하는 단한 번으로 충분하다. 그리고 일단 개를 구분하면 다른 상황에서도 쉽게 개를 구분할 수 있다. 개가 앉아 있든지 서 있든지 길을 가로질러 뛰어오든지 아이는 일관되게 그 동물에 이름을 붙일 수 있다.

비지도 학습은 현재 인공지능 분야에서 가장 뜨거운 연구 주제 중 하나다. 구글, 페이스북, 딥마인드에는 이 주제에 집중하는 팀이 있다. 그러나 진척은 더디고 실용적인 응용프로그램은 지금까지 거의 등장하지 않았다. 사실 인간의 뇌가 비정형 데이터로 자율적으로 학습하는 뛰어난 능력을 달성하는 방법을 정확히 아는 사람은 아무도 없다. 현재 대부분의 연구는 예측 학습predictive learning이나 자기 지도 학습self-supervised learning처럼 덜 야심 찬 다른 비지도 학습에 초점을 맞추고 있다. 이를테면 문장에서 다음에 올 단어나 영상에서 다음 장면에 나타날 이미지를 예측하는 프로젝트들이다. 이런 작업은 인간이 하는 일과 거리가 멀어 보이지만 많은 연구자들은 예측 능력이야말로 지능의 절대 핵심이며, 이런 실험이 상황을 올바른 방향으로 이끈다고 믿는다. 비지도 머신러닝에서 진정한 혁신의 규모는 과장하기 어렵다. 얀 르쿤은 일반 지능의 거의 모든 측면을 진보로 이끄는 관문이 될 수 있다고 믿는다. 그는 비지도 학습에 대해 이렇게 말했다. "이 작업을 할 방법을 알아낼 때까지 의미 있는 진전은 없을 겁니다. 나는 비지도 학습이 상식이 통하도록 세상에 대한 충분한 배경지식을 학습하는 열쇠라고 생각하기 때문입니다. 어쩌면 가장 큰 장애물인 셈이죠."[54]

인과관계 이해

　통계학을 공부하는 학생들은 종종 "상관관계는 인과관계와 같지 않다"라는 말을 듣는다. 인공지능, 특히 딥러닝 시스템의 경우, 이해는 상관관계에서 끝난다. UCLA의 저명한 컴퓨터과학자인 주데아 펄Judea Pearl은 지난 30년 동안 인과관계 연구에 혁명을 일으켰고 인과관계를 표현하기 위해 공식적인 과학 언어를 구축해왔다. 2011년 튜링상을 받은 펄은, 인간은 해가 뜨면 수탉이 울고 반대로 수탉이 울면 해가 뜰 때라는 사실을 직관적으로 인식하지만 가장 강력한 심층 신경망은 비슷한 인식을 하지 못할 가능성이 크다고 즐겨 언급한다. 인과관계는 단순히 데이터를 분석한다고 얻어지는 것이 아니다.[55]

　인간은 놀랍도록 적은 사례를 바탕으로 상관관계를 발견하고 인과관계를 이해하는 고유한 능력이 있다. 더 똑똑한 인공지능 시스템을 구축하는 데 유용한 통찰력을 얻길 바라며 '인간의 마음을 역공학'하는 것이 자신의 연구 초점이라고 말하는 MIT의 컴퓨터 인지과학 교수 조슈아 테넨바움Joshua Tenenbaum은 이렇게 말한다.

　어린아이도 한두 가지 사례에서 새로운 인과관계를 추론할 수 있습니다. 통계적으로 유의미한 인과관계를 발견하기에 충분한 데이터는 살펴볼 필요가 없습니다. 스마트폰을 처음 봤을 때를 떠올려보세요. 아이폰일 수도 있고 터치스크린이 있는 다른 기기일 수도 있지만 누군가가 작은 유리판 위를 손가락으로 슬쩍 가로지르며 긋자 갑자기 무언가가 켜지거나 움직였을 겁니다. 당신은 이전에 비슷한 것을 본 적이 없지만 한두 번만 보면 새로운 인과관계를 충분히 이해할 수 있습니다. 이것은 스마트폰 작동법을 배우고 그 안에 있는 온갖 유용한 기능을 사용하는 첫 번째 단계일 뿐입니다.[56]

인과관계를 이해하는 것은 우리가 문제를 해결할 수 있는 상상력과 사후 가정mental counterfactual 시나리오 생성에 중요하다. 성공 방법을 알아내기까지 수천 번의 실패를 거듭해야 하는 강화 학습 알고리즘과 달리 우리는 머릿속으로 일종의 시뮬레이션을 하고 다른 행동을 했을 때의 결과를 분석할 수 있다. 인과관계를 직관적으로 이해하지 않고서는 불가능한 일이다.

펄이나 테넨바움 같은 연구자들은 기본적으로 "왜?"라고 질문하고 그 질문에 대답하는 능력인 인과관계를 이해하는 능력이 일반 기계 지능을 구축하는 필수 요소가 될 것으로 믿는다. 인과관계에 관한 펄의 연구는 자연과학과 사회과학에 지대한 영향을 끼쳤지만, 인공지능 연구자들은 그 내용을 제대로 이해하지 못한 채 머신러닝 시스템이 효율적으로 파악하는 상관관계에 지나치게 집중하고 있다.[57] 하지만 상황은 변하고 있다. 예를 들어 몬트리올대학교의 요슈아 벤지오와 그의 팀은 최근 인과관계에 대한 이해를 딥러닝 시

스템에 구축하는 혁신적인 방법에 관한 중요한 연구를 발표했다.[58]

전이 학습

정치학자이자 하버드대학교 교수인 그레이엄 앨리슨_{Graham Allison}은 "투키디데스의 함정_{Thucydides's Trap}"이라는 표현을 만든 것으로 유명하다. 이 용어는 그리스 역사가 투키디데스가 기원전 5세기 스파르타와 새롭게 부상한 아테네의 갈등을 연대기적으로 기록한《펠로폰네소스 전쟁사》에서 참고했다. 그레이엄은 스파르타와 아테네의 갈등이 오늘날에도 적용할 수 있는 일종의 역사적 원칙을 나타낸다고 생각한다. 2017년에 출판된《예정된 전쟁》에서 그는 미국과 중국은 현대판 투키디데스의 함정에 걸려들었고 중국이 힘과 영향력을 계속 키울수록 갈등은 불가피하다고 주장한다.[59]

인공지능 시스템이《펠로폰네소스 전쟁사》같은 역사적 문헌을 읽을 수 있으면 여기서 배운 교훈을 현대의 지정학적 상황에 적용할 수 있을까? 그럴 수 있다면 일반 인공지능으로 가는 길에서 가장 중요한 이정표 중 하나인 전이 학습_{transfer learning}에 도달하는 것이다. 한 영역에서 정보를 학습한 다음 다른 영역에 이 정보를 성공적으로 활용하는 능력은 인간 지능의 특징 가운데 하나이고 창의성과 혁신에 필수다. 일반 기계 지능이 정말 유용하려면 단순히 교과서 연습 문제에 대답하는 이상을 해야 한다. 학습한 내용과 발전시킨 통찰력을 완전히 새로운 과제에 적용할 수 있어야 한다. 인공지능 시스템이 이 일을 해내려면 현재 심층 신경망의 피상적인 수준의 이해를 뛰어넘어 진정한 이해에 도달해야 한다. 사실 지식을 다양한 영역과 새로운 상황에 적용하는 능력은 기계 지능의 진정한 이해 능력을 테스트하는 단 하나의 최고의 방법이 될 것이다.

인간보다 뛰어난 인공지능에 도달할 수 있는가

내가 대화를 나눈 거의 모든 인공지능 연구자들은 인간 수준의 인공지능에 도달할 수 있고 언젠가는 불가피한 일이 될 것으로 생각한다. 나도 그런 생각이 일리가 있어 보인다. 그렇게 보면 인간의 뇌도 근본적으로 생물학적 기계다. 생물학적 지능에 신비한 마법이 깃들어 있다거나 이와 여러모로 비교할 만한 것이 완전히 다른 방법으로 실현될 수 없다고 믿을 이유는 없다.

사실 실리콘 기질은 인간의 생물학적 두뇌보다 유리한 점이 많아 보인다. 전자신호는 뇌보다 컴퓨터 칩에서 훨씬 빠른 속도로 전파된다. 언젠가 우리가 추론하고 의사소통하는 것과 같은 능력을 갖게 될 기계는 현재 컴퓨터가 인간에게 가지는 모든 이점을 계속 누릴 것이다. 기계 지능은 오래전에 일어난 사건도 완벽하게 기억하고, 놀라운 속도로 엄청난 양의 데이터를 계산하고 선별하고 검색하게 될 것이다. 인터넷이나 다른 네트워크에 직접 연결해 거의 무한한 자원을 활용할 수 있다. 우리와 아무 문제 없이 대화하는 것처럼 다른 기계와 어렵지 않게 대화할 것이다. 다시 말해 인간 수준의 인공지능은 시작부터 여러 면에서 인간보다 뛰어날 것이다.

언젠가 이 목적지에 도착하리라는 믿음은 이제 거의 보편적이지만 도달하는 경로나 시간은 여전히 깊은 불확실성에 가려 있다. 지금까지 진행 상황은 대체로 점진적이었다. 예를 들어 2017년 말 딥마인드는 알파고 시스템을 업데이트한 알파제로를 공개했다. 알파제로는 인간 고수들이 두었던 수천 건의 기보를 사용한 지도 학습 방법을 배제하고 대신 기본적으로 백지상태에서 시작했다. 순전히 자신을 상대로 두는 시뮬레이션 게임을 바탕으로 초인간적 수준의 경기력을 학습했다. 이 시스템은 체스나 일본의 쇼기shogi 같은 다른 게임을 훈련할 수 있다. 알파제로는 가장 뛰어난 체스 알고리즘을 물리치면서 지구에서 체스 게임을 가장 잘하는 존재로 빠르게 입증됐다. 물론 최고 수준의 체스 마스터들을 이미 쉽게 누른 상태였다. 데미스 하사비스는 알파제로가 '완전한 정보information complete' 게임의 일반해general solution일 것이라고 말했다. 다시 말해 이기는 데 필요한 모든 정보를 게임판의 말이나 화면상 픽셀로 쉽게 사용할 수 있는 유형의 도전이라는 것이다.

우리가 사는 현실 세계는 완전한 정보와는 거리가 멀다. 언젠가 발전한 인공지능을 활용해야 하는 거의 모든 중요한 영역에서는 불확실한 상황에도 작동하고 방대한 정보가 숨겨져 있거나 쉽게 얻을 수 없는 상황을 처리하는 능력이 필요하다. 2019년 1월 딥마인드는 알파스타^AlphaStar^를 출시하면서 다시 한번 진행 상황을 보여주었다. 전략 비디오게임 〈스타크래프트^StarCraft^〉를 할 수 있는 시스템이었다. 〈스타크래프트〉는 3개의 다른 외계 종족이 자원을 놓고 벌이는 은하계 전투를 시뮬레이션하는 게임이다. 각 종족은 실시간으로 온라인 게이머들이 조종한다. 〈스타크래프트〉는 완전한 정보 게임이 아니다. 오히려 게이머들은 상대방의 활동에서 숨은 정보를 찾기 위해 '정찰'해야 한다. 광활한 게임 공간에 대한 장기 계획과 자원 관리도 필요하다. 딥마인드 팀의 또 다른 최초 사례인 알파스타는 2018년 12월 진행된 경기에서 〈스타크래프트〉 최고 프로게이머를 상대해 5 대 0으로 이겼다.[60]

이런 성과는 인상적이지만 오늘날 인공지능 시스템을 매우 구체적이고 좁은 영역으로 제한하는 한계를 극복하는 데는 여전히 가까이 가지 못했다. 예컨대 알파스타는 한 종족을 선택해서 게임을 하려면 지도 학습과 강화 학습 기법을 사용한 광범위한 훈련이 필요하다. 종족을 바꾸려면, 각 종족의 강점이 있기에 처음부터 다시 훈련을 받아야 한다. 알파제로는 체스나 쇼기에서 세계를 제패할 능력을 쉽게 학습하지만, 게임에 대한 학습이 없으면 체커^checker^ 게임에서 어린이 한 명도 이길 수 없을 것이다. 인공지능 연구의 최전선에 있는 가장 강력한 시스템조차 피상적이고 불안정한 상태다. 앨런연구소의 오렌 에치오니가 말하듯이, 이런 시스템은 방에 불이 난 것을 알아도 흔들림 없이 게임을 계속할 것이다.[61] 상식도 없고 진정한 이해도 없기 때문이다.

이런 한계를 극복하고 진짜 생각하는 기계를 만들려면 시간이 얼마나 걸릴까? 나는 《AI 마인드》에 기록한 대화에 참여한 인공지능 분야의 석학들을 대상으로 비공식적인 설문 조사를 했다. 대화를 나눈 23명에게 일반 인공지능이 최소 50퍼센트 확률로 달성되는 해가 언제일지 예측해달라고 요청했다. 이 설문에 참여한 대부분은

일반 인공지능 달성 연도	2021년부터 걸리는 기간	예측한 사람 수
2029년	8년	1명(커즈와일)
2036년	15년	1명
2038년	17년	1명
2040년	19년	1명
2068년	47년	3명
2080년	59년	1명
2088년	67년	1명
2098년	77년	2명
2118년	97년	3명
2168년	147년	2명
2188년	167년	1명
2200년	179년	1명(브룩스)

익명을 요구했다. 대담자 가운데 5명은 예측하기를 거부했다. 인간 수준의 인공지능에 이르는 과정은 너무 불확실하고 알려지지 않은 수많은 구체적인 도전을 극복해야 한다고 했다. 그럼에도 세계 최고 수준의 인공지능 전문가 18명은 최선의 추측을 해주었고 그 흥미로운 결과는 208쪽 표에서 볼 수 있다.[62]

이 조사가 2018년에 이루어진 것을 고려하면 달성 연도가 대부분 '8'로 끝나는 이유를 이해할 수 있을 것이다. 예를 들어 달성 연도가 2038년인 경우는 사실 '지금부터 20년 뒤'라고 예측한 것이다. 지금 같은 사람에게 같은 부탁을 다시 한다면 기본적으로 3년씩 뒤로 밀린 같은 예상치를 얻을 것 같다. 일반 인공지능의 달성은 물리학자들이 핵융합을 놓고 자주 하는 오래된 농담처럼 될 수 있다. "그건 항상 30년 뒤에 일어날 일이지."

달성 연도의 평균은 2099년이었고 지금부터 대략 80년은 걸린다고 추측했다.[*][63] 자신의 예측을 기꺼이 기록으로 남기겠다고 말한 두 사람의 이름은 깔끔하게 괄호 안에 넣어 표시했다. 레이 커즈와일은, 이미 알고 있듯이, 인간 수준의 인공지능이 2029년까지 등장할 것으로 철석같이 믿고 있다. 이제 8년밖에 남지 않았다. 아이로봇

---

* 여기에 나타난 평균은 다른 설문 조사와 비교하면 비관적이다. 다른 조사에는 인공지능 콘퍼런스에 참여한 다양한 경험 수준을 지닌 훨씬 많은 인공지능 연구자들이 참여했고, 50퍼센트의 확률로 일반 인공지능이 나타날 시기는 대부분 2040~2050년 사이에 집중돼 있었다. 다른 설문 조사 목록은 5장 미주 63에서 확인할 수 있다.

을 공동 설립하고 세계 최고 로봇공학자 중 한 사람으로 인정받는 로드니 브룩스는 일반 인공지능이 나타나려면 180년은 걸린다고 생각한다. 두 예측 사이의 간극은, 다수의 연구자가 10년 또는 20년 안에 인간 수준의 인공지능이 출현할 것으로 예상하지만 다른 연구자들은 수백 년이 걸릴 수 있다고 생각하는 것처럼 인공지능의 미래가 얼마나 예측 불가능한지를 생생하게 보여주는 것 같다.

인간 수준의 인공지능을 구축하려는 탐구는 인공지능 분야에서 가장 흥미로운 주제라고 생각한다. 하지만 실용적인 도구로서 인공지능은 상대적으로 활용 범위가 좁고 여러 면에서 제약이 많은 상태로 남을 것이다. 확실히 현실 문제를 해결하도록 설계된 인공지능 시스템은 이 분야의 최전선에서 이루어지는 연구에 통합되면서 계속 업그레이드될 것이다. 하지만 가까운 미래에 새로운 기술의 힘은 단 하나의 고도로 유연한 기계 지능에 의해서가 아니라 구체적인 응용프로그램의 폭발적 증가를 통해 전달될 것이다. 그리고 이 현상은 산업, 경제, 사회, 심지어 문화의 거의 모든 면에 걸쳐 확장하기 시작했다.

하지만 기술에는 또 다른 측면이 있다. 인공지능은 일자리와 경제, 개인의 사생활과 보안, 그리고 궁극적으로 민주주의 시스템과 문명에까지 전에 없던 도전과 위험을 동반할 것이다. 이러한 위험은 다음 6~8장의 주요 초점이 될 것이다.

6장

사라지는 일자리, 인공지능이 경제에 미칠 영향

RULE OF
THE
ROBOTS

2015년 나는 《로봇의 부상》에서 인공지능과 로봇공학의 발전이 결국 단조롭고 예측 가능한 많은 일자리를 파괴할 것이고, 이는 잠재적으로 불평등의 증가와 구조적 실업으로 이어질 것이라고 주장했다. 2020년 1월, 이 책을 쓰기 시작하면서 이 장에 주어진 임무는 내가 했던 주장을 변호하는 것이라고 생각했다. 제2차 세계대전 이후 최장기간 경제 회복이 지속되고 주요 실업률이 약 3.6퍼센트를 유지하고 있기 때문이다.

말할 필요도 없이, 코로나바이러스 팬데믹과 그에 따른 전 세계적인 경제 봉쇄로 우리는 완전히 새로운 경제 현실로 접어들었다. 그럼에도 나는 위기 발생 전부터 계획했던 주장이 여전히 매우 적절하다고 생각한다. 역사적으로 실업률이 낮은 시기이지만《로봇의 부상》에서 논의했던 경향은 여전히 진행 중이고, 현재의 위기에 이르기까지 몇 년 동안 경제지표가 보여준 상대적 번영이 적어도 어떤 면에서는 환상에 지나지 않는다고 믿는다. 팬데믹의 여파로 업무 자동화 증가 추세는 더욱 증폭되고 현재 경제 재난에서 회복하려는 기대 심리에 큰 영향을 끼칠 수 있다.

당신이 1965년에 사는 미국의 경제학자라고 상상해보자. 미국 경제와 고용 시장을 보면 25세부터 54세(학교교육을 충분히 마쳤지만, 아직 은퇴하기는 이른 나이다) 남성의 97퍼센트가 고용 상태이거나 적극적으로 구직 활동을 하고 있음을 알 수 있다. 당신에게는 충분히 예상할 수 있고 정상적인 상황이다. 하지만 미래에서 온 시간 여행자가 2019년에는 주요 노동 연령 남성의 89퍼센트만이 일을 하고 2050년까지 취업 시장에서 완전히 배제되는 같은 연령 미국 남성 비중이 25퍼센트에서 33퍼센트까지 증가할 것이라고 말한다.[*, 1]

당신은 이 말을 듣고 무척 놀랄 것이다. 머릿속에 '대량 실업'이라는 단어가 스친다. 일하지 않는 남성들이 도대체 어떻게 지낼지 궁금하다. 하지만 시간 여행자는 2019년 정부가 발표한 주요 실업률이 4퍼센트에 훨씬 못 미치고 이자율은 1965년보다 낮은 수준이라

---

* 우리의 시간 여행자는 미국 재무 장관과 국가경제위원회 위원을 지낸 로런스 서머스Lawrence Summers의 의견에 근거를 두고 있다. 2016년 11월에 서머스는 2050년까지 경제활동 연령에 속하는 남성의 4분의 1에서 3분의 1이 노동인구에 포함되지 않을 것으로 추정했다. (6장 미주 1 참조)

고 당신에게 알려준다. 시간 여행자가 가리키는 두 가지 지표는 역사상 최저치에 가깝다. 더군다나 미국 연방준비제도이사회는 이자율을 올릴 계획은커녕 경기 부양 목적으로 이자율을 더 낮추려는 신호를 보내고 있다고 한다.

이 모든 것이 20세기 중후반을 사는 경제학자에게는 무척 놀랍고 혼란스러울 것이다. 이 장에서 살펴보겠지만 지금 미국과 다른 선진국의 경제와 고용 시장은 한때 경험적 증거가 튼튼히 뒷받침했던 규칙과 가정을 무시하는 것처럼 작동하고 있다.

《로봇의 부상》에서 나는 이러한 변화가 정보 기술의 발전을 가속함으로써 추진되고 있다고 주장했다. 발전하는 공장 자동화, 개인용 컴퓨터 혁명, 인터넷, 클라우드 컴퓨팅과 모바일 기술의 부상처럼 이미 많은 혁신이 일어났고 그에 따른 전환이 수십 년에 걸쳐 진행됐다. 그러나 가장 중요한 기술적 영향은 여전히 미래에 있다. 인공지능의 부상은 고용 시장과 모든 경제 체제를 이전에 우리가 보지 못한 훨씬 극적이고 근본적인 방식으로 뒤바꿔놓을 것이다.

지금 우리는 다가오는 혁신의 첨단에 서 있는 만큼 우려할 이유는 충분하다. 불과 10년에서 20년 사이에 일어난 전환은 상상할 수 없는 정치적 격변에 분명히 중요한 역할을 했고 사회조직을 갈라놓았다. 예를 들어 여러 연구는 미국에서 업무 자동화에 가장 취약한 지역과 2016년 미국 대통령 선거에서 도널드 트럼프를 강력하게 지지한 유권자 사이의 직접적인 상관관계를 보여주었다.[2] 코로나바이러스 팬데믹이 우리의 생활을 완전히 바꿔놓기 전에는 미국을 강타한 또 다른 의료 위기에 초점이 맞춰졌고 상당한 중산층 실업이 발생한 지역은 마약성 진통제 남용 문제가 드러났다.[3] 우리가 지금까지 겪은 변화가 다가올 일에 비해 희미하다면, 앞으로 유례없는 규모로 사회적·경제적 혼란이 일어날 실제 위험이 있다. 또한 이렇게 급변하는 상황과 반드시 함께 나타나는 두려움을 잘 이용하는 더 위험한 정치 선동가가 부상할 위험도 있다.

인공지능이 경제에 끼칠 영향을 생각하면 사실 양날의 검과 같다. 한편으로 생산성을 높이고 제품이나 서비스가 더 저렴해지며 우리 모두의 삶을 개선하는 혁신을 가능하게 할 것이다. 인공지능은 지금 우리가 처한 거대한 경제적 구멍에서 빠져나올 때 없어서는 안 될 경제적 가치를 창출한 잠재력이 있다. 다른 한편으로는 경제 불평등을 더 심각한 수준으로 몰아가며 수백만 개의 일자리를 없애거나 단순화할 것이 확실하다. 실업이나 계속 증가하는 불평등이 갖는 사회적·정치적 의미 외에도 중요한 경제적 결과가 있다. 활기찬 시장경제는 생산되는 제품과 서비스를 구매할 수 있는 엄청난 수의 소비자가 있을 때 가능하다. 만약 소비자가 직장이 없고 따라서 소득도 없다면 경제 성장을 지속하기 위해 필수적인 수요를 어떻게 창출할 수 있을까?

과거와는 근본적으로 다르다

언젠가 기계가 인간 노동자를 대체하고 장기적으로 구조적 실업을 초래할 것이라는 두려움은 최소한 200년 전 영국 노팅엄에서 발생한 러다이트Luddite 저항으로 거슬러 올라갈 만큼 오랜 역사가 있다. 그 뒤로 수십 년 동안 경고는 반복해서 들려왔다. 예를 들어 1950년대와 1960년대에는 산업 자동화가 곧 수백만 개의 공장 일자리를 대체해 광범위한 실업으로 이어질 것이라는 큰 우려가 있었다. 하지만 지금까지 역사는 일반적으로 경제가 새로운 고용 기회를 창출해 기술 발전에 적응했고, 새로운 일자리는 더 많은 기술을 요구하고 높은 임금을 지급한다는 것을 보여준다.

기술로 인한 실업 가운데 역사적으로 가장 극단적 사례 중 하나는(기술 실업이 일으킬 문제에 회의적인 사람들이 자주 인용하는 사례 연구이기도 하다) 미국 농업의 기계화에 관한 것이다. 1800년대 후반 미국 노동자의 절반이 농업에 종사했다. 하지만 오늘날은 1~2퍼센트에 불과하다. 트랙터, 콤바인 수확기, 다른 농업 기술의 출현으로 수백만 개의 일자리가 되돌릴 수 없이 증발했다. 이런 변화는 농장에서 쫓겨난 노동자들이 공장 일자리를 찾아 도시로 이주하면서 중단기 실업에 큰 영향을 끼쳤다. 그러나 실직한 노동자들은 상승하는 제조업 부문에 흡수됐고 장기적으로 평균 임금과 전체적인 번영이 비약적으로 증가했다. 이후 공장이 자동화되거나 해외로 이전하면서 이

번에는 노동자들이 서비스업 부문으로 다시 옮겨 가야 했다. 오늘날 미국 노동자의 80퍼센트가 서비스 산업에 고용돼 있다.

핵심 질문은 인공지능의 영향으로 초래한 고용 시장 혼란이 이와 비슷한 결과로 이어질지 여부다. 인공지능은 농업을 바꾼 농업 기술처럼 노동 절약형 혁신의 사례일까? 아니면 근본적으로 성격이 다른 혁신일까? 사실 인공지능은 다르다는 것이 내가 해온 주장이다. 그 이유는 이 책의 핵심 주제에 근거를 두고 있다. 인공지능은 전기와 다를 바 없이 체계적인 범용 기술이며, 따라서 궁극적으로 경제와 사회의 모든 측면으로 확장되고 스며들 것이다. 역사적으로 노동시장의 기술적 혁신은 부문별로 영향을 끼치는 경향이 있었다. 농업 기계화는 수백만 개의 일자리를 사라지게 했지만, 제조업 부문의 성장으로 노동자를 흡수할 수 있었다. 마찬가지로 제조업이 자동화되고 공장이 저임금 국가로 이전하자 빠르게 성장하는 서비스업 부문이 실직한 노동자에게 기회를 제공했다. 반면에 인공지능은 경제 모든 부문에 거의 동시에 영향을 끼칠 것이다. 가장 중요하게는 여기에 미국 노동력의 대다수가 종사하고 있는 서비스업 부문과 화이트칼라 일자리가 포함될 것이다. 인공지능은 거의 모든 기존 산업에 촉수를 뻗어 변화시킬 것이고 미래에 새롭게 등장하는 산업은 처음부터 인공지능과 로봇공학의 최신 혁신을 포함할 것이다. 다시 말해 수천만 개의 새로운 일자리를 제공하는 완전히 새로운 부문이 기존 산업의 자동화로 일자리를 잃은 노동자를 어떻게든 흡수할 가능성은 매우 희박해 보인다. 오히려 미래 산업은 디지털 기술, 데이터과학, 인공지능의 기반 위에 구축될 것이다. 따라서 엄청난 수의 일자리를 창출하지는 않을 것이다.

두 번째 핵심은 노동자들이 담당하게 될 활동의 성격과 관련이 있다. 현재 노동력의 절반가량이 단조롭고 예측 가능한 성격의 업무를 하고 있다고 합리적으로 추정할 수 있다.[4] 이런 업무는 '기계적으로 반복'되는 것이 아니라 기본적으로 비슷한 구성의 작업이나 과제를 계속 접하는 경향이 있다는 의미다. 다시 말해 일의 본질은 (적어도 그 일을 구성하는 작업의 많은 부분은) 시간이 지남에 따라 노동자가 한 일을 반영하는 과거 데이터에 압축돼 있다. 이런 데이터는 결국 많은 업무를 자동화하는 방법을 파악하는 데 사용될 머신러닝 알고리즘에 풍부한 자원을 제공할 것이다. 우리는 거의 모든 종류의 단조롭고 예측 가능한 일들이 사라질 미래를 마주하고 있고, 이런 일에 최적화된 노동자에게는 특히 어려운 도전이 될 것이다. 20세기에 걸쳐 일어난 노동 절약형 기술의 발전으로 노동자들은 다른 부문으로 옮겨 갔지만, 대부분은 주로 단조로운 일을 계속했다. 1900년에 농장에서 일하던 노동자가 1950년에는 공장 조립라인에서 일하고 지금은 월마트에서 바코드를 스캔하는 계산원으로 바뀌어왔다고 상상해보자. 전혀 다른 부문의 매우 다른 직업인 것 같지만 크게 보면 모두 단조롭고 예측 가능한 업무로 정의할 수 있다. 하지만 이번에는 다르다. 일부 새로운 부문은 실직한 노동자를 수용할 만큼 단조로운 일자리를 많이 제공하지 않을 것이다. 대신 노동자들은 근본적으로 비일상적인 업무를 하는 곳으로 완전히 다른 이직을 해야 할 수도 있고, 다른 사람과 효과적으로 관계를 형성하거나 비일상적인 분석이나 창의적 업무를 수행하는 능력이 종종 요구될 수도 있다. 지금까지 했던 일과 완전히 다른 일을 해야 하는 상황에 놓일 것이다. 새로운 일자리가 충분하다고 가정해도 일부 노동자는 성공적으로 옮겨 가겠지만 대부분은 큰 어려움을 겪을 것이다.

다시 말해 나는 노동인구 가운데 상당 부분이 결국 고용 시장에서 배제될 위험에 처하는 시나리오에 직면해 있다고 생각한다. 하지만 이런 일이 실제 일어났다는 증거가 있는가? 어쨌든 코로나바이러스 팬데믹이 시작되기 전에 실업률은 4퍼센트 미만이었다.

코로나바이러스 팬데믹이 시작되기 전까지

2007년 서브프라임 모기지 사태로 촉발한 대침체가 일단락된 2009년부터 2020년 1월까지 10년은 역사상 가장 긴 전후 경제 회복 기간을 기록하고, 실업률은 10퍼센트에서 3.6퍼센트로 떨어졌다. 지난 50년간 최저 수준이다.[5] 하지만 주요 실업률이 미국 인구

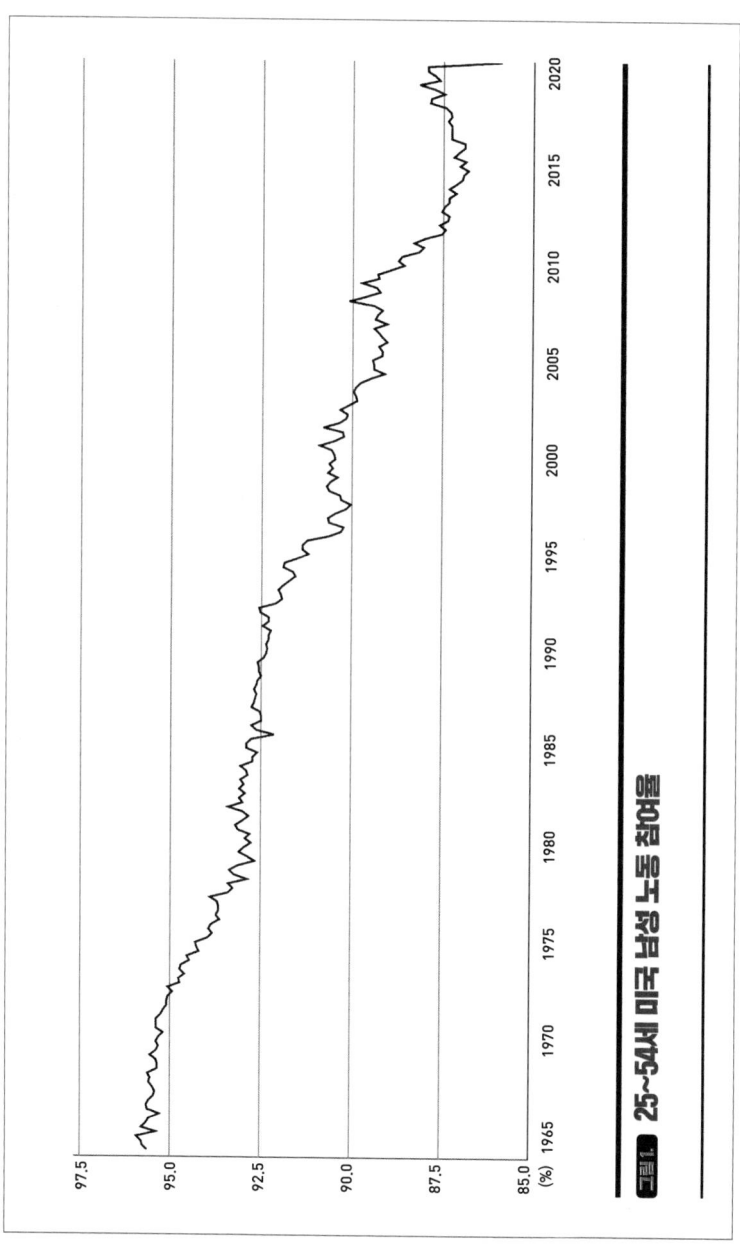

그림 6-6 25~54세 미국 남성 경제활동 참가율

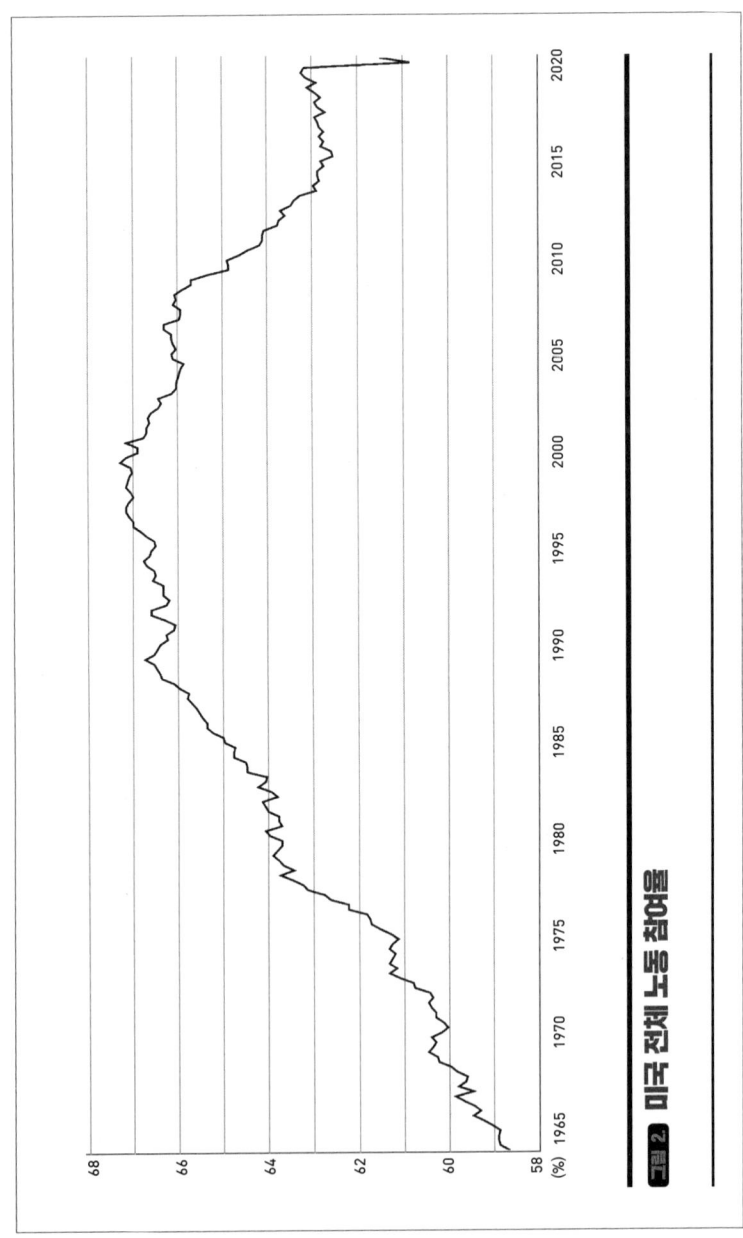

그림 2 미국 전체 노동 참여율

조사국에서 실시하는 가구 조사를 바탕으로 산출되고 적극적으로 구직 활동을 하는 사람들만 포함한다는 사실에 주의해야 한다. 취업하고 싶지만 실망하고 포기한 상태이거나 취업하고 싶은 직장이 없다고 생각하는 사람들은 실업자에 포함되지 않는다.

노동시장에서 완전히 떨어져 나간 사람의 수를 파악하려면 경제활동 참가율을 살펴보는 편이 도움이 된다. 주요 실업률보다 덜 긍정적이기 때문이다.

〈그림 1〉에서 알 수 있듯이 직장이 있거나 적극적으로 구직 활동을 하는 주요 노동 연령층 남성의 비율이 1965년 약 97퍼센트에서 2014년 최저치인 88퍼센트 아래로 떨어진 이후 2020년 1월 89퍼센트에 가깝게 약간 회복됐다.[6] 고용 시장에서 완전히 배제된 남성의 수는 이 기간에 거의 4배로 증가했다. 고용 시장에서 이탈한 남성들이 향한 곳은 사회보장 프로그램으로, 2007년과 2010년 사이에 신청자가 급증했다.[7] 산업재해가 유행한 증거는 찾을 수 없지만, 이 프로그램이 노동시장에서 기회를 찾지 못하는 구직자들에게 수입을 얻을 수 있는 마지막 방편이 된 것 같다. 남성의 경제활동 참여에 끼치는 영향이 가장 극적이지만 전반적인 통계는 21세기로 접어든 뒤 20년 동안 대체로 비슷한 상황을 보여준다.

〈그림 2〉는 남성과 여성을 포함한 18~64세 미국 전체 노동자의 노동 참여율을 보여준다.[8] 2000년까지 참여율 상승은 더 많은 여성이 노동인구로 유입된 것을 반영한다. 그러나 최고치에 도달한 이

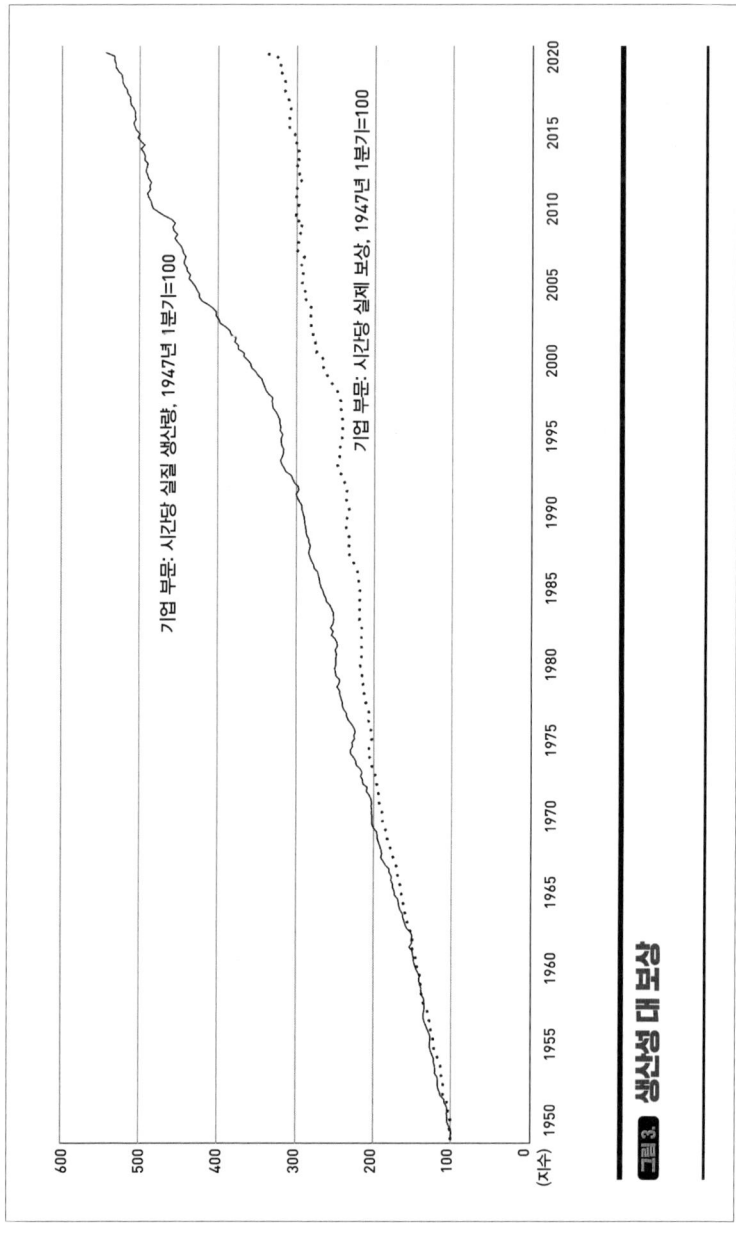

기업 부문: 시간당 실질 순생산량, 1947년 1분기=100

기업 부문: 시간당 실제 보상, 1947년 1분기=100

그림3 생산성 대 임금

후 남성과 여성 모두 노동시장을 이탈하면서 하향 추세를 보인다. 다시 말해 실업률이 사상 최저 수준으로 떨어지고 전반적인 상황은 고용 시장이 호황임을 나타내지만, 노동시장에서 완전히 배제된 엄청난 수의 사람이 파악되지 않은 채 계속 증가했다. 기술 변화가 유일한 원인은 아니지만, 좋은 공장과 사무실에서 보수는 좋지만 단조로운 업무가 끊임없이 자동화를 거친 것이 중요한 역할을 했을 것이다.

두 번째 중요한 경향은 불평등 증가가 진행되면서 생산성과 임금이 분리된 것이다. 노동생산성은 노동 효율성의 척도로, 총생산량을 투입된 노동시간으로 나눈 것이다. 생산성은 모든 경제지표 가운데 가장 중요하다. 높은 생산성은 부유한 선진국과 가난한 국가를 구분하는 중요한 특징이다. 노동 현장에서 사용되는 기술이 발전함에 따라 노동자 교육이나 건강 같은 요인이 개선되고 노동자는 더 많은 양을 생산하게 됐다. 그 결과 노동자는 더 많은 임금을 요구할 수 있으므로 생산성 향상은 기본적으로 노동자의 지갑을 채우고 광범위한 국가 번영의 중요한 동력이다. 적어도 이것이 경제학에서 일반적으로 말하는 내용이다.

하지만 〈그림 3〉이 보여주듯이 적어도 1970년대 이후부터 노동자에게 주어지는 보상이 증가하는 생산성을 따라가지 못하고 두 선 사이의 틈이 계속 벌어지고 있다.[9] 결론적으로 기술 진보와 향상된 생산성의 이득은 소득분포 상위에 있는 상대적으로 소수의 사람에게 돌아가고 있다. 다시 말해 사업주, 관리자, 고성과 직원, 투자가가 발전의 열매를 차지하고 일반 노동자는 거의 아무것도 얻지 못하고 있다. 하지만 주목할 점은 이 그래프는 기업 부문에서 일하는 모든 노동자의 보상을 반영하고, 여기에는 최고 경영진과 슈퍼스타급 운동선수와 연예인, 다른 고소득 전문직 종사자가 포함된다. 만약 이 그래프가 미국 노동인구의 80퍼센트를 차지하는 비관리직 일반 노동자만 반영한다면 생산성과 보상 사이의 격차는 훨씬 더 커질 것이다.

나는 이 두 선 사이의 간격이 벌어지는 이유가 적어도 부분적으로는 업무 현장에 배치되는 기계와 기술의 성격이 변화하기 때문이라고 생각한다. 제2차 세계대전이 끝나고 이어진 미국의 '황금기' 동안 그래프의 두 선은 단단히 결합해 있었고 업무 현장에서 사용하는 기계는 노동자가 조작하는 도구에 지나지 않았다. 도구가 개선되면서 노동 생산량이 증가하고 노동자의 가치가 높아졌다. 그러나 이후 수십 년 동안 기술이 발전하면서 업무 현장에서 사용하는 많은 기계가 점차 자동화되고 기술은 노동을 보완하기보다 점점 대체하고 있다. 다시 말해 지금 기술은 노동자의 가치를 높이기보다 노동자의 비중을 낮추고 있다. 그 결과 생산성이 계속 증가하고 있지만, 노동자는 교체 가능해지고 협상력은 감소하며 보상 수준은 낮아지고 있다.

생산성과 보상의 분리는 소득 불평등의 증가로 직접 이어진다.

기술이 노동의 가치를 대체하거나 감소시킬수록 기업 수익의 더 많은 부분을 자본이 차지한다. 지난 20년 동안 국민소득에서 노동이 차지하는 비중이 감소하는 현상은 미국을 비롯한 여러 선진국에서 발견됐다. 자본 소유가 부유층에 집중되고, 노동에서 자본으로의 소득 방향 전환은 다수에서 소수로 재분배가 일어나고, 따라서 소득 불평등이 증가했기 때문이다. 이런 경향은 미국에서 특히 두드러졌고 지니계수Gini coefficient의 상승이 이를 선명하게 보여준다. 지니계수는 부의 집중도를 나타내는 척도다. 극단적으로 지니 값이 0이면 한 국가의 모든 사람이 같은 몫의 부를 가지지만, 값이 100이면 한 개인이 국가의 모든 부를 소유하는 것을 의미한다. 현실적인 지니계수 값은 대체로 20~50 사이에 분포하며, 값이 클수록 불평등이 크다는 것을 나타낸다. 미국에서 지니계수는 1986년에 37.5였지만 2016년에는 41.4로 증가해 최고치를 기록했다.[10]

소득 불평등이 증가하는 추세는 미국에서 제공되는 일자리의 질이 일반적으로 하락한 데 부분적인 이유가 있다. 최근 수십 년 동안 미국 내 일자리 창출은 서비스업 부문의 저임금 일자리로 편중돼 있었다. 소매 판매, 음식 준비와 접객, 사무실이나 호텔의 경비, 청소, 시설 관리 같은 일자리는 최저임금을 제공하고 복지 혜택은 드물고 정규직에 비하면 노동시간이 훨씬 불안정하다. 긱 경제가 부상하면서 이런 추세는 더욱 악화했다. 긱 경제는 노동자들이 업무 완수 기준으로 보수를 받고, 예상 가능한 수입에 대해 실질적인 보장이 없으며, 다른 노동자들에게 제공되는 법적 보호를 거의 받지 못하거나 이에 해당하지 않기 때문이다. 2019년 11월 브루킹스연구소Brookings Institution의 보고서에 따르면 미국 노동인구의 44퍼센트가 연평균 소득이 약 1만 8,000달러인 저임금 일자리에 종사한다.[11]

미국 노동자가 일할 수 있는 일자리의 성격이 바뀐 것은 2019년 한 연구자 집단이 새로운 경제지표를 개발하면서 명확히 드러났다. 미국 민간 부문 일자리 질 지수U.S. Private Sector Job Quality Index는 평균 이하의 임금을 제공하는 질 낮은 일자리 대비 평균 이상의 임금을 제공하는 좋은 일자리 비율을 측정한다.[12] 지수 값이 100이면 질 좋은 일자리와 낮은 일자리 수가 같고, 값이 100 이하이면 질 낮은 일자리가 고용 환경에서 우세하다는 것을 나타낸다. 1990년부터 2019년까지 지난 30년 동안 이 지수는 95에서 81.13으로 급락했다.[13] 일자리 질의 저하는 공장이나 사무실 같은 환경에서 단조롭지만 보수가 좋은 일자리가 대부분 사라진 것과 밀접한 관련이 있다. 이런 일자리는 한때 미국 중산층을 뒷받침하는 근간이었지만 기술 발전과 세계화의 여파로 끊임없이 파괴됐다.

물론 경제는 고숙련·고임금 일자리도 창출했지만 4년제 대학 학위가 없는 미국 노동자의 4분의 3은 거의 접근할 수 없다. 대학 졸업자 사이에도 실업률은 심각한 문제를 떠오르고 있다. 대학 졸업자들이 카페나 패스트푸드점에서 일하면서 학자금 대출을 상환해야 하는 부담에 시달리는 이야기는 너무 흔하다. 2020년 2월 뉴욕

연방준비은행이 발표한 데이터에 따르면 최근 대학 졸업자의 41퍼센트가 대학 학위가 필요 없는 일에 종사하는 것으로 나타났다. 전체 대학 졸업자의 3분의 1이 불완전 취업 상태에 있다. 경제 전반에 걸친 주요 실업률이 3.6퍼센트로 떨어졌지만 22세에서 27세 사이의 최근 대학 졸업자 실업률은 6퍼센트를 넘는다.[14] 다시 말해 통념상 교육을 강조하고 대학 등록을 확대해야 할 것 같지만 경제는 이미 배출된 대학 졸업자를 흡수할 만큼 숙련직 일자리를 충분히 만들지 못하고 있다.

소득 불균형의 상승과 일자리 질의 하락은 직접 영향을 받는 개인들에게만 나쁜 소식이 아니다. 오히려 이는 지속적인 경제 활기를 불어넣는 데 필요한 시장 수요를 약화한다. 미국 경제의 약 70퍼센트는 개인 소비자 지출과 직접 관련이 있다. 하지만 이 부분조차 기업 투자가 소비자 수요와 연결되어 있기 때문에 소비자 수요의 중요성을 과소평가한다. 예컨대 보잉Boeing이 생산한 항공기가(확실히 소비재는 아니다) 어떻게 구매되는지 생각해보자. 항공사가 소비자의 항공권 수요를 예상할 때 가능하다. 물론 이런 경제 의존성은 코로나바이러스 위기의 영향으로 완전히 사라졌다.

일자리는 소비자에게 구매력을 제공하는 주요 메커니즘이다. 소득분배가 점차 불평등해질수록 소비자이기도 한 노동자 대부분의 재량 소득이 적어진다. 지난 수십 년간 부유한 소수의 소득은 극적으로 증가했지만, 인구의 작은 부분을 차지하는 이들은 소득분배의

하위층이 상실한 재량 소득을 상쇄할 정도로 지출을 할 수 없고 하지도 않을 것이다. 다시 말해 경제 성장에 필수적인 제품과 서비스에 대한 광범위한 소비자 수요가 점차 무너지고 있다.

실망스러운 소비자 수요에 대한 증거는 실업과 인플레이션 사이의 정상적인 관계가 무너진 데서 드러난다. 1958년 경제학자 윌리엄 필립스William Phillips는 실업과 인플레이션 사이에 일정한 관계가 있음을 보여주었다. 실업률이 감소하면 인플레이션이 증가한다. 내가 대학에서 경제학을 공부할 때 필립스 곡선으로 알려진 이 상충 관계는 경제학의 기본 원리 중 하나였다. 그러나 2009년 대침체가 일단락된 이후 몇 년 동안 이 관계는 무너졌고, 지금은 낮은 실업률이 매우 낮은 인플레이션율과 저금리와 함께 공존한다.[15] 이 현상이 중요한 이유는 실업률 하락이 인플레이션을 충분히 유발할 수 있는 임금 상승이나 소비자 수요 증가와 더는 연관되지 않기 때문이라고 생각한다. 기술 발전과 세계화에 따라 노동자들이 더 높은 임금을 요구할 수 있는 협상 능력이 약해질수록 소비자가 구매력을 가지고 수요를 증가시킬 만한 메커니즘은 점점 더 효력을 잃고 있다.

더 많은 증거는 미국 대기업이 엄청난 현금으로 보유하고 있고 이 돈의 대부분이 역사적으로 이자율이 낮은 미국 국채에 투자되고 있다는 사실에서 찾을 수 있다. 2018년 말 기준 미국 기업이 보유한 현금은 2조 7,000억 달러에 달한다.[16] 만약 기업 경영진이 상품과 서비스에 대한 수요가 증가한다는 근거를 본다면 왜 이 돈을 신

제품 개발이나 늘어나는 수요를 충족하기 위한 생산 증설에 투자하지 않았겠는가? 강력한 수요가 없어서 미국 경제는 중간 수준의 성장률을 겨우 유지하고 실업률이 4퍼센트 아래로 떨어졌지만, 이례적으로 낮은 수준의 이자율을 유지하는 연방준비제도에 의존하게 됐다.

미지근한 소비자 수요가 나타내는 또 다른 중요한 의미는 생산성 향상을 저해한다는 것이다. 인공지능과 로봇공학이 고용 시장에 끼치는 영향에 회의적인 경제학자들은 기계가 빠른 속도로 노동력을 대체하고 있다면 남은 인력이 더 많은 산출물을 생산하기 때문에 노동생산성이 치솟을 것이라고 성급하게 지적한다. 생산성이 급상승하지 않으면 경제학자들은 일자리를 빼앗는 로봇에 대한 걱정 따위는 잊어버린다. 이 주장의 문제는 생산은 전적으로 수요에 의존한다는 것이다. 소비자가 산출물을 구매하지 않는 한 어떤 기업도 제품이나 서비스를 계속 생산할 수 없다. (나는 《로봇의 부상》에서도 생산성이 수요에 따라 제한된다는 아이디어를 자세히 설명했다. 하지만 경제학자들은 이 문제에 집중하지 않고 오히려 '생산성이 치솟지 않는 것'은 업무 작업 자동화의 문제가 아니라고 단순히 주장하는 것을 보고 적잖이 놀랐다.[17])

머리카락을 자르는 일을 하는 노동자를 생각해보자. 이 사람의 생산성은 한 시간에 몇 번 헤어 커트를 하는지로 측정될 것이다. 많은 것이 생산성에 영향을 끼칠 수 있다. 노동자가 좋은 교육을 받고 질 좋은 도구를 가지고 있는가? 전기가 안정적으로 공급돼 장비를 계속 가동할 수 있는가? 이런 것은 경제학자들이 관심을 두는 요소들이다. 하지만 절대적으로 중요한 것이 또 있다. 머리카락을 자르러 오는 고객의 수다. 머리를 다듬고 싶은 고객이 길게 줄을 서서 기다린다면 생산성은 높아진다. 하지만 고객이 드물게 찾아온다면 생산성은 낮아진다. 얼마나 좋은 교육을 받고 얼마나 뛰어난 기술이 있는지는 상관없다.

생산성 성장이 수요에 제한을 받는다는 아이디어는 맥킨지글로벌연구소McKinsey Global Institute, MGI 소장 제임스 매니카James Manyika와 대화를 나누던 중에 나왔다. 맥킨지글로벌연구소에서 기술이 기업과 경제에 끼치는 영향에 관해 다수의 중요한 연구를 수행한 매니카는 이렇게 설명했다.

우리도 수요가 얼마나 중요한 역할을 하는지 압니다. 맥킨지글로벌 연구소에 있는 사람들을 포함해 경제학자 대부분은 공급 측면에서 생산성의 효과를 생각합니다. 수요 측면은 그 정도로 고려하지 않습니다. 수요가 많이 감소하면 원하는 만큼 효율적으로 생산할 수 있지만, 생산성을 측정해보면 그다지 좋지 않을 겁니다. 생산성을 측정하려면 분자와 분모가 필요하기 때문입니다. 분자는 부가가치 산출의 증가와 관련이 있고 생산량이 수요에 의해 흡수돼야 합니다. 따라서 어떤 이유든지 수요가 부진해 생산량 증가를 저해하면 기술 발전에 상관없이 생산성 성장이 하락합니다.[18]

결론은 코로나바이러스 팬데믹이 시작되기 전 몇 년 동안 미국 경제는 새로 칠해 반짝이는 자동차 같았지만, 내부에는 심각한 문제가 있었다. 실업률은 문제없어 보였지만 점점 더 많은 인구가 완전히 뒤처지고 있었다. 불평등은 비약적으로 증가했고 노동자 대부분은 기술 발전의 결과로 증가하는 부를 더는 누리지 못하고 있다. 상황이 점점 더 불평등해질수록 소비자 수요의 동력이 되는 소득을 배분하는 메커니즘이 약해지고 따라서 경제 성장이 저해되고 미래 번영에 결정적인 역할을 하는 지속적인 생산성 향상이 꺾인다. 팬데믹이 모든 것을 뒤바꿔놓았고 우리는 유례없는 경제 위기에 빠졌다. 하지만 이 모든 추세는 그대로 유지되고 현재의 곤경에서 회복을 더 어렵게 하는 역풍을 일으킬 가능성이 크다.

포스트 코로나와 회복

코로나바이러스 팬데믹은 전례 없이 사나운 세계경제 위기를 촉발했다. 미국과 전 세계 국가에서 수백만 개의 일자리가 거의 하룻밤 사이에 사라졌고 모든 부문이 사실상 폐쇄되고 1930년대 대공황 이후 경제는 깊은 침체에 빠졌다. 2020년 12월 기준 실업률은 거의 7퍼센트에 이르고 모든 지표는 상황이 더 나빠질 수 있음을 나타낸다. 2021년 중반 광범위한 백신 접종이 시작되고 나서야 상황이 진정될 것으로 보인다. 미국의 서투른 팬데믹 관리는 광범위한 바이러스 재확산으로 이어졌고, 2021년 1월 미국에서 코로나바이러스 감염증으로 인한 사망자가 하루에만 4,000명을 기록했다. 입원이 급증하자 미국 주 정부와 지방정부는 다시 한번 직장 폐쇄를 강행하고 영국과 다른 유럽 국가들은 국가 차원에서 봉쇄 조치를 검토했다. 다시 말해 적어도 2개 이상 효과적인 백신이 보급되고 있지만, 현재 위기에서 비롯한 경제적 영향은 당분간 지속할 것 같다.

사실 이 모든 것이 자동화와 더 광범위한 기술의 영향으로 발생하는 고용 시장의 극적인 변화를 위해 비옥한 기반을 마련하고 있다. 역사는 노동 절약형 기술의 도입으로 인한 대량 실업이 경기 침체로 집중되는 경향이 있다는 것을 보여준다. 단조로운 일자리가 특히 큰 타격을 받으며, 이는 견고한 중산층 일자리가 사라지고 결국 선호도와 임금이 낮은 서비스 부문 일자리로 대체되는 이유를 설명한다. 이 현상을 연구한 경제학자 니르 자이모비치Nir Jaimovich와 헨리 시우Henry E. Siu는 2018년에 발표한 논문에서 "모든 단조로운 직업에서 고용 상실은 경기 침체에서 발생한다"라고 밝혔다.[19] 겉으로 보기에는 경제적 압박 아래 기업이 노동자를 해고하는 것처럼 보인다. 경기 침체가 진행될수록 기업은 새로운 기술을 도입하고 업무 현장을 재조직한다. 마침내 경기가 회복되면 이전에는 운영에 필수라고 믿었던 노동자 전부 또는 대부분을 재고용하지 않아도 된다는 사실을 알게 된다. 현재 경기 침체의 깊이는 기업들이 효율성을 높이기 위해 받아야 하는 엄청난 압력을 보여준다. 위기가 오래 갈수록 최신 인공지능 응용프로그램을 포함한 새로운 기술을 사업 모델에 동화시키는 데 더 많은 시간이 필요할 것이다.

새로운 기술을 도입하려는 순수한 경제적 자극을 넘어, 현재 위기는 자동화된 업무 현장으로의 전환에 또 다른 인센티브를 제공한다는 점에서 독특하다. 3장에서 살펴봤듯이 사회적 거리 두기의 필요성 때문에 이미 다양한 영역에서 로봇 기술을 적극적으로 도입하게 됐다. 예컨대 미국과 여러 지역의 정육 공장은 수백 또는 수천 명의 노동자가 어깨가 닿을 정도로 가까이 일하는 환경으로 인해 계속해서 감염의 온상이 되고 있다. 이런 환경에서는 노동자의 밀도를 줄이는 방편으로 자동화를 더욱 채택할 수밖에 없다.[20] 극단적인 사례를 들었지만, 공장이나 창고부터 소매점, 사무실까지 다른 노동환경에서도 상황은 크게 다르지 않다. 노동자를 로봇이나 알고리즘으로 대체하면 가까운 거리에 있는 사람이 더 적어진다는 뜻이다. 고객을 직접 응대하는 서비스 기업은 몇 달 전만 해도 긍정적으로 여겨졌던 직접 대면을 최소화해 마케팅 효과를 노릴 수도 있다. 실제로 이런 추세는 이미 진행 중이다. 2020년 6월 패스트푸드 체인점 화이트캐슬White Castle은 햄버거 제조 로봇을 배치한다고 발표했다. "조리 과정에서 식품과 인간의 접촉을 줄여 식품 병원균의 전파 가능성을 낮추려는 방편"이라고 설명했다.[21] 이런 요인의 장기적인 영향은 위기의 지속 기간에 따라 달라질 것이다. 이 글을 쓰고 있는 시점에서 상황은 팬데믹의 결과로 나타난 행동 변화와 고객의 선호가 충분히 뿌리내리고 영구적일 만큼 오래갈 것으로 보인다.

인공지능이 업무 현장에 끼치는 영향은 로봇이 일자리를 훔치는 이야기처럼 간단하지는 않을 것 같다. 연구에 따르면, 새로 배치되는 기술과 기존 일자리 사이에는 일대일 대응이 이루어지지 않는다. 전체 작업이 아니라, 오히려 자동화에 가장 취약한 특정 작업에 집중되는 경향이 있다. 맥킨지글로벌연구소의 2017년 분석에 따르면 현재 전 세계에서 노동자가 수행하는 모든 작업이 이론적으로 이미 기존 기술을 사용해 자동화될 수 있다. 완전 자동화가 즉시 일어날 수 있는 직업은 5퍼센트에 불과하지만, "직업의 약 60퍼센트가 구성하는 활동의 최소 3분의 1을 자동화할 수 있고, 이는 실질적인 업무 현장의 전환과 모든 노동자에게 변화를 의미한다."[22] 두세 사람이 하는 작업의 상당 부분을 자동화할 수 있으면 작업 간의 경계를 재정의하고 남은 작업을 통합할 분명한 가능성이 있다. 작업장 밀도를 낮춰야 하는 필요와 함께 경제적 압력은 많은 조직이 아직 실현되지 않은 효율성을 활용하기 위해 업무 환경을 다시 생각하고 재조직하는 강력한 인센티브가 될 것이다. 이런 경향은 최신 딥러닝의 발전이 포함된 더 유능한 응용프로그램이 나오면 증폭될 것이다. 그 결과 대부분은, 일자리는 더 적어질 것이고 그 일자리는 완전히 다른 기술과 능력이 있는 다른 노동자들이 차지하게 될 것이다.

일자리와 업무의 직접 자동화를 제외하고 인공지능이 끼치는 두 번째로 큰 영향은 직업의 탈숙련화다. 다시 말해 새로운 기술을 도입하면 한때 많은 기술과 경험을 요구했던 역할을 거의 훈련받지 않은 저임금 노동자나 언제든지 교체할 수 있는 긱 경제의 독립 계약자로 채울 수 있다. 가장 대표적인 사례는 런던의 택시 '블랙캡 black cab' 운전사들이 겪는 일이다. 런던에서 택시 면허를 취득하려면 도시의 모든 길을 완전히 암기해야 한다. 이 힘든 과정을 흔히 '지식The Knowledge'을 습득한다고 표현한다. 암기의 범위가 너무 방대한 나머지 유니버시티칼리지 런던의 신경과학자 엘리너 매과이어Eleanor Maguire의 분석에 따르면 블랙캡 운전자의 평균적인 해마(장기 기억과 관련이 있는 뇌 영역)가 다른 직업 종사자들보다 큰 것으로 나타났다.[23] 런던에서 택시 운전을 하려는 사람에게 이 '지식'은 역사적으로 위협적인 진입 장벽이었고, 따라서 택시 운전사들은 탄탄한 중산층 임금을 보장받았다. 하지만 GPS와 스마트폰 내비게이션 앱이 나오면서 상황은 극적으로 변했다. 이제 런던 거리를 전혀 모르는 운전자도 스마트폰만 있으면 직접 경쟁할 수 있고 승차 공유와 유사 택시 서비스의 맹공격이 런던 택시 운전사들의 생계에 매우 부정적인 영향을 끼치고 있다. 일반적으로 탈숙련화는 훈련이나 경험이 부족하거나 없는 사람들에게 직업 접근성을 제공해 임금을 낮추는 역할을 하는 동시에 노동자들을 더 쉽게 교체할 수 있게 한다. 따라서 기업은 높은 이직률을 감수해야 하고 노동자의 구매력은 약해진다.

자동화와 탈숙련화가 진행될수록 불평등이 증가하고 혁신의 열매는 소득분배의 최상위층에 축적되는 현상이 계속되리라는 예상을 충분히 할 수 있다.

이와 같은 기술 경향은 팬데믹에서 파생한 다른 중요한 결과들과 얽히게 될 것이다. 예컨대 사무직 노동자의 원격 근무가 전면적으로 도입되면서 밀집된 사무실 건물을 중심으로 하는 기업 환경이 무너지고 있다. 재택근무 전환은 적어도 얼마간 계속될 것이다. 한 예로 페이스북은 많은 직원이 앞으로 무기한 원격 근무를 선택할 수 있다고 이미 발표했다.[24] 사무실 지역에 모여 있던 식당과 술집을 비롯해 직장인을 대상으로 하는 다른 사업의 일자리들은 예전수준으로 돌아갈 수 없을 것이다. 마찬가지로 사무실 청소 관리나 건물 경비 같은 서비스 노동도 영향을 받을 것이다. 두 번째 핵심요인은 이런 일자리를 제공하던 소규모 기업의 대규모 파산 가능성이다. 일설에 따르면, 팬데믹의 여파로 문을 닫아야 했던 작은 기업의 절반이 재개하지 못할 것이라고 한다.[25] 결국 소규모 기업이 차지했던 시장점유율은 규모가 크고 회복력 있는 소매 기업이나 레스토랑 체인이 차지할 것이다. 하지만 대기업은 더 많은 재원과 내부전문성이 있으므로 새로운 노동 절약형 기술을 조기 도입해 훨씬유리한 위치를 차지할 것이다. 다시 말해 대기업의 시장 지배 증가는 서비스업 부문의 작업 자동화와 탈숙련화를 직접 가속하는 역할을 할 수 있다. 여기에 매우 현실적인 위험이 있다. 이 요소들이 수렴하면 최근 몇 년 동안 미국 일자리 창출의 주요 엔진이었던 저임금 서비스 일자리의 재생산을 저해하고, 현재 위기에서 벗어나려는 지속적인 회복을 더욱더 어렵게 할 가능성이 있다.

사무직 자동화 물결, 그리고 코딩 교육?

업무 자동화라고 하면 흔히 공장과 창고에서 산업로봇이 움직이는 모습을 떠올린다. 통념상 교육 수준이 낮은 저임금 블루칼라 노동자들이 기술 발전의 심각한 위협에 직면하고 최소 학사 학위가 있는 교육받은 지식 노동자, 다시 말해 업무 성격이 육체노동보다 주로 지식 노동으로 이루어진 직업을 가진 사람들은 상대적으로 안전한 편에 속한다고 생각한다. 하지만 현실은 화이트칼라 일자리, 특히 정보의 일상적인 분석과 처리, 추출, 의사소통에 집중하는 업무가 인공지능의 발전과 폭넓은 배치를 정면으로 마주하게 될 것이다.

사실, 많은 경우 환경을 물리적으로 조작해야 하는 직업에 종사하는 교육 수준이 낮은 노동자보다 정보 지향 직업의 화이트칼라 전문가가 기술에 의한 실직에 더 취약한 것으로 나타났다. 이런 업무의 자동화는 값비싼 설비도 필요 없고 머신 비전이나 로봇 손 분야처럼 극복해야 할 도전 과제도 없기 때문이다. 대신 사무직 노동자들의 시간을 대부분 차지하는 많은 업무를 제거하는 데는 충분히 강력한 소프트웨어만 있으면 된다. 화이트칼라 일자리를 없애기 위한 인센티브는 사무직 숙련 노동자들이 블루칼라 노동자들보다 일반적으로 훨씬 많은 임금을 받는다는 사실에서 증폭한다. 이미 살펴봤듯이 최근 대학 졸업자의 절반가량이 불완전 고용 상태이고, 이는 전통적으로 직업적 성공으로 가는 사다리에 첫발을 올리는 초급 사무직 자리에 기술이 어느 정도 영향을 끼친 것으로 보인다.

더 단조로운 일자리가 계속 위험에 처하겠지만, 자동화될 수 있는 업무와 안전하다고 인식되는 업무 사이의 경계선은 확실히 역동적이라고 깨닫는 것이 중요하다. 인공지능이 발전할수록 더 많은 활동을 포함하면서 이 경계는 끊임없이 바뀔 것이다. 이전에 지식 기반 활동을 자동화하려면 컴퓨터 프로그래머가 단계별로 각각의 행동과 의사 결정이 구체적으로 명시된 절차를 설계해야 했다. 이런 이유로 소프트웨어 자동화는 일반 부기나 미지급금과 미수금 관리 같은 사무 영역의 단조롭고 반복되는 일로 제한되는 경향이 있었다. 그러나 머신러닝의 부상은 이제 알고리즘이 방대한 데이터를 처리하고 종종 인간의 지각을 뛰어넘는 패턴과 연관성을 발견해 컴퓨터 프로그램을 작성할 수 있다는 것을 의미한다. 다시 말해 머신러닝의 핵심은 한때 본질상 단조롭지 않다고 인식하던 작업을 이제는 충분히 자동화할 수 있는 활동으로 전환하는 데 있다.

소프트웨어 자동화가 머신러닝을 통합해 다양한 화이트칼라 직업을 잠식하고 있는 사례는 이미 많다. 예를 들어 법률 분야에서 스마트 알고리즘은 문서를 검토해 법적 절차에 포함해야 하는지를 판단하고, 인공지능 시스템은 점점 더 법률 검토에 능숙해지고 있다. 예측 알고리즘은 대법원이 앞으로 발생할 수 있는 특정 계약의 위반을 판단하기 전에 역사적 데이터를 분석하고 사례 결과에서 모든 가능성을 평가한다. 다시 말해 인공지능은 한때 경험이 풍부한 변호사들의 고유 영역이었던 활동에도 이미 영향을 끼치기 시작했다. 거대 미디어 조직은 데이터 흐름을 분석하고 여기에 포함된 이야기를 파악한 다음 자동으로 원고를 작성하는 시스템에 점점 더 의존하고 있다. 블룸버그Bloomberg 같은 회사는 이 시스템을 활용해 기업수익 보고서에 관한 기사를 즉시 작성한다. 인공지능의 자연어 처리 능력이 향상될수록 조직 내외에서 일상적인 커뮤니케이션 용도로 작성되는 글은 어떤 형태로든 거의 자동화될 가능성이 크다. 은행이나 보험 업계의 분석 업무는 특히 취약하다. 예컨대 2019년 웰스파고Wells Fargo 보고서는 앞으로 10년 동안 기술 발전의 결과로 미국 보험 산업에서 약 20만 개의 일자리가 사라질 것으로 예측했다.[26] 자동화가 월스트리트에 끼치는 영향은 이미 분명하고 한때 복잡하고 혼란스러웠던 거래소는 이제 대부분 윙윙거리는 기계 소리로 채워진다. 2019년 주요 증권거래소에는 거래소의 특정 영역으로 강등된 소수의 직원만 남게 됐다.[27] 코로나바이러스 팬데믹은 거래소들이 완전한 전자거래로 서둘러 옮겨 감에 따라 이 인원조차 더는 필수적이지 않다는 것을 보여주었다.

고객 서비스나 기술 지원을 담당하는 콜센터는 확실히 파괴적 혁신이 무르익은 또 다른 영역이다. 인공지능의 자연어 처리 능력이 급속히 발전하면서 음성 통신 기술과 온라인 챗봇을 통해 많은 업무를 자동화할 수 있는 응용프로그램이 만들어지고 있다. 물론 콜센터 업무는 이미 해외로 많이 옮겨 갔다. 하지만 기술이 발전하면서 인도나 필리핀 같은 저임금 국가의 콜센터 일자리도 자동화로 사라지고 있다. 고객 서비스 질문에 응답하는 일은 여러 면에서 머신러닝에 매우 적합한 업무다. 고객과 콜센터 직원의 상호작용은 질문과 대답, 문제 해결 여부를 포함한 풍부한 데이터 세트를 생성한다. 머신러닝 알고리즘은 수천 개의 상호작용을 처리할 수 있고, 반복해서 나타나는 상당 부분의 쿼리를 빠르게 응답하는 데 곧 능숙해진다. 일단 시스템이 구축되면 고객 전화가 많이 올수록 알고리즘은 더욱 똑똑해진다. 고객 서비스 업무를 자동화하는 인공지능 기반 챗봇chatbot을 제공하는 스타트업만 해도 말 그대로 수십 곳이다. 대부분 의료나 금융 서비스처럼 구체적인 부문에 특화돼 있다.[28] 이런 기술이 계속 발전할수록 콜센터 운영 인력은 가장 까다로운 고객을 상대하기 위한 수준으로 줄어들 수 있다.

컴퓨터 코드를 작성하는 능력은 기술에 의한 고용 시장 파괴의 만병통치약처럼 제시되곤 한다. 언론 분야이든 탄광업이든 일자리를 잃은 사람들은 '코딩을 배워'라는 조언을 듣는다. 코딩 교육기관이 여기저기 생기고 이전부터 고등학교에서 컴퓨터 프로그래밍을 필수과목으로 만들자는 제안도 많았다. 하지만 컴퓨터 코딩은 사무직 일자리를 파괴하는 것과 같은 힘의 영향을 받는다. 콜센터와 마찬가지로 아웃소싱은 자동화의 최첨단이고 단조로운 소프트웨어 개발은 특히 인도 같은 저임금 국가로 이미 이전됐다. 거의 모든 주요 기술 기업은 컴퓨터 프로그래밍을 자동화하는 도구에 엄청난 투자를 하고 있다. 예컨대 페이스북은 공개된 컴퓨터 코딩의 거대한 데이터베이스를 활용해 컴퓨터 프로그래밍을 인공지능으로 '자동 완성'하는 아로마Aroma라는 도구를 개발했다.[29] DARPA도 컴퓨터 코드 개발, 디버깅, 테스트를 자동화하는 연구에 자금을 지원했다. 인터넷에서 추출한 방대한 문서로 훈련한 일반 언어 생성 시스템인 오픈AI의 GPT-3도 일부 간단한 프로그래밍 작업을 완성할 수 있다.[30]

결론은 컴퓨터 프로그래밍을 배우면 분명히 유용하고 보람도 있겠지만 이런 기술 습득이 좋은 일자리를 보장하는 시대는 저물고 있다는 것이다. 다른 화이트칼라 직업도 대부분 마찬가지일 것이다. 기술이 더 많이 교육받고 더 많은 임금을 받는 노동자까지 잠식하기 시작하면 극소수의 엘리트가 다른 사람들의 몫에서 가져온 엄청난 자본을 소유하면서 불평등은 더 심각해질 것이다. 많은 급여를 받는 노동자가 영향을 받기 시작하면 소비자 지출과 견고한 경제 성장 가능성이 더욱 약화될 것이다. 그러나 한 가지 장점은 고소득 지식 노동자들이 공장이나 저임금 서비스 직업에서 일하는 노동자들보다 훨씬 더 큰 정치적 권력을 행사하리라는 점이다. 결과적으로 화이트칼라 일자리에 끼치는 영향은 고용 시장의 기술적 혼란에 대응하는 정책적 지원을 자극하는 데 도움이 될 것이다.

어떤 직업이 가장 안전할까?

지난 몇 년 동안 나는 여러 대륙을 다니며 인공지능과 로봇공학이 고용 시장에 끼칠 수 있는 영향에 관해 많은 프레젠테이션을 했다. 국가에 상관없이 청중에게 가장 많이 받는 공통 질문은 거의 항상 같았다. 어떤 직업이 가장 안전할까요? 우리 아이가 어떤 분야를 공부하면 좋을까요? 일반적인 대답은 뻔하고 만족스럽지 못하다. "기본적으로 단조롭고 예측 가능한 성격의 직업은 피하세요." 인공지능 기반 자동화가 단기적으로 심각한 영향을 끼칠 영역은 분명해 보인다. 대답을 다른 방식으로 표현하면 "지루한 일을 피하세요"가 될 것 같다. 매일 출근해서 새로운 과제를 맡고 끊임없이 직장에서 배운다면 적어도 가까운 미래에 당신은 기술보다 앞선 자리를 차지할 것이다. 반면에 같은 종류의 보고서나 프레젠테이션을 작성하고 비슷한 분석을 반복하느라 많은 시간을 보낸다면 슬슬 걱정하기 시작해야 한다. 그리고 경력 궤도를 바꿔볼 고민을 해야 한다.

더 구체적으로 말하면 나는 중단기적으로 자동화의 영향을 가장 덜 받을 직업이 크게 세 가지 분야라고 생각한다. 첫째, 본질적으로 창의적인 직업이 상대적으로 안전하다. 만약 당신이 틀에서 벗어난 사고를 하고, 예상치 못한 문제를 해결하는 혁신적인 전략을 제안하거나, 정말 새로운 것을 만들고 있다면 나는 당신이 인공지능을 도구로 활용하는 자리에 있으리라 생각한다. 다시 말해 기술이 당신을 대체하기보다 당신에게 아첨할 가능성이 훨씬 크다. 물론 창의적인 기계를 만드는 연구가 다수 진행 중이고, 인공지능은 피할 수 없이 창의적인 일도 잠식하기 시작할 것이다. 이미 스마트 알고리즘은 독창적인 미술 작품을 그리고 과학 가설을 세우며 클래식 음악을 작곡하고 혁신적인 전자 설계를 해낼 수 있다. 딥마인드의 알파고와 알파제로는 새로운 에너지와 창의성을 프로 바둑과 체스 대결에 불어넣었다. 이 시스템들은 완전히 외계 지능처럼 보이고 종종 인간 전문가들을 깜짝 놀라게 하는 색다른 전략을 구사한다. 하지만 나는 가까운 미래에 인공지능이 인간의 창의성을 대체하기보다 증폭하는 데 쓰일 것으로 생각한다.

두 번째로 안전한 분야는 다른 사람과 의미 있고 복잡한 관계를 형성하는 데 큰 가치가 있는 직업들이다. 이를테면 간호사가 환자와 공감하고 돌보는 관계나 정교하고 수준 높은 조언을 제공하는 사업가나 컨설턴트가 고객과 형성하는 관계가 여기에 해당한다. 고객에서 미소를 짓고 친절하게 대하는 단기적인 서비스가 아니라 더 깊고 복잡한 대인 관계와 상호작용이 필요한 서비스를 가리키는 것이라고 강조하고 싶다. 다시 말하지만, 인공지능은 이미 이 영역도 잠식하고 있다. 3장에서 살펴봤듯이 챗봇은 기초적인 정신 건강 치료를 제공할 수 있고, 인간의 감정을 인식하고 이에 반응하며 시뮬레이션하는 인공지능 능력은 계속 비약적으로 발전할 것이다. 하지만 개인적으로는 기계가 사람과 매우 정교하고 다차원적인 관계를 형성할 수 있기까지 오랜 시간이 걸릴 것으로 생각한다.

세 번째로 안전한 분야는 예상치 못한 환경에서 높은 이동성과 손재주, 문제 해결 능력을 요구하는 직업이다. 간호사와 노인 간병인이 이 범주에 속하고 배관공이나 전기 기사나 정비공처럼 전문 기술직도 해당한다. 이런 유형의 작업을 자동화할 수 있는 로봇 개발은 훨씬 먼 미래에나 가능하다. 전문 기술직은 대학 교육을 받지 않기로 선택한 사람들에게 최고의 기회를 제공할 것이다. 나는 미국에서 고등학교를 졸업하면 대학에 가도록 밀어붙이기보다 이런 기회를 준비하는 젊은이들이 직업훈련이나 수습 과정에 참여할 수 있도록 더 중점을 두어야 한다고 생각한다.

그러나 중요한 것은 어떤 직업을 선택할지가 아니라 그 안에서 어떻게 자리 잡을지일 것이다. 인공지능이 발전할수록 고용 시장 전반에 걸쳐 단조롭고 '기본적인' 활동은 대부분 사라지지만 창의적인 기술이 필요한 분야에 집중하거나 조직에 가치를 더하는 방편으로 광범위한 전문 네트워크를 활용할 수 있는 사람은 정상의 자리에 오를 것이다. 다시 말해 운동선수나 연예인들 사이에서 볼 수 있는 승자 독식이나 슈퍼스타 효과가 직업에 영향을 끼칠 가능성이 있다. 법정에서 노련하거나 고객 관계가 탄탄해서 회사에 사건을 가져오는 변호사는 인공지능이 발전해도 계속 성공할 것이다. 반면에 주로 법률 검토나 계약 분석에 몰두하는 변호사는 전망이 그다지 유망하지 못할 것 같다.

이런 상황에 적응해야 하는 개인으로서 당신에게 가장 좋은 방법은 정말 좋아하는 직업, 열정이 있는 일을 선택하는 것이다. 그렇게 해야 그 분야에서 두각을 나타내고 아웃라이어가 될 확률을 높일 수 있기 때문이다. 단순히 일자리가 많았던 분야라는 이유로 앞으로 직업을 선택한다면 썩 좋은 선택은 아닐 것 같다. 하지만 문제는 이것이 한 개인에게는 좋은 조언일 수 있지만, 체계적인 해결책은 아니라는 것이다. 이런 전환이 진행되면 많은 사람이 뒤처지게 될 것이고, 궁극적으로 이런 현실을 해결할 정책이 필요할 것이다.

인공지능이 가져올 경제적 혜택

인공지능이 고용 시장과 경제적 불평등에 끼칠 수 있는 영향은 우려되지만, 기술이 경제와 사회 전반에 막대한 혜택을 가져올 것도 의심할 수 없다. 증가하는 자동화는 생산 효율을 높이고 상품과 서비스 가격을 낮추는 직접적인 원인이 될 것이다. 다시 말해 인공지능은 사람들이 번영하는 데 필요한 것을 풍부하고 저렴하게 만듦으로써 빈곤을 줄이고 마침내 없애는 데 중요한 도구가 될 것이다. 연구와 설계, 개발에 사용되는 인공지능은 이제껏 상상할 수 없었던 완전히 새로운 제품과 서비스를 만들어낼 것이다. 신약 개발과 새로운 치료법은 거의 모든 사람의 복지 수준을 향상하며 극적인 경제 발전으로 이어질 것이다.

2018년에 발표된 2개의 보고서는 2030년까지 인공지능이 세계 경제에 막대한 경기 부양을 가져올 것이라는 강한 전망을 담고 있다. 맥킨지글로벌연구소는 인공지능이 전 세계 생산량에 약 13조 달러를 추가할 것으로 전망했고,[31] 컨설팅 회사 PwC는 그 금액이 15조 7,000억 달러에 이를 것으로 추정했다.[32] 다시 말해 인공지능이 앞으로 10년 동안 현재 14조 달러 규모의 중국 GDP에 해당하는 새로운 글로벌 경제 가치를 추가한다는 전망이다. 맥킨지 분석에 따르면 이러한 이득은 S자 곡선을 그리는 형태로 나타날 것이다. "(인공지능) 학습과 배치에 관련된 상당한 비용과 투자 때문에 시작은 느리겠지만 경쟁에 따른 누적 효과와 상호 보완적인 기능 향상 덕분에 점차 가속될 것이다."[33] 2030년까지 우리는 급속히 발전하는 기술과 그에 따른 경제적 이득과 함께 이 곡선에서 가파른 성장세를 탈 것이다.

하지만 이러한 예측은 장기간에 걸쳐 인공지능에서 얻을 수 있는 가장 극적인 혜택을 포착하지 못한다. 3장에서 살펴봤듯이 인공지능이 약속하는 가장 중요한 한 가지는 기술 정체기를 벗어나도록 돕는 것이다. 만약 인공지능이 과학, 공학, 의료 분야에 걸쳐 광범위한 혁신에 시동을 건다면 투자에 대한 잠재적 수익은 상상하기 어려운 수준이다. 기후변화에서부터 새로운 청정에너지원과 다음 팬데믹의 관리에 이르기까지 피할 수 없는 어려운 도전을 해결하는 방법으로 우리의 집단 지성과 창의성을 증폭하는 것이 중요하다. 집단 지성과 창의성은 경제적 분석으로 정량화하기 어렵지만, 이것이야말로 인공지능이 유례없는 경제적·사회적 위험과 결부되더라도 그냥 내버려둘 수 없는 필수 도구가 된다.

우리 앞에 놓인 핵심 과제는 인공지능에 계속 투자하고 기술이 가져올 이점을 최대한 활용하면서 기술적 실업과 불평등의 증가와 같은 단점을 해결할 방법을 찾는 것이다. 우리가 직면하게 될 근본적인 경제적 도전은 분배 문제다. 인공지능과 관련된 잠재적 경제 이익은 부인할 수 없지만 이런 혜택을 전체 인구가 광범위하고 공정하게 공유한다는 보장은 어디에도 없다. 실제로 우리가 아무런 행동도 하지 않는다면 그 이익은 소득분포의 최상위에 있는 소수의 사람에게 압도적으로 쌓이고 인구 대다수는 크게 뒤처지거나 잠재적으로 더 나쁜 상황에 부딪힐 수 있다. 앞서 살펴봤듯이 광범위한 소비자 기반이 약해지고 생산성 성장과 경제적 이익을 저해할 수 있다. 다시 말해 인공지능의 경제적 단점을 해결하지 못하면 기술의 장점을 완전히 실현하는 데 한계가 있을 수 있다. 이런 잘못된 결과를 피하려면 나는 극적이면서 기존에 없던 정책적 구상이 필요하다고 생각한다. 수십 년 동안 사용해온 직업 재훈련 프로그램이나 더 많은 사람이 대학 교육을 받도록 하는 전통적 해법으로는 충분할 것 같지 않다. 인공지능이 이미 고급 기술직에 상당한 영향을 끼치고 있는 현실을 고려하면 이런 추세는 기술이 더욱 강력해질수록 추진력을 얻게 될 것이다.

인공지능이 분배 문제를 해결할 수 있는가

내가 생각할 때, 인공지능의 발전이 가져올 분배 문제를 해결하는 간단하고도 효과적인 방법은 사람들에게 그냥 돈을 나눠 주는 것이다. 다시 말해 인구 전체 또는 대부분에게 최저 소득 보장, 마이너스 소득세, 기본 소득 같은 방법으로 소득을 보충해주는 것이다. 최근 가장 주목받는 아이디어는 조건 없는 보편적 기본 소득 unconditional universal basic income, UBI이다. 인공지능 기반 자동화에 대한 정책 대응으로 조건 없는 보편적 기본 소득은 2019년 민주당 대통령 후보 경선에 나선 앤드루 양Andrew Yang에 의해 극적으로 가속됐다. 앤드루 양은 모든 미국 시민에게 매월 1,000달러의 '자유 배당금Freedom Dividend'을 지급하겠다는 공약을 내걸었다. 선거운동은 활발한 온라인 팔로잉의 결과로 크게 주목받았고, 그가 참가한 민주당 토론에서 보편적 기본 소득을 주류로 끌어올리고 처음으로 이 아이디어를 수많은 미국인에게 노출했다.

보편적 기본 소득의 장점은 고용 상태에 상관없이 모두에게 지급되므로 수혜자가 추가 소득을 얻을 수 있는 일을 하거나 창업 활동을 하려는 동기를 해치지 않는다. 다시 말해 기존 사회 안전망 프로그램의 가장 큰 문제 중 하나를 피할 수 있다. 빈곤의 덫poverty trap을 만들지 않는다는 것이다. 실업 급여나 복지 수당 같은 혜택은 수혜자가 일단 일자리를 찾거나 수입이 생기기 시작하면 줄어들거나 완전히 없어지므로 구직 활동을 하려는 의욕을 꺾을 수 있다. 저임금 일자리라도 수락하면 기존 수입이 즉시 보장되지 않는 위험에 처한다. 결과적으로 사람들은 사회 안전망에 의존하려는 덫에 갇히게 되고 더 나은 미래를 향해 작은 걸음을 내디딜 구체적인 동기를 찾지 못한다. 반면에 보편적 기본 소득은 고용의 영향을 받지 않으며, 따라서 추가 소득을 얻기 위해 일을 하거나 소규모 사업을 시작하는 사람은 단순히 집에서 매달 기본 소득을 받는 사람보다 경제적 상황이 항상 더 좋을 것이다. 보편적 기본 소득은 절대적인 소득 하한선을 정하지만, 돈을 더 벌려는 강력한 동기는 여전히 존재한다.

이런 장점에도 불구하고 많은 사람이 단순히 돈을 나눠 주는 생각에 강한 심리적 혐오감을 느낀다. 이런 태도는 보편적 기본 소득을 실제로 구현할 때 큰 정치적 걸림돌이 될 수 있다.

물론 다른 정책적 대안들도 있고 그중 가장 자주 인용되는 것이 고용 보장이다. 일자리가 필요한 사람에게 정부가 최후의 수단으로 고용주가 된다는 아이디어는 겉으로는 매력적으로 보일지 모르지만 심각한 단점이 있어 보인다. 고용 보장은 기본 소득보다 보편적이지 않고 가장 도움이 필요한 사람들 다수가 불가피하게 제외될 것이다. 이런 시스템에는 거대하고 비용이 많이 들며 계속 확장할 수밖에 없는 관료제가 필요하다. 관리자는 노동자가 실제로 출근해서 할당된 업무를 하는지 확인해야 하고, 결근이나 저성과, '미투me too' 상황 같은 다양한 징계 거리가 틀림없이 나타날 것이다. 특정 기준을 충족하지 못하는 노동자를 징계하거나 해고하는 정책은 논란에 휩싸이거나 차별이나 불평등 대우 같은 비난을 불러올 가능성이 크다. 궁극적으로 정부는 저성과자나 규칙 위반자를 해고할 수밖에 없고(여기에 해당하는 개인은 사회 안전망에서 제외될 것이다), 고용 프로그램은 사실상 기본 소득 제도와 비슷하지만, 비용은 많이 들고 효율은 떨어지는 버전에 가까워질 것이다. 이렇게 만들어진 대부분의 자리는 '쓸 데도 없고 의미도 없는 일자리bullshit jobs'가 될 것이고 기본 소득 프로그램과 달리 고용 보장은 민간 부문의 생산적인 자리에 있던 노동자들의 이탈을 부추길 것이다. 그에 반해 기본 소득은 관료

주의 방식이 거의 필요하지 않고 연금제도나 다른 지원 제도를 통해
지급하는 방식으로 운영해 정부의 기존 역량을 활용할 수 있다.

나는 기본 소득이 인공지능의 편재에 따라 나타날 분배 문제를
해결하는 최선의 방안이라고 생각하지만 그렇다고 만병통치약이라
고 생각하지는 않는다. 오히려 기본 소득이 더 효과적이고 정치적
으로 적합한 해결책을 구축하기 위한 기반이라고 생각한다. 가장
중요한 문제는 기본 소득이 사람들의 손에 돈을 쥐여주겠지만 그것
만으로는 전통적인 직업과 관련된 다른 중요한 장점들을 흉내낼 수
없다는 것이다. 의미 있는 일자리는 목적의식과 존엄성을 제공한
다. 시간을 의미 있게 보내고 급여 인상이나 승진을 바라며 열심히
일하고 탁월해지려는 동기가 된다. 좋은 일자리를 얻으려는 바람은
개인이 더 많은 교육과 훈련을 받으려는 매우 중요한 동기이기도
하다.

나는 기본 소득 프로그램을 수정해서 적어도 부분적으로 이런 장
점을 모방하는 것이 가능하다고 생각한다. 2009년에 첫 번째 책
《터널 속의 빛: 자동화, 기술혁신, 그리고 미래 경제The Lights in the Tunnel:
Automation, Accelerating Technology and the Economy of the Future》가 출간된 이후 나는 직
접적인 인센티브를 포함하는 기본 소득 제도를 옹호해왔다. 모든
사람이 최소한의 보장된 급여를 받아야 하지만 다른 활동을 해서
더 벌 기회도 있어야 한다고 생각한다. 가장 중요한 인센티브는 단
연코 교육일 것이다. 18세 또는 21세가 되면 매달 모두 정확히 같

은 금액의 기본 소득을 받는 세상을 상상해보자. 그렇다면 학교를 중퇴할 위험에 처한 고등학생이 졸업장을 받기 위해 힘들게 공부할 이유가 거의 없어질 것이다. 어쨌든 매달 돈이 들어오는 것은 마찬가지다. 그리고 졸업장만으로 좋은 일자리를 구하지 못한다면(이미 그런 세상이 된 것 같다) 왜 학교를 더 다녀야 하겠는가? 이런 종류의 인센티브는 재앙이 될 것이고 우리가 직면할 미래는 너 복잡해지고 어려운 도전과 상충 관계로 가득하지만, 교육 수준이 낮은 인구는 증가하게 될 것이다. 그렇다면 간단히 고등학교를 졸업한 사람에게 조금 더 많은 돈을 지급하면 어떨까? 기본 소득 프로그램에 인센티브를 넣겠다는 아이디어는 고등교육과 지역사회 봉사 활동 같은 다른 부분을 포함하도록 확장할 수 있다. 궁극적인 비전은 사람들이 시간을 의미 있게 보내고 성취감을 얻을 기회를 만드는 것이다. 아마도 가장 중요한 것은 인센티브를 따라 교육을 더 받으려는 사람들이 취업이나 창업 활동을 통해 더 많은 기회에 접근할 확률을 높인다는 점이다. 인공지능이 더 광범위하게 사용될수록 개인이 소규모 사업을 시작하거나 프리랜서 기회를 통해 수입을 창출할 때 활용할 수 있는 강력한 도구를 제공하게 될 것이다. 그러나 이런 기회를 활용하려면 적어도 최소한의 교육 기준은 갖춰야 할 것이다. 우리 사회의 모든 수준의 사람이 각자 능력 안에서 가장 높은 수준의 교육을 받도록 강력한 인센티브를 유지하는 것이 가장 중요한 목표 가운데 하나가 될 것이다.

보편적 기본 소득의 또 다른 문제는 비용이 많이 든다는 것이다. 모든 미국 성인에게 조건 없이 소득을 분배하려면 수조 달러의 비용이 들 것이고, 이미 부유한 사람들에게도 매달 돈이 지급된다는 생각에 유권자들이 반감을 품게 될 것이다. 일할 동기에 영향을 끼치지 않으면서 고소득층을 보편적 기본 소득에서 효과적이고 단계적으로 배제할 기회는 있다. 가장 좋은 방법은 '수동 소득passive income(불로소득)'에 대해 기본 소득을 시험해보는 것이다. 직접 일할 필요 없이 연금이나 사회보장, 투자 소득처럼 이미 자동으로 들어오는 상당한 수입이 있다면 단계적으로 기본 소득 지급을 줄이거나 없애는 것이다. 일하거나 직접 사업을 경영해서 얻는 적극 소득active income(활동 소득)은 소득이 아주 높은 층은 제외하고, 기본 소득에 영향을 끼치지 않을 것이다. 이것을 불공평하다고 생각하는 사람도 많겠지만 기본 소득의 배경에는 결국 모든 사람에게 적어도 최소한의 소득을 보장하자는 취지가 있다. 이미 이런 보장의 혜택을 받는다면 아마 기본 소득이 필요하지 않을 것이다. 어떤 정책적 이니셔티브도 세상을 완전히 공평하게 만들지는 못한다. 우리가 현실적으로 기대할 수 있는 최선은 불평등을 완화하고 가장 심각한 형태의 물질적 결핍을 제거하고 소비자가 경제 성장을 지속시킬 수 있는 소득을 보장하는 것이다.

물론 이 모든 아이디어에는 부딪쳐야 할 도전 과제들이 있다. 만약 기본 소득 제도에 인센티브를 포함한다면 그 인센티브가 무엇이

돼야 할지 누가 정확하게 결정할 수 있겠는가? 많은 사람이 국가가 선택의 자유를 침해하고 우리의 일상을 파고들어 간섭한다고 이야기할 것이다. 하지만 나는 여전히 개인과 사회 전체에 명백히 이득이 되는 최소한의 인센티브에 대해 광범위한 합의에 도달하는 것이 가능해야 한다고 생각한다. 그리고 다시 한번 교육 추구가 가장 중요하다는 점에서 분명히 차별화된다고 생각한다. 이와 관련해 기본 소득 프로그램의 정치화가 우려를 불러올 수 있다. 거의 모든 정치인이 '월별 기본 소득 지급액 인상'을 공약으로 내세우는 미래를 쉽게 상상할 수 있다. 이런 이유로 나는 기본 소득 프로그램 관리를 정치 과정에서 분리하고 명확한 지침에 따라 운영되는 기술 관료 기관이 전담해야 한다고 생각한다. 이를테면 연방준비제도 같은 기관이 될 것이다.

이 중 어느 것도 우리가 실업, 불완전 고용, 불평등의 증가에 대응하는 기존의 해결책을 포기해야 한다고 주장하지 않는다. 앞으로 수년 또는 수십 년 동안 인공지능과 로봇공학의 영향이 가속되면 최대한 많은 노동자가 성공적으로 직업을 전환할 수 있도록 할 수 있는 모든 대책을 세워야 한다. 특히 우리는 지역 전문대학과 직업 훈련이나 수습 프로그램에 투자해 현재 미국에서 이 영역을 대부분 차지하고 폭리를 취하는 영리 교육기관의 대안을 제공해야 한다. 하지만 결국 이런 유형의 프로그램으로 대응하기에는 부족할 정도로 변화는 클 것이므로 전에 없던 독창적인 해결책을 도입해야 한다고 생각한다.

　기본 소득을 가로막는 정치적 장애물은 여전히 벅차겠지만 현실적으로 이런 프로그램을 최소한의 수준에서 시작한 다음 시간이 갈수록 점차 늘릴 수 있을 것이다. 국가적으로 프로그램을 시행하기에 앞서 우리는 조건 없는 보편적 기본 소득에 대한 많은 데이터와 실제 경험이 필요하다. 따라서 최적의 정책 파라미터를 찾는 실험을 시작해야 한다. 이런 실험 가운데 인센티브를 포함하려는 내 아이디어도 반영되기를 기대한다. 기본 소득 실험에서 생성된 데이터를 통해 우리는 점점 더 인공지능에 의해 만들어질 미래에 효과적으로 확장하고 광범위한 번영을 보장하는 프로그램을 만들 수 있을 것이다.

　기술 실업과 불평등 증가의 가능성은 인공지능의 부상과 함께 나타나는 주요 관심사 가운데 하나일 뿐이다. 이어지는 7장과 8장에서는 기술 발전에 따라 이미 명백해지고 있거나 앞으로 발생할 가능성이 있는 다양한 위험에 초점을 맞출 것이다.

7장

인공지능 감시 국가의 부상

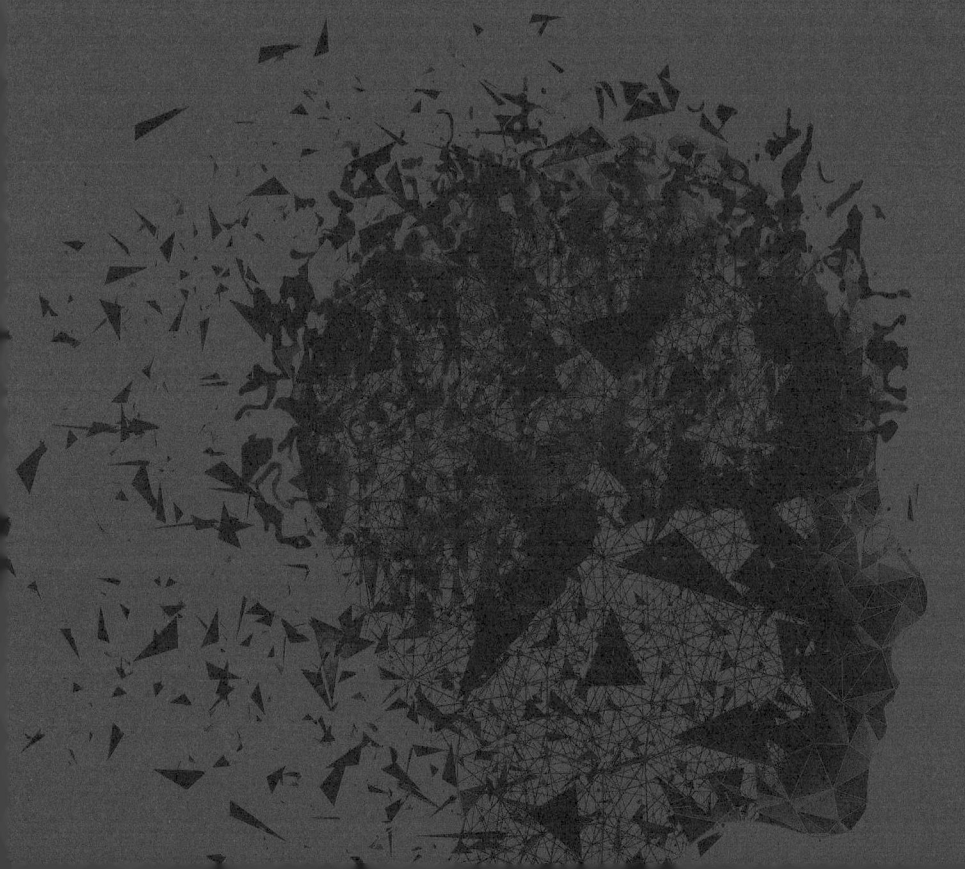

RULE OF
THE
ROBOTS

신장 위구르 자치구는 중국의 서북쪽 경계를 이루고 있다. 이 지역은 미국 텍사스 면적의 2.5배에 해당할 만큼 광활하고 중국을 제외한 7개 국가와 국경을 접하고 있다. 동북쪽으로 몽골과 북쪽으로 러시아, 서쪽으로는 카자흐스탄, 키르기스스탄, 타지키스탄, 아프가니스탄, 파키스탄과 인도를 마주한다. 기후와 지형도 만만하지 않다. 주로 험준한 산과 사막이 이어지고 2,400만 명 인구 대부분은 오아시스 도시에 밀집해 산다. 전설적인 실크로드가 신장을 가로지르며(과거에는 도로망이었기 때문에 로드road가 아니라 '로즈roads'가 맞겠다) 이 지역은 동서 무역의 중심지가 됐고 유라시아 전역에서 문명이 일어나는 데 이바지했다. 13세기 후반 마르코 폴로가 이 길을 따라 여행했을 때 오늘날 신장에서 볼 수 있는 모습과 다를 바 없이 북적이는 시장과 짐을 실은 낙타를 만났을 것이다.

하지만 신장이 주목받게 된 것은 풍부한 역사 때문이 아니다. 조지 오웰의 소설에 나오는 전체주의적 미래가 이 지역 최대 소수민족인 위구르족을 누르고 있기 때문이다. 카슈가르 같은 도시에서 중국은 대규모 경찰, 물리적 검문소, 첨단 기술을 결합한 억압적인 감시 체제를 구축했다. 이 도시의 모든 사람이 사실상 끊임없이 감시를 받는다. 수천 대의 카메라가 거리에 줄지어 있고 빌딩에 설치됐으며 전신주에 밀집해 있다. 주민들은 도시를 다닐 때 검문소에서 얼굴 인식 시스템으로 신원을 확인한 뒤에야 움직일 수 있다.[1]

신장은 중국 감시 체제의 시작점이면서 한편으로는 중국 전체에 배치될 감시 기법과 기술의 성능 시험장이다. 중국은 2020년까지 3억 대 이상의 카메라를 설치할 예정이다. 이들 중 다수는 얼굴 인식 기술과 인공지능 기반 추적 기법이 연결돼 걸음걸이나 옷차림으로 보행자를 식별할 수 있다.

신장에서 위구르인이 규정된 행동에서 벗어나거나 코란을 읽는 등 금지된 사상에 참여할 경우 중국 정부가 이 지역에 세운 거대한 '재교육 수용소'로 보내질 위험에 처한다. 중국 정부는 다른 지역에서도 포괄적인 사회 평가 시스템social rating system을 배치해 체계적인 행동 교정을 실행하려는 무서운 계획을 하고 있다. 결국 소비자의 구매, 물리적 이동, 소셜 미디어에서의 상호작용, 다른 사람과의 관계를 포함한 개인 생활의 거의 모든 측면이 감시당하고 기록되며 분석될 것이다. 이 정보를 이용해서 한 개인의 전반적인 사회 평가가 생성되고, 이 시스템에서 낮은 점수를 받으면 대중교통을 이용할 수 없거나 자녀를 학교에 입학시키지 못하는 등 불이익을 받게 될 것이다.

이 모든 것은 중국이 인공지능 연구 개발 분야의 세계적인 리더로 급부상하면서 가속됐다. 이 분야에서 일하는 컴퓨터과학자와 공학자의 수나 발표된 연구 논문 수만 놓고 보면 중국은 이미 미국을 앞질렀다. 또한 인공지능을 국가 전략 과제로 삼고 막대한 투자가 이루어지고 있다. 국가 지도자들은 이 분야에 관심뿐만 아니라 관련 지식도 풍부해 보인다. 2018년 초 시진핑 주석이 집무실에서 TV 연설을 했을 때 배경에 있던 인공지능과 머신러닝 책이 포착됐다.[2] 정부는 수백 개의 스타트업에 자금을 지원하고 이들 중 다수가 수십억 달러의 가치가 있는 확실한 기술 리더들이다.

중국이 세계 인공지능 연구 개발의 양대 중심 중 하나를 맡으면서 이 분야에서 미국과 서양 국가들과 벌이는 경쟁이 더 치열해질 것으로 보인다. 신흥 인공지능 산업에서 중국은 대부분 얼굴 인식과 감시 기술 개발에 중점을 두고 있고 이 분야의 기업들은 중국뿐만 아니라 전 세계에서 관심 있는 고객들을 찾고 있다. 앞으로 살펴보겠지만 인공지능 기반 감시 기술은 결코 권위주의 체제에 국한되지 않는다. 특히 얼굴 인식은 미국과 다른 민주주의 국가에서 널리 사용되고 있으며, 이미 격렬한 논쟁과 편향과 오용에 대한 비난으로 이어졌다. 이런 문제는 계속 강력해지는 기술을 엄격하게 규제하지 않는 한 더욱 만연하게 될 것이다.

중국, 인공지능 연구 개발의 최전선

2018년 6월 컴퓨터 비전에 관한 주요 콘퍼런스가 미국 유타주 솔트레이크시티에서 개회됐다. 2012년 이미지넷 대회가 개최된 지 6년 만에 머신 비전 분야는 비약적인 발전을 거뒀고, 연구자들은 훨씬 더 어려운 문제를 해결하는 데 집중하고 있었다. 이 콘퍼런스의 하이라이트 중 하나는 로부스트 비전 챌린지Robust Vision Challenge였다. 애플과 구글을 포함한 주요 기업이 후원하는 이 대회는 전 세계 대학교와 연구실에서 참가한 팀들이 실내 또는 실외 조명이나 다양한 기상 조건 같은 여러 상황에서 안정적으로 이미지를 식별하는 도전 과제를 놓고 경쟁했다.[3] 이 기능은 다양한 환경에서 작동하는 자율 주행차나 로봇에 매우 중요하다. 대회에서 가장 중요한 부분 중 하나는 스테레오 머신 비전stereo machine vision으로, 인간의 눈처럼 2대의 카메라를 사용한다. 약간 다른 관점에서 시각 정보를 해석하면 우리 뇌는 한 장면을 3차원으로 생성할 수 있다. 마찬가지로 2대의

카메라를 적절히 배치하면 알고리즘이 비슷한 작업을 할 수 있다.[4]

우승 팀이 알려지자 많은 사람이 놀랐다. 중국 국방기술대학교 연구팀이 그 주인공이었기 때문이다. 이 대학은 1953년에 중국 인민 해방군 군사 공병 학교로 설립됐으며, 특히 컴퓨터과학 분야의 연구와 혁신으로 다수의 국가상을 받았다. 웹 사이트에서는 이 대학이 "충성스럽고 유능한 후계자를 양성하기 위해 당의 혁신 이론에 교육적 노력의 근거를 둔다"라고 밝히고 있다.[5] 이는 중국에서 학문적·상업적 인공지능 연구와 국가의 정치, 군사, 안보 기관 사이에는 쉽게 넘나들 수 있는 형식적인 경계선이 있을 뿐이라는 사실을 잘 보여주는 것 같다.

물론 중국 정부가 국가 경제와 사회의 거의 모든 면에 개입하고 어느 정도 통제력을 행사하는 것은 일상적인 일이다. 하지만 최근 인공지능 분야에서 보이는 중국의 급속한 발전은 중앙정부가 제시한 구체적인 산업 정책에 의해 심각하게 가속되고 조정됐다.

이런 변화를 지켜본 사람들은 인공지능에 대한 중국 공산당 측의 관심이 갑작스럽게 급증한 계기가 2016년 3월 서울에서 열린 딥마인드 알파고 시스템 대 바둑 챔피언 이세돌의 대결 때문이라고 믿는다. 바둑은 최소 2,500년 전 중국에서 시작돼 중국 대중 사이에서 폭넓은 인기와 인정을 얻고 있다. 서울에서 7일 동안 열린 대회에서 알파고가 4 대 1로 승리를 거두는 장면을 중국에 있는 2억 8,000만 명 이상의 사람들이 지켜봤다. 미국에서 보통 몇 시간 동안 슈퍼볼 경기를 시청하는 사람의 거의 3배에 해당하는 수다. 중국의 역사와 문화에 깊이 뿌리를 둔 지적 활동에서 컴퓨터가 인간 고수를 이긴 사건은 대중은 물론 중국 학계와 기술 전문가, 정부 관료들에게 지울 수 없는 인상을 남겼다. 베이징을 중심으로 활동하는 벤처캐피털리스트이자 작가 리카이푸는 알파고-이세돌 경기를 '중국판 스푸트니크 모멘트'라고 불렀다. 1950년대 소련의 인공위성 발사로 충격을 받은 미국이 우주 프로그램에 대중의 지지를 자극한 데 빗대어 한 말이다.[6]

그로부터 1년 뒤 중국 우전에서 두 번째 대회가 열렸다. 우승자에게 상금 150만 달러가 주어지는 대결에서 알파고가 당시 세계 순위 1위인 중국의 커제를 세 번의 대국 내내 압도적으로 이겼다. 하지만 이번에는 경기를 실시간으로 지켜보는 관중이 없었다. 중국 정부는 결과를 예상했는지 이 대결의 생방송 중계나 심지어 문자 해설도 금지하는 검열 명령을 내렸다.[7]

커제가 알파고에 패하고 두 달이 지난 2017년 7월, 중국 정부는 인공지능을 전략적 국가 우선순위로 지정하는 구체적인 계획을 발표했다. 〈차세대 인공지능 개발 계획〉이라는 제목의 문서는 인공지능이 "인간 사회와 생활을 근본적으로 바꾸고 세상을 변화시킬 것"이라고 선언하고, 2030년까지 기술 지배를 향한 단계별 과정을 야심 차게 제시했다. 이 계획에 따르면, 2020년까지 중국은 "전반적인 인공지능 관련 기술과 응용을 세계 선진 수준과 보조를 맞출 것"

이고 "인공지능 산업은 새로운 주요 경제 성장점이 될 것"이다. 다음 단계에서 "중국은 2025년까지 인공지능 기본 이론 분야에서 획기적인 주요 성과를 달성하고, 일부 기술과 응용 분야는 세계 최고 수준에 도달할 것이다. 인공지능은 중국 산업 고도화와 경제 전환의 주요 원동력이 될 것이다." 마지막으로 "2030년까지 중국의 인공지능 이론, 기술, 응용프로그램은 세계 최고 수준을 달성한다. 중국은 세계 주요 인공지능 혁신 센터가 되고, 지능형 경제 및 지능형 사회 응용 분야에서 구체적 성과를 달성하며, 혁신형 강국과 경제 대국의 중요한 토대를 마련한다."[*, 8]

이 문서의 발표가 중요한 이유는 중국 중앙정부가 국가의 인공지능 역량 개발을 직접 세세하게 관리할 수 있는 능력이 있기 때문이 아니라, 이 문서가 전반적인 전략을 정의하고 더 중요하게는 지역과 지역 정부를 위한 명확한 인센티브를 만들었기 때문이다. 중

---

* 혹시 언어 번역에 적용되는 심층 신경망의 능력에 의문이 있다면 중국이 발표한 〈차세대 인공지능 개발 계획〉의 두 가지 도입 부분을 비교해보라. 하나는 중국 정부 문서 원문을 구글 기계번역으로 생성한 것이다. 다른 하나는 네 명의 언어학자 팀이 전문적으로 번역했다. 두 문서의 첫 문단은 다음과 같다. 어느 것이 어느 것인지 구분할 수 있겠는가?

  A. 인공지능의 급속한 발전은 인간 사회와 세상을 근본적으로 변화시킬 것이다. 인공지능 개발에서 주요한 전략적 기회를 포착하고, 중국에서 인공지능 개발의 선도자 우위를 구축하며, 혁신 국가와 세계 과학 기술 강국 건설을 가속하기 위해, 이 계획은 당 중앙위원회와 국무원의 전개 요구에 따라, 수립됐다.

  B. 인공지능(AI)의 급속한 발전은 근본적으로 인간 사회와 생활을 바꾸고 세상을 변화시킬 것이다. AI 개발을 위한 주요한 전략적 기회를 포착하고, AI 개발에서 중국의 선도자 우위를 구축하며, 과학과 기술에서 혁신 국가와 세계 강국 건설을 가속하기 위해, 중국 공산당 중앙위원회와 중국 국무원의 요구에 따라, 이 계획이 수립됐다.

  정답은 B가 사람이 번역한 것이다. (7장 미주 8 참조)

국 체제에서는 많은 권한이 다양한 지역과 도시를 운영하는 공산당 관리들에게 위임돼 있다. 당 서열에 따른 승진은 대체로 능력 위주이고 공무원의 경력은 구체적인 지표로 측정되는 성과 중심의 경쟁 생태계에서 어떻게 능력을 발휘하는지에 따라 크게 좌우된다. 이렇게 두각을 나타내는 사람에게는 사실상 제한이 거의 없다. 시진핑 주석도 푸젠성과 저장성, 나중에는 상하이에서 고위 공무원으로 경력의 대부분을 보냈다.

중앙정부가 인공지능을 명시적으로 수용하기 전에도 특정 지역은 이미 상당한 투자를 하고 인공지능 스타트업을 육성했다. 이 가운데 대부분이 중국 남부 도시 선전과 베이징 서북쪽 중관춘 같은 '첨단 기술 회랑'에 집중됐다. 특히 중관춘은 명문 대학인 베이징대학교와 칭화대학교가 가까우며, 흔히 '중국의 실리콘밸리'로 불린다. 2017년 전략 문서의 발표로 구체적인 인공지능 지표가 만들어졌고 지역 공무원들은 이 지표에 따라 평가받게 될 것을 알았다. 그 결과 중국의 여러 지역과 도시가 이 경쟁에 빠르게 뛰어들어 경제특구와 스타트업 인큐베이터를 조성하고 인공지능 스타트업에 벤처 자금을 직접 제공하고 보조금을 지원했다. 단일 도시에서 이루어진 투자가 10억 달러를 쉽게 넘어갔다. 혁신에 중점을 두고 이렇게 느슨하게 조정된 하향식 지침은 미국에서는 상상하기 어렵다. 미국판 지역 간 경쟁은 일반적으로 제로섬 게임에 가깝다. 텍사스주가 캘리포니아주에서 기업을 이전하도록 유인하거나 여러 도시가 고용 창출 시설을 유치하는 대가로 대기업에 많은 세금 우대 혜택을 제공하는 것이 현실이다.

중국은 인공지능 분야의 발전을 추진하면서 몇 가지 중요한 이점을 누리고 있다. 대부분의 이점은 중국의 엄청난 인구에서 직접 파생한다. 2020년 3월 기준, 중국에서 인터넷 실사용자 수는 9억 명으로 미국과 유럽의 수를 합친 것보다 많고 전 세계 온라인 이용자 수의 약 5분의 1에 해당한다.[9] 중국에서 인터넷 보급은 전체 인구의 65퍼센트 수준이지만 미국은 90퍼센트에 이른다.[10] 다시 말해 중국의 온라인 성장 가능성이 훨씬 크다. 중국 14억 인구 가운데 똑똑하고 야심 찬 고등학생과 대학생은 셀 수 없이 많고, 이들은 딥러닝 같은 기술에 능숙해져서 폭발적으로 증가하는 중국 인공지능 스타트업에 합류하거나 창업하기를 희망한다. 이런 스타트업 가운데 10억 달러 이상의 가치를 가진 곳이 적지 않다. 젊은이들은 MIT나 스탠퍼드대학교 같은 미국 최고 대학에서 제공하는 온라인 과정을 성실하고 열정적으로 이수한다. 북미와 유럽의 최고 수준의 인공지능 연구자들이 발표하는 기술 논문도 주의 깊게 살펴본다. 그 결과 중국은 서양에서 생성한 첨단 지식을 꾸준히 흡수하고 곧 중국 경제와 사회의 모든 차원에서 인공지능을 활용할 준비가 된 재능 있고 성실한 엔지니어 풀pool을 빠르게 구축하고 있다.

그러나 가장 중요한 이점은 중국 경제활동이 생성하는 데이터의 양과 유형에 있다. 개발도상국이었을 때 중국은 기존 인프라에 훨씬 적게 투자했고 결과적으로 모바일 기술의 최전선으로 곧바로 도약했다. 중국인들은 스마트폰을 서양보다 훨씬 다양한 활동에 사용한다. 특히 텐센트의 위챗^{WeChat} 앱의 인기가 큰 역할을 했다. 2011년에 출시된 위챗은 중국과 재외 중국인들 사이에 압도적인 인기를 얻었다.

기본적으로 위챗은 페이스북의 왓츠앱^{WhatsApp}과 비슷한 모바일 메신저 앱이다. 하지만 텐센트는 위챗의 기능을 적극적으로 확장하기로 일찍부터 결정했다. 제3자가 '공식 계정'을 사용해 자체 기능을 추가할 수 있도록 했다. 미니 앱에 해당하는 이런 기능은 특히 위챗의 디지털 결제 기능과 결합해 모든 유형의 기업에서 인기를 끌었다. 미국과 다른 서양 국가에서는 모든 기업이 자체 개발한 모바일 앱을 보유하는 것이 일반적이다. 중국에서 위챗은 일종의 '플랫폼 성격의 마스터 앱'으로 진화했고 수많은 기업과 조직이 대중과 접속하기 위해 이 앱을 사용한다. 중국인들은 단순히 의사소통 수단뿐만 아니라 식당에서 계산하고 병원 진료를 예약하고 온라인 데이트를 하거나 공과금을 내고 택시를 부르는 등 생활에서 모든 일을 할 때 기본적으로 위챗을 사용한다. 위챗을 통해 제공되는 수많은 서비스는 계속 확장되고 있다. 애플 페이 같은 시스템은 사업자들이 비싼 매장 단말기에 돈을 들여야 하지만, 위챗을 통한 모바일 결제는 고객이 스캔할 바코드를 보여주는 것으로 간단히 구현할 수 있다. 그 결과 길거리 음식 판매대처럼 소규모 매장에서도 쉽게 디지털 결제를 할 수 있다. 중국 전역에서 위챗 결제는 신용카드보다 훨씬 더 대중적으로 사용되고 많은 장소에서 현금을 대체하고 있다.

결론은 중국에서 디지털 활동이 훨씬 더 다양하게 일어나고 있고 경제 전반에 걸쳐 훨씬 더 깊이 확장됐다는 것이다. 미국이나 유럽에서는 오프라인으로 발생하는 엄청난 양의 거래를 중국에서는 디지털 데이터로 포착할 수 있다. 그리고 모든 결제와 예약, 택시 승차와 같은 모든 유형의 상호작용은 데이터를 생성한다. 그 데이터는 딥러닝 알고리즘이 흡수하기에 매우 적합하다.

일반적으로 중국에서는 인공지능 기업가들이 이 풍부한 데이터에 쉽게 접근할 수 있다. 개인 정보 보호 규정이 존재하지만, 미국이나 특히 유럽만큼 엄격하지는 않다. 대중도 이런 문제에 특별히 주목하는 경향은 없다. 중국에서 개인의 사생활 침해에 대한 우려나 인공지능의 인종 편향 가능성은 존재하지 않거나 거의 파문을 일으키지 않는다. 민주주의 사회라면 즉시 강렬한 분노를 일으킬 문제다. 본래 딥마인드와 계약했던 NHS 데이터에 구글이 접근하려 하자 영국에서 즉시 격렬한 반응이 일어났지만, 일반적으로 중국의 기술 회사는 의료나 교육 분야에서 인공지능을 활용할 때 실행이나 수익성 면에서 훨씬 순탄하게 진행되는 혜택을 누린다. 데이터가 새로운 석유라면 중국의 인공지능 기업가들은 새로운 시대의 무분별한 유전 채굴자다. 상대적으로 규제가 덜한 디지털 지형에서 어디든 유망한 곳이라면 가치를 추출하기 위해 구멍을 뚫고 펌프를 세운다.

벤처 지원을 받는 인공지능 스타트업이 폭발적으로 증가하기 전에도 텐센트, 알리바바, 바이두 같은 중국의 주요 기술 회사들은 인공지능 연구 개발에 막대하게 투자해왔다. 종종 '중국의 구글'이라고 불리며 중국 인터넷 검색 엔진의 최고 강자인 바이두는 음성 인식과 언어 번역 분야에서 전문성을 깊이 개발했고 다른 영역으로도 공격적으로 진출하고 있다. 예컨대 2017년 바이두는 자율 주행 차량 오픈 소스 플랫폼인 아폴로Apollo를 출시했다. '자율 주행차를 위한 안드로이드'라고 할 수 있는 이 플랫폼은 중국의 고도로 세분된 자동차 제조 산업에 속한 회사들에 무료로 제공된다.[11] 엔비디아 같은 기술 제공 업체뿐만 아니라 BMW, 포드, 폭스바겐 등 글로벌 자동차 회사들도 협력사로 등록했다. 그 대가로 바이두는 차량에서 생성되는 데이터에 접근해 알고리즘을 훈련하는 데 사용한다. 다시 말해 바이두는 테슬라가 카메라를 장착한 수십만 대의 자동차 군단에서 누리는 것과 유사한 이점을 얻는 차별화된 전략을 따르고 있다.

중국에서 초기 인공지능 발전은 대부분 미국과 다른 서양 국가들에서 이전해 온 지식과 인재들이 주도했다. 특히 중국어에 능통한 미국 연구원들이 채용의 대상이 됐다. 예를 들어 2014년 바이두는 미국에서 가장 유명한 딥러닝 전문가 중 한 명인 앤드류 응Andrew Ng

을 영입했다. 당시 그는 구글에서 대규모 심층 신경망을 활용하는 첫 번째 계획인 구글 브레인 프로젝트를 이끌고 있었다. 앤드류 응은 실리콘밸리로 돌아가기 전 3년 동안 베이징에서 바이두의 주요 인공지능연구소를 설립했다. 2017년에 바이두는 마이크로소프트의 최고 인공지능 임원 치루Qi Lu를 최고운영책임자로 데려온다.[12] 카네기멜론대학에서 박사 학위를 받은 치루는 미국 이민자 출신이다. 미국 최고 대학원에서 교육받은 이들 가운데 인공지능 관련 사업 기회가 종종 더 매력적으로 인식되는 중국으로 돌아오는 수가 점점 늘어나고 있다. 사실 풍부한 기회와 급변하는 업계 지형은 재능 있는 중국 인공지능 전문가들의 높은 이직률로 이어지고 있다. 치루도 바이두에서 약 1년간 일했고 지금은 베이징에서 스타트업 인큐베이터를 운영하고 있다.

서양에서 개발된 연구와 알고리즘에 대한 접근도 중요한 역할을 했다. 알파고가 커제를 이긴 지 약 1년 뒤에 텐센트는 자체 개발한 바둑 소프트웨어 파인아트Fine Art가 커제를 상대해 승리를 거뒀다고 발표했다. 하지만 텐센트의 시스템은 딥마인드가 공개한 작업에서 크게 영감을 받았거나, 아니면 직접 베낀 것처럼 보인다. 내가 대화를 나눈 서양의 인공지능 연구자 대부분은 이런 종류의 지식 이전을 우려하거나 국가 경쟁 측면에서 상황이 전개될 것으로 바라보지 않았다. 그들은 공개적인 연구 발표와 자유로운 아이디어 교환을 강조하는 글로벌 시스템을 강하게 신뢰한다. 딥마인드의 CEO 데

미스 하사비스에게 '중국과의 인공지능 경쟁'에 관해 물었을 때 그는 이렇게 대답했다. "딥마인드는 연구 내용을 공개하고 있고 '텐센트가 알파고의 복제품을 만든 것'도 알지만 그렇다고 그것을 경쟁으로 보지는 않습니다. 우리는 모든 연구원을 알고 많이 협력하고 있습니다." [13]

또한 중국 연구원들은 인구지능 연구 발표에도 크게 기여하고 있다. 2019년 초 앨런인공지능연구소 분석에 따르면 2006년부터 발표된 인공지능 연구 논문 수에서 중국은 이미 미국을 넘어섰다.[14] 하지만 이 연구들이 상대적으로 수준이 낮고 매우 미미한 진보를 담고 있었기 때문에 앨런연구소는 다른 연구자들에게 자주 인용되는 논문을 중심으로 추가 분석을 했다. 분석 결과 현재 추세가 계속된다고 가정하면 2019년 말까지 인용 수로 측정한 상위 50퍼센트 논문 수와 2020년까지 가장 많이 인용된 상위 10퍼센트의 논문 수에서 중국이 미국을 추월할 것으로 분석했다. 중국 연구자들은 2025년까지 인용 면에서 상위 1퍼센트에 드는 진정한 엘리트 논문을 미국보다 많이 발표하게 될 것이다. 다른 지표를 보면 중국은 인공지능 분야 특허 수에서 미국을 앞서고 있다.

중국이 인공지능 연구 개발에서 미국을 능가하기 직전이라는 생각에 모든 사람이 동의하는 것은 아니다. 옥스퍼드대학교 인류미래연구소 인공지능거버넌스센터의 연구원 제프리 딩[Jeffrey Ding]은 2018년에 네 가지 지표에 따라 미국과 중국의 인공지능 역량을 평가한 분석을 수행했다. 인공지능 컴퓨팅 하드웨어의 설치 기반, 머신러 닝에 적합한 데이터 가용성, 연구와 고급 알고리즘 개발 능력, 상업적 인공지능 생태계의 강점이라는 요인을 기반으로 딩은 '인공지능 잠재력 지수AI Potential Index'를 도출했는데, 여기에서 미국이 33점, 중국이 17점을 받았다고 밝혔다.[15] 예를 들어 딩은 중국에서 시작된 인공지능 특허 가운데 약 4퍼센트만 나중에 다른 관할 지역에서 등록됐고, 이는 낮은 특허 품질을 암시한다고 지적했다. 2019년 6월 미국 의회위원회에서 그가 증언한 내용에 따르면 인공지능 분야에서 중국의 지배력 상승은 알려진 것보다 과장됐고, 미국은 여전히 상당한 구조적 이점을 가지고 있으며, 미국 정책은 현상 유지에 초점을 맞춰야 한다고 주장했다.[16]

이와 대조적으로 리카이푸는 미국이 인공지능의 최전선에서 계속 연구 우위를 유지하겠지만 이런 강점은 경제 전반에 걸쳐 응용 프로그램을 실제로 구현하는 실용적이고 기본적인 작업에 능숙한 중국에 의해 곧 압도될 것으로 생각한다. 그리고 인공지능이 상업 영역에서 작동하는 데는 선견지명이 뛰어난 연구원이 필요하지 않고 다만 머신러닝 알고리즘 훈련에 사용할 수 있는 엄청난 양의 데이터에 쉽게 접근할 수 있는 능력 있고 성실한 엔지니어가 많이 필요할 뿐이라고 주장했다.[17]

인공지능의 영향이 결코 상업 부문에 국한되지 않을 것이라는 분명한 현실 때문에 미국과 중국 간 인공지능 경쟁의 이해관계는 더욱 고조되고 있다. 인공지능은 군사와 국가 안보 분야에 폭넓게 적용할 수 있는 막대한 이점을 제공할 것이다. 중국 정부는 이 점을 예리하게 인식하고 두 영역 사이의 경계를 없애기 위해 적극적으로 움직였다. 2017년 시진핑 주석의 발의에 대한 응답으로 중국 헌법이 상업 부문에서 발생하는 기술 발전을 인민 해방군과 모두 공유해야 한다는 내용을 명시적으로 요구하도록 수정됐다. 이것이 군과 민간의 공조를 일컫는 '군민융합軍民融合, Military-Civil Fusion' 원칙이다. 2018년 바이두는 군의 지능형 지휘 통제 기술을 개발하는 프로젝트에서 전자전electronic warfare에 중점을 둔 중국 군사연구소와 파트너십을 체결했다. 바이두의 책임 임원 인쉬밍Yin Shiming은 SAP와 애플을 포함한 서양 기업에서 일하며 깊이 있는 경험을 쌓은 엔지니어 출신이다. 협력 관계를 발표하는 행사에서 인쉬밍은 바이두와 군사 연구소가 "방위 분야에서 차세대 인공지능 기술 적용을 발전시키기 위해 컴퓨팅, 데이터, 논리적 자원을 연결하는 데 긴밀히 협력할 것"이라고 밝혔다.[18]

이것은 구글 직원들이 회사에 압력을 행사해 펜타곤의 JEDI 클라우드 컴퓨팅 계약 입찰을 중단시킨 사례와는 대조적이다. 다른 방위 프로젝트 메이븐Project Maven은 구글 직원들 사이에 더 거센 분노를 일으켰다. 2018년 미군 드론이 수집한 이미지 분석에 사용될 수 있는 컴퓨터 비전 알고리즘 개발과 관련된 이 프로젝트에 3,000명 이상의 직원이 반대 청원에 서명했고 많은 기술 전문가들이 회사를 떠났다.[19] JEDI와 마찬가지로 결국 구글은 이 프로젝트를 포기했다. 구글 직원은 자신의 의견을 표현할 권리가 있지만 여기서 나타나는 비대칭성은 명확하고 충격적이다. 바이두나 텐센트의 직원들이 이에 상응하는 항의를 제기할 수 있다는 생각은 솔직히 터무니없어 보인다. 민주주의 국가의 시민들이 누리는 자유는 단순히 행사되기 위해 존재하는 타고난 인권이 아니다. 오히려 권위주의에 맞서 지켜야 할 정치적 권리다. 구글 같은 회사는 미국 군대나 안보 기관과 협력하기를 주저하고, 중국 기업은 국가 헌법에 명시될 정도로 중국의 권위주의 체제에 협력할 의무를 직면하고 있는 상황에서 두 국가 간 인공지능 기술의 전반적인 수준이 비슷해질수록 미국이 어떻게 국가 안보를 기반으로 경쟁할 수 있을지 질문하게 된다.

나는 미국과 다른 서양 국가들이 인공지능 분야에서 중국의 빠른 성장을 매우 심각하게 받아들여야 한다고 생각한다. 대학의 기초 연구에 대한 정부 지원이 늘어나야 할 것이다. 특히 미국은 가장 중요한 이점 중 하나를 계속 활용하는 것이 중요하다. 미국의 대학과 기술 회사들은 전 세계에서 인재를 끌어당기는 자석이다. 미국에 고급 기술 이민에 대한 개방성이 필요하다는 것은 내가 《AI 마인드》를 준비하며 인터뷰한 최고 인공지능 연구자 23명의 배경에서 분명하게 드러난다. 23명 가운데 19명이 현재 미국에서 일하고 있지만 19명 가운데 반 이상이 미국에서 태어나지 않았다. 이들의 출신 국가는 호주, 중국, 이집트, 프랑스, 이스라엘, 로디지아(지금의

짐바브웨), 루마니아, 영국으로 다양하다. 미국이 전 세계에서 가장 뛰어난 컴퓨터과학자들을 계속 유치하지 못한다면 중국이 우위를 차지할 수밖에 없을 것이다. 중국은 미국 인구의 4배에 달하는 인구를 교육하는 데 계속 더 많은 투자를 하고 있기 때문이다.

중국 감시 국가의 부상

중국 정부의 권위주의 체제와 기업가적인 인공지능 생태계 사이의 시너지가 얼굴 인식 기술에 중점을 두고 폭발적으로 증가하는 스타트업 분야보다 더 강력하게 나타나는 곳은 없다. 2020년 초 기준으로 중국 스타트업 센스타임SenseTime, 클라우드워크CloudWalk, 메그비Megvii, 이투Yitu가 시장가치가 10억 달러를 넘는 '유니콘'의 지위를 얻었다.[20] 분석가들 사이에서 중국이 전반적인 인공지능 기술에서 미국과 동등한 수준에 도달했는지를 놓고 이견이 있을 수 있지만, 사람의 얼굴과 다른 특성을 분석하고 파악하기 위해 사용되는 딥러닝 알고리즘에 관한 한 중국 기업들이 절대적 선두라는 데 의심의 여지가 없다. 중국에서 인공지능이 사용되는 다른 분야와 마찬가지로 이 모든 발전의 중요한 원동력은 머신러닝 알고리즘 훈련에 사용할 수 있는 엄청난 양의 데이터 접근에 있었다. 2020년 기준으로 중국 전역에 약 3억 대의 감시 카메라가 설치돼 있고, 생각할 수 있는 모든 상황과 가능한 모든 각도에서 사람 얼굴이 보이는 디지털 사진을 사용하는 면에서는 단연코 중국이 세계 최고 수준이다.

얼굴 인식 스타트업은 중국이라는 권위주의 국가의 모든 수준에서 발생하는 거의 무한에 가까운 감시 기술의 수요로 활기를 띠고 있다. 이 기술을 가장 적극적으로 구매하는 곳은 지역 경찰서로, 이들은 그 지역에 특화된 억압적인 감시망을 점점 더 구축하고 있다. 신장 자치구는 여전히 중국 감시 체제의 시작점이고 이곳에서 시험하고 완성된 기술은 중국 전역으로 빠르게 확산되고 있다. 경찰서들은 시간이 갈수록 점점 통합되는 전체주의라는 큰 그림을 완성하기 위해 얼굴 인식 시스템에 종종 다른 기술을 결합한다. 휴대전화 스캐너는 주변을 통과하는 전화기의 고유 식별 코드를 캡처하고 자동차 번호판 판독기와 지문 인식 기술로도 활용된다. 예컨대 알고리즘은 전화기 식별 코드와 얼굴을 매치해 포괄적인 개인 추적 및 식별 시스템을 구축할 수 있다. 이런 시스템은 범죄율이 높다고 알려진 지역이나 특정 건물 입구에 설치된다. 주택단지에 들어갈 때 카드 키나 다른 편리한 방법보다 얼굴 인식 시스템이 사용되기도 한다. 건물 관리실이나 지역 경찰서에서 거주자나 방문자를 추적하고 불법적인 아파트 재임대를 방지할 수 있기 때문이다.[21]

감시 카메라는 여행자들이 방문하는 지역이나 기차역, 경기장, 관광 명소, 행사장처럼 군중이 모이는 장소에 밀집돼 있다. 널리 알려진 사례 가운데 대부분은 얼굴 인식 결과를 알려주는 알고리즘만으로 경찰이 6만 명 넘게 군집한 콘서트나 축제에서 특정 개인을 체포한 경우다.[22] 디스토피아적인 SF영화에서 튀어나온 듯한 장면에서 실험적인 얼굴 인식 안경을 착용한 경찰은 대상이 몇 초 동안 움직이지 않고 그 지역의 얼굴 인식 데이터베이스에 데이터가 있는 이상 용의자를 체포할 수 있다. 다른 인공지능 시스템은 입고 있는 옷이나 걸음걸이의 고유한 특성을 분석해서 사람을 추적할 수 있다.

이 기술의 유명한 적용 사례 중 하나는 중국 샹양시의 혼잡한 교차로에서 구축한 것으로, 무단 횡단을 하는 사람을 포착해 난처하게 만드는 시스템이다. 이 시스템은 불법으로 길을 건너는 사람들의 사진을 캡처해 신상 정보를 붙인 다음 대중적인 창피와 놀림을 당하게 할 의도로 대형 스크린에 게시한다.[23] 상하이를 포함한 다른 도시에서도 비슷한 시스템으로 벌금을 부과한다. 중국에서 얼굴 인식 기술이 모두 감시 용도로만 사용되는 것은 분명히 아니다. 소매점에서 결제하고 기차표를 구매하고 항공기에 탑승할 때 얼굴을 스캐닝하는 분야에서는 중국이 선두 주자다. 하지만 이 기술을 일상적으로 사용해 생성된 모든 데이터는 경찰서나 보안 기관에서 분명히 사용할 수 있다.

중국에 만연한 대부분의 감시는 최소한 어느 정도는 범죄 전력이 있는 개인으로부터 사회를 보호하려는 메커니즘으로 설명할 수 있지만, 다른 경우는 서양에서는 생각할 수 없는 방식으로 윤리적 경계를 폭력적으로 벗어난다. 예를 들어 일부 경찰서는 개인의 얼굴이 아니라 위구르인이나 다른 '민감한 민족'의 인종적 특징을 인식하도록 설정한 기술을 구체적으로 요구했다. 중국의 얼굴 인식 스타트업은 시장 수요에 맞추기 위해 빠르게 움직였다. 2019년 4월 〈뉴욕타임스〉의 폴 모저Paul Mozer가 작성한 기사에는 클라우드워크의 온라인 마케팅 자료가 포함돼 있었다. 이 자료는 잠재적 고객에게 다음과 같은 내용을 약속하고 있었다. "만약 주변에 민감한 집단에 속하는 사람들의 수가 늘어나면(예를 들어 위구르인 1명이 이웃에 살고 있으면 20일 안에 위구르인 6명이 나타납니다), 즉시 경고를 보내 법 집행 담당자가 대응하도록 합니다. 해당하는 사람을 심문하거나 상황을 처리하고 대책을 세울 수 있습니다."[24]

평화롭게 서 있는 위구르인 가족 이미지 옆에 무장한 경찰과 불안해하는 시민들의 모습이 이어진다. 클라우드워크 웹 사이트에서는 "주변을 통제하고 민감한 사람들을 막아줍니다"라는 제목 아래 이렇게 설명하고 있다. "얼굴 인식 시스템이 이 사람들의 신원과 얼굴 데이터를 수집합니다. 동시에 파이어아이Fire Eye 빅데이터 플랫폼이 이들이 속한 그룹을 파악하고 출입 시간, 사람 수 등을 수집해 경찰에 경고를 보내 민감한 사람들을 관리하고 통제하는 목표를 수행하도록 합니다."[25]

클라우드워크의 제품인 '파이어아이 빅데이터 플랫폼'의 제품 소개조차 무서운 SF소설의 한 장면을 바로 가져온 것처럼 보인다. 심지어 공개된 기업 웹 사이트에서 기술 의도를 설명할 때 어떤 속임수나 교묘한 표현을 쓰지 않고, 위구르족에 대한 중국 정부의 탄압이 얼마나 공공연하고 억압적인지, 그리고 인공지능이 잘못 사용되면 얼마나 디스토피아적인 방식으로 활용될 수 있는지를 적나라하게 보여준다. 여기서 위험은 결코 중국에 국한되지 않는다. 고급 얼굴 인식 기술은 인종, 성별, 수염, 종교적 복장처럼 구체적인 특징을 식별하도록 시스템을 설정함으로써 거의 모든 특정 집단을 대상으로 무기화될 수 있다.

시민들을 한층 포괄적으로 감시하려는 중국의 목표는 국가가 계획하는 사회 신용 시스템의 완전한 구현으로 절정에 이를 것이다. 인구 전체의 '신뢰도'를 보장하는 방법으로 2014년에 발표된 이 프로그램의 의도는 "신뢰할 수 있는 사람은 어디든지 자유롭게 다닐 수 있지만 신뢰할 수 없는 사람은 한 걸음도 내딛기 어렵게 만드는 것"이다.²⁶ 사회 신용 시스템은 상업적으로 관리되는 신용 관리 시스템이나 소비자 평가 시스템과 비슷하게 시작한다. 개인의 채무 상환 이력을 평가하거나 우버나 에어비앤비의 평가 시스템과 비슷한 방식을 사용한다. 하지만 중국의 시스템은 여기서 훨씬 더 나아가 법 위반뿐만 아니라 국가가 바람직하지 않게 간주하는 행동까지 고려해 일상의 거의 모든 측면에 잠재적으로 침투한다. 여기에는 청구서나 벌금을 제때 내지 않는 것은 물론이고 비디오게임을 너무 많이 하거나 소셜 미디어에 논란의 여지가 많은 글을 게시하거나 나쁜 사람들과 어울리거나 대중교통에서 음식을 먹고 쓰레기를 버리고 음악을 크게 듣거나 금연 구역에서 담배를 피우고, 심지어 쓰레기를 제대로 분류하지 않는 일이 포함될 수 있다.[27] 사회 신용 평가로 긍정적인 행동을 보상할 수도 있다. 모범 시민상이나 우수 직원상을 받거나 자선단체에 기부하거나 가족을 잘 돌보고 이웃을 돕기 위해 특별히 노력한 경우가 해당한다. 이 시스템은 가장 사적인 소비자 결정에도 영향을 끼칠 수 있다. 예컨대 아기 기저귀처럼 긍정적으로 간주하는 소비에는 보상하고, 술을 과도하게 구매하면 처벌하는 식이다. 특히 높은 점수를 획득한 사람은 난방비 할인, 병원이나 정부 기관에서 대기 시간 단축, 가장 좋은 고용 기회에 우선 지원 같은 특별한 혜택을 받는다. 반대로 사회 신용 점수가 낮은 사람은 불이익을 당한다. 항공권이나 기차표를 예매할 수 없거나 자녀들이 좋은 학교에 지원할 수 없고 원하는 호텔이나 휴양지의 예약 시도 자체가 차단된다. 이렇게 포괄적인 시스템이 완전히 작동하면 중국의 거대한 인구 중 거의 모든 성인에게 지속해서 행사되는 대단히 침해적인 통제 메커니즘이 될 것이다. 국제인권감시기구 Human Rights Watch는 이를 두고 "무섭도록 오싹하다"라고 매우 적절하게 지적했다.[28]

이 모든 것은 궁극적인 비전을 제시하는 것이고, 현실에서는 응집력이 훨씬 부족하다. 실제 사회 신용 시스템은 알리바바나 텐센트처럼 모바일 결제 시스템을 운영하는 기업이 관리하는 다양한 상업용 평가 시스템과 함께 여러 도시와 지방정부가 운영하는 실험적인 프로그램으로 세분돼 있다.[29] 룽청시의 경우 일부 프로그램이 대중의 광범위한 승인을 받았다. 상대적으로 투명하고 명백한 불법 행위만 처벌하자 부인할 수 없는 긍정적인 결과를 가져왔기 때문이다. 이를테면 법규 위반 시 자신의 사회 신용 등급에 부정적인 영향을 끼치는 것이 분명해지자 룽청의 운전자들은 보행자를 존중하고 건널목에서 정차하기 시작했다. 실제로 중국 시민들이 항공권이나 고속철도 탑승권 발권을 거절당한 경우는 수백만 건에 이른다. 알고리즘이 생성한 점수의 결과가 아니라 대부분 오랫동안 사용한 블랙리스트에 이름이 올라 있었기 때문이다. 최고인민법원이 관리하는 가장 중요한 블랙리스트에는 주로 상환하지 않은 부채가 있거나, 법정 판결형이나 벌금 기록이 있는 경우 포함된다. 거의 모든 정부와 마찬가지로 중국에서도 작동하는 부패나 투명성 부족은 끊이지 않는 문제다. 시간이 지나면서 이런 시스템이 더욱 통합되고, 시민을 추적하고 감시하는 데 사용되는 얼굴 인식과 다른 인공지능 기술에 의한 침해가 증폭될 것이다. 결국 포괄적이고 신중하게 조직된 사회 통제를 가능하게 하는 전체주의적인 시스템이 충분히 나타날 수 있다.

이것은 중국으로 제한되는 것도 아니다. 실제로, 감시 기술 수출은 국가 생산을 저가 상품에서 고부가가치 기술 제품으로 전환하려는 중국 정부의 전반적인 전략에서 핵심적인 역할을 한다. 중국은 세계 얼굴 인식 기술 시장의 거의 절반을 장악하고 있다. 그 가운데 대부분을 중국 통신 기업 화웨이 한 곳이 주도하고 있다. 2019년 9월 카네기 국제평화재단의 분석에 따르면 화웨이는 얼굴 인식 기술을 포함한 감시 기술을 적어도 50개국 230개 도시에 판매했고, 이는 단일 회사로는 월등한 실적이다. 그에 비해 가장 근접한 미국 경쟁사 IBM, 팔란티어Palantir, 시스코는 10여 개 국가에 각각 시스템 1개씩을 설치했을 뿐이다.[30] 사우디아라비아나 아랍에미리트처럼 권위주의 정부가 집권하는 국가는 전국적으로 감시 시스템을 확장하고 있고 특히 중국 기술에 적극적인 고객이다. 이들 국가에서 얼굴 인식은 이미 일상의 한 부분이다. 나는 2019년 초 아부다비를 여행하면서 널리 퍼진 이야기를 들었다. 한 부유한 여성이 값비싼 반지를 잃어버린 이야기였다. 이 일을 신고하자 당국은 즉시 해당 지역의 감시 영상에 얼굴 인식 소프트웨어를 적용해 반지를 분실한 지 몇 시간 만에 주운 사람의 집 문 앞에 도착했다는 것이다.

화웨이가 판매하는 감시 장비는 종종 중국 정부가 지원하는 차관으로 자금이 조달된다. 케냐, 라오스, 우간다, 우즈베키스탄, 짐바브웨를 비롯한 국가들이 중국의 일대일로Belt and Road Initiative 사업에 일부 참여했고, 이 사업은 거의 70개 국가의 인프라 개발에 자금을 지원한다. 아프리카는 점차 중요한 대상이 되고 있으며, 일설에 따르면 중국의 얼굴 인식 시스템이 벌써 큰 영향을 끼치고 있다. 예컨대 화웨이는 케냐의 수도인 나이로비와 그 주변 지역에 이 기술을 설

치해 2015년에 범죄가 46퍼센트 감소했다고 주장했다.[31]

중국 기업이 개발 중인 기술이 안보와 인권에 끼치는 영향은 이미 미국과 상당한 마찰을 빚었다. 2019년 5월 화웨이는 소프트웨어나 컴퓨터 칩 같은 미국 기술 판매를 금지하는 무역 제한 대상이 됐다. 이것은 일반적인 무역 전쟁이 고조되는 가운데 미국의 입장과 이 회사가 판매한 5G 휴대전화 인프라 기술을 통해 장비가 미국에 설치된 경우 중국 정부가 잠재적으로 미국 내 통신에 접근할 수 있다는 오랜 우려가 결합한 결과였다.[32] 미국은 동맹국들이 화웨이 장비를 사용하지 못하도록 상당한 압력을 가하는 노력에 엇갈린 성공을 거두었다. 게다가 화웨이는 미국의 대이란 제재를 위반한 혐의와 중국 정부에서 부적절한 지원을 받은 것으로 지목됐다.

5개월 뒤 미국은 중국의 경찰서와 보안 기관 20곳과 주요 인공지능 스타트업을 포함해 무역 블랙리스트를 확대했다. 표면적으로는 위구르족과 다른 소수민족을 억압하는 데 해당 기술을 사용한 결과에 따른 인권 침해 때문이었다. 이 금지 조치에 음성 인식 시스템에 특화된 기업 아이플라이텍iFlytek과 카메라와 다른 감시 장비를 제조하는 2개 회사와 함께 중국 얼굴 인식 분야의 4대 유니콘 기업 중 세 곳이 포함됐다.[33]

코로나바이러스 팬데믹의 여파로 미국과 중국 사이의 긴장이 크게 고조됐고, 중국 생산에 대한 과잉 의존이 잠재적으로 위협이 될 수 있다는 인식이 널리 퍼졌다. 미국이 의료용품이나 의약품을 비롯한 중요한 전략 물자에 접근할 때, 코로나 위기 이전에도 두 나라의 경제적 시너지와 상호 의존성이(2006년 역사학자 니얼 퍼거슨Niall Ferguson은 이 현상에 '치메리카Chimerica'라는 용어를 붙였다) 점차 느슨해지는 것은 분명했다. 긴장이 고조되고 양국 관계가 계속 분리되면 인공지능 개발과 배치에 집중된 갈등과 경쟁이 중심 역할을 할 것은 피할 수 없어 보인다. 인공지능이 체계적이면서 전략적인 기술이라는 점이 분명해지면서 양국 간의 전면적인 인공지능 군비경쟁의 우려는 진정한 위협으로 다가오고 있다.

얼굴 인식에 대한 새로운 논쟁

2019년 2월 인디애나주 경찰은 남성 두 명이 공원에서 다툼을 벌여 발생한 범죄 사건을 수사하고 있었다. 한 남성이 총을 꺼내 다른 남성의 복부에 쏜 다음 현장에서 달아난 사건이었다. 현장에 있던 사람이 휴대전화로 이 장면을 녹화했고 주 경찰 수사관들은 가해자의 얼굴 이미지를 시험 중이던 새로운 얼굴 인식 시스템에 올려보기로 했다. 시스템은 즉시 일치하는 항목을 생성했다. 이름을 포함한 설명과 함께 총을 쏜 사람이 소셜 미디어에 올라온 영상에 나타났다. 용의자가 이전에 체포된 기록이 없고 운전면허도 없었지만, 이 사건을 해결하는 데 고작 20분이 걸렸다.[34]

수사관들은 클리어뷰AI^{Clearview AI}라는 잘 알려지지 않은 회사가 제공하는 모바일 앱을 통해 얼굴 인식 시스템에 접속했다. 클리어뷰 앱에서 사용할 수 있는 사진 데이터베이스는 정말 방대했다. 이 회사는 여권, 운전면허증, 피의자 사진 같은 공식적인 사진에 의존하기보다 간단히 인터넷을 뒤지거나 페이스북, 유튜브, 트위터를 포함한 다양한 출처에서 공개적으로 사용 가능한 이미지를 스크랩했다. 클리어뷰 시스템이 일치하는 항목을 찾으면 앱은 그 사진이 온라인에 나타난 웹 페이지나 소셜 미디어 프로필 링크를 표시했고 종종 즉시 신원을 확인할 수 있었다. 클리어뷰가 구축한 데이터 세트는 대략 30억 개의 스크랩 이미지를 포함했고, 이는 FBI가 관리하는 미국 시민의 공식적인 사진 데이터베이스 크기의 7배가 넘는다. 정말 놀라운 일이었다. 클리어뷰가 작은 회사이기도 했지만(규모 면에서 중국의 얼굴 인식 유니콘 기업보다 훨씬 작다) 적어도 2020년 1월까지 법 집행기관 밖에서는 거의 알려지지 않았기 때문이다.[35]

같은 달 〈뉴욕타임스〉에 기술 전문 기자 카슈미르 힐^{Kashmir Hill}이 조사한 탐사 보도가 게재됐다. 이 회사의 배경을 파헤치고 운영 방식을 집중 조명한 내용이었다. 뉴욕에 존재하지 않는 주소를 링크드인 페이지에 게시한 클리어뷰는 2016년 호주의 연쇄 창업가 호안 톤 탓^{Hoan Ton-That}이 설립한 것으로 드러났다. 다른 자금 중에서도 이 스타트업은 실리콘밸리의 벤처캐피털리스트 피터 틸에게 시드 머니^{seed money}로 20만 달러를 받았다. 피터 틸은 보안 기관이나 경찰서와 밀접한 관련이 있는 데이터 분석 및 감시 회사 팔란티어를 공동 설립했다.

클리어뷰는 오직 적법한 법 집행기관이나 정부 보안 기관에서 이 기술을 사용한다고 주장했다. 하지만 대중이 이 회사의 시스템을 이용하지 못하도록 막을 이론상 근거가 없고 익명성의 거의 완전한 상실이 문제로 떠올랐다. 일단, 이 기술이 널리 보급되면 사실상 누구나 어디에서든지 클리어뷰 앱을 사용하는 낯선 사람에 의해 순식간에 파악될 수 있다. 어떤 사람의 이름을 알면 집 주소, 직장, 다른 민감한 정보를 찾기는 간단한 문제다. 피할 수 없이 스토킹과 협박이 폭증하고 경솔한 행동과 부정행위가 드러나 공개적으로 망신을 당하는 일이 비일비재할 것이다. 다시 말해 도를 넘는 감시 디스토피아가(중국에서 고려하는 것보다 잠재적으로 더 침입적이고 무서울 수 있다) 정부 개입이나 감독 없이 미국 민간 부문에 나타나는 것이다. 클리어뷰의 일부 지지자들은 이런 가능성을 특별히 걱정하지 않는 것 같다. 이 회사의 초기 투자자 가운데 한 사람이 〈뉴욕타임스〉와의 인터뷰에서 말했다. "정보는 계속 증가하기 때문에 앞으로 사생활이 존재하지 않는다는 결론에 도달했습니다. 무엇이 합법인지는 법이 판단하겠지만 기술을 막을 수는 없습니다. 물론 이 기술이 디스토피아적인 미래로 이어질 수 있겠지만 그래도 막을 수는 없을 겁니다."[36]

〈뉴욕타임스〉 기사는 이 회사를 둘러싼 거센 논란을 일으켰고 해커들의 관심도 불러 모았다. 클리어뷰 서버를 뚫고 들어가 유료 고객 전체 명단과 이 앱을 30일 무료 버전으로 사용하는 잠재 고객 명단을 입수한 것이다. 클리어뷰의 이용자에는 FBI, 인터폴, 미국 이민세관 집행국, 미국 남부 지방검찰청 등 주요 기관과 전 세계 수백 곳의 경찰서가 포함돼 있었다. 오직 공인된 법 집행기관과 협력했다는 이 회사의 주장과 달리 대형 유통업체 베스트바이Best Buy, 백화점 메이시스Macy's, 약국 체인 라이트에이드Rite Aid, 월마트를 포함한 민간 기업도 이 앱을 이용하고 있었다. 더욱 심각한 것은 민간 부문 노동자들이 고용주의 승인 없이 이 앱을 사용한 증거가 드러났다. 버즈피드BuzzFeed의 조사에 따르면 홈디포Home Depot와 관련된 5개 계정이 이 앱을 이용해 100여 건의 검색을 한 것으로 나타났다. 회사 경영진은 전혀 모르는 사실이라고 주장했다.[37] 이 기술에 대한 접근은 이미 넓은 영역으로 스며들고 있었다.

이 사실이 공개되자 즉각적인 반발을 불러일으켰다. 몇 주 동안 트위터, 페이스북, 구글은 클리어뷰가 이들 회사 서버에서 사진 스크랩을 중단하고 데이터베이스에 이미 저장된 이미지를 즉시 삭제할 것을 요구하는 정지 명령을 보냈다.[38] 2020년 2월 말에 애플은 클리어뷰의 아이폰 앱을 비활성화했다. 이 회사가 애플 스토어를 교묘하게 우회해 애플의 서비스 계약을 위반했다는 이유였다.[39] 얼마 지나지 않아 이 회사는 민간 기업과의 모든 라이선스 계약을 종료하고 법 집행기관에만 집중하겠다고 발표했지만 이런 조치로는

충분하지 않았다. 5월에 미국시민자유연맹American Civil Liberties Union, ACLU
은 클리어뷰를 상대로 소송을 제기하고 "이 회사의 기술이 중단되
지 않으면 우리가 아는 개인의 사생활은 종말을 맞는 악몽 같은 시
나리오를 불러올 것"이라고 주장했다.[40] 클리어뷰는 운영을 계속하
면서 인터넷에서 사진을 찾을 권리가 있으며, 이런 접근에 대해 소
셜 미디어 기업들과 법정 다툼을 벌일 준비가 돼 있다고 밝혔다.

클리어뷰는 얼굴 인식뿐만 아니라 더 일반적인 인공지능에 중요
한 경고를 전한다. 기술 전문가로 구성된 작은 집단이, 심지어 단
한 사람의 개인일지라도 이처럼 강력한 기술을 휘두르면 사회적으
로나 경제적으로 상상할 수 없는 규모의 혼란을 일으킬 수 있다. 다
음 장에서 살펴보겠지만 위험은 결코 인공지능 기반 감시 기술에
한정되지 않는다.

압도적인 반발이 일어날 것을 고려하면 클리어뷰의 야망은 잠잠
해질 듯하다. 하지만 일반적으로 얼굴 인식 기술의 사용이 서양 사
회 전반에 걸쳐 신속하게 확산되면, 민주주의 사회는 가치 기반의
절충안을 긴급하게 마련해야 하고 이 기술 사용을 둘러싼 윤리적
문제에 직면하게 될 것이다. 런던은 서구 도시 가운데 가장 감시가
잘되는 도시다. 2020년 초부터 얼굴 인식 시스템을 사용하기 시작
했고 베이징보다 1인당 CCTV 카메라 수가 더 많다.[41] 영국 광역
경찰청은 이 시스템이 중범죄나 폭력 범죄를 저지른 수배자 목록으
로 구성된 '맞춤형' 감시 대상자들만 찾아낸다고 밝혔다. 하지만 같

은 시스템을 실종 아동과 성인을 찾는 데 사용할 수도 있다.[42]

미국에서는 경찰서의 4분의 1이 얼굴 인식 기술에 접근할 수 있다. 이 시스템은 공항에서 널리 사용되는데 테러리스트나 범죄자를 찾아내고 보안 검색 과정에서 신원 확인을 하는 데 많이 이용된다. 대부분은 런던의 시스템과 마찬가지로 특정 감시 목록에 있는 개인을 파악하는 용도로만 사용된다. 그러나 우리는 거의 모든 사람의 신상이 파악될 수 있는 클리어뷰 앱이 예고하는 일종의 도를 넘은 디스토피아의 가능성에 점점 더 가까워지고 있다. 2016년 조지타운대학교 로스쿨 개인정보보호와 기술센터Georgetown University Law School's Center on Privacy and Technology가 분석한 내용에 따르면 FBI는 미국 성인 인구의 절반에 해당하는 1억 1,700만 명의 이미지를 포함하는 사진 데이터베이스를 관리하고 있다.[43] 범죄 수배자나 범죄 기록이 있는 사람뿐만 아니라 주에서 발급한 운전면허증이나 신분증이 있는 사람의 사진이 포함된다. 물론 개인이 사진 사용을 동의할 필요도 없고 이 시스템에서 제외될 방법도 없다.

얼굴 인식 시스템이 개인의 사생활을 위협할 가능성은 매우 현실적이지만 이 기술을 적절하고 윤리적으로 배치해 얻는 분명한 혜택도 중요하게 생각해야 한다. 우선 이 기술을 사용해 중범죄자들을 많이 검거할 수 있었다. 개인 정보 보호 문제는 어떤 이득을 얻더라도 분명히 더 중대한 사안이지만 클리어뷰 앱의 경우, 위험한 범인을 체포하는 데 일조했고, 특히 성범죄자나 아동 포르노 공급책을 파악하는 데 효과적이었다. 마찬가지로 공공장소에 배치된 얼굴 인식 시스템은 범죄율을 낮추는 면에서 실질적인 도움이 될 수 있다. 런던의 광역 경찰청이 이렇게 말하는 것도 틀리지는 않다. "우리는 모두 안전한 도시에서 살고 일하기를 바랍니다. 대중은 우리가 가능한 기술을 널리 사용해 범죄자를 저지하기를 바랍니다."[44]

사실 중국에서 실행 중인 광범위한 감시는 서양의 관점에서 보면 명백하게 억압적이지만 중국인 대부분이 꼭 부정적으로만 바라보는 것은 아니다. 샹양의 주민들은 무단 횡단 시스템에 매우 협조적이다. 이 시스템이 작동하면서 한때 위험했던 교차로가 지금은 매우 질서 정연해졌기 때문이다. 중국에 사는 지인들과 개인적으로 대화를 나누면서 한 가지 공통점을 발견했다. 예전보다 범죄에 대해 우려하기보다 안전하다고 느끼고, 특히 어린 자녀를 둔 부모들이 안심하는 경우가 늘었다는 점이다. 이러한 잠재적 중요성도 과소평가해서는 안 된다. 대부분의 사람들은 이웃 환경에서 느끼는 안정감을 높이 평가하고 이것은 육체와 정신 건강과도 상관관계가 있다. 중국이 미국을 분명히 앞서는 부분 중 하나가 바로 이 영역이다.

안전한 환경은 특히 어린이에게 중요하다. 뉴욕대학교 교수이자 작가인 조너선 하이트Jonathan Haidt는 '놓아 기르는' 방목형 양육을 강력하게 지지한다. 하이트는 미국 사회가 아이들을 위험할 정도로 과잉보호하고, 따라서 자신감 있는 어른으로 성장하도록 돕는 간섭 없는 경험을 할 중요한 기회를 박탈하는 문화가 있다고 주장한다.[45]

미국의 부모들은 어른의 보호 없이 어린 자녀가 학교까지 걸어가거나 동네 공원에서 놀게 한다는 생각을 끔찍하게 여기고, 실제로 일부 지역에서는 불법이다. 내 생각에 중국의 어린이들은 국가가 지나치게 전체주의적이라고 특별히 인식하지는 못할 것 같다. 하지만 학교에 걸어가고 놀이터에 걸어가 놀 수 있다는 것은 잘 알 것이다. 중국의 억압적인 감시 시스템이 적어도 어린 시민들을 보호하는 면에서는 전망이 밝다고 드러나면 굉장히 아이러니할 것이다. 시간이 지나면 좀 더 모험적이고 혁신적인 젊은 세대가 등장하는 데 도움이 될 수 있다. 아무도 미국에서 중국의 시스템을 원하지 않지만, 인공지능 기반 감시 기술이 범죄율을 낮추고 더 안전한 환경을 조성한다면 신중하게 절충안을 고려해야 할 것이다.

얼굴 인식이 사회에 실질적인 혜택을 가져온다고 해도 이 기술이 공정하게 적용되고 그 영향이 전체 인구 집단에 공평하게 돌아가는 것이 중요하다. 그리고 여기에는 중요한 문제가 있다. 많은 연구에서 얼굴 인식 시스템이 어느 정도 인종과 성별에 편향된 것으로 꾸준히 나타나고 있다. 확실히 이것은 위구르인을 찾아내려는 뚜렷한 목적에 따라 설계된 중국의 알고리즘과는 다르다. 딥러닝 알고리즘을 훈련하기 위해 사용한 데이터 세트에 백인 남성의 얼굴이 우세한 데서 비롯한 결과다. 흔히 사용되는 한 훈련 데이터 세트는 백인의 얼굴이 83퍼센트, 남성의 얼굴이 77퍼센트를 차지한다.[46] 일반적으로 문제는 비백인 여성의 얼굴에서 '긍정 오류 false positive'의 가능성이 증가하는 형태로 나타난다. 다시 말해 여성과 유색인종은 잘 못된 일치 항목을 생성할 가능성이 더 크다. 2018년 미국시민자유 연맹은 미국 의회 상하원 의원 538명의 얼굴을 체포된 사람의 얼굴 사진을 찍은 대규모 데이터 세트와 비교했다. 이 단체는 매우 저렴한 비용 때문에 경찰서에서 인기를 얻고 있는 아마존웹서비스의 레커그니션Rekognition 시스템을 사용했다. 미국시민자유연맹도 단 12달러로 이 실험을 진행할 수 있었다. 이 시스템은 범인 식별용 얼굴 사진 데이터 세트에 포함된 사진 가운데 의회 의원 28명을 체포된 적이 있는 사람으로 표시했다. 그러나 체포 기록이 있는 사람 가운데 상원 의원이나 하원 의원으로 선출된 경우가 없다는 사실을 고려하면 모두 긍정 오류에 해당한다. 오류의 수가 적은 것은 별도로, 시스템에서 생성되는 긍정 오류가 백인이 아닌 의원들에게 치우친다는 점은 크게 우려할 만하다. 유색인종이 의회의 20퍼센트를 구성하지만 부정확한 결과에서는 39퍼센트를 차지한다. 이 연구에 대해 아마존은 미국시민자유연맹이 기본 신뢰 임곗값을 95퍼센트가 아니라 80퍼센트로 잘못 설정했다고 주장했다. 그러나 이 단체는 아마존이 적절한 설정에 대한 구체적인 안내를 제공하지 않고 많은 경찰서에서도 기본 설정 상태로 이 시스템을 사용할 것이라고 지적했다.[47]

2019년에 미국 상무부 산하 국립표준기술연구소National Institute of Standards and Technology, NIST는 한층 포괄적인 연구를 수행했다. 이 연구소는 99개 회사가 생산한 189종의 얼굴 인식 시스템을 평가했다.[48] 거의 모든 경우, 유럽인의 얼굴에서 긍정 오류가 가장 낮게 나타나고 아프리카인과 아시아인 얼굴에서는 매우 높게 나타났다. 예견할 수 있었던 예외로 중국 회사가 개발한 알고리즘은 동아시아인 얼굴에 가장 정확한 결과를 생성했고, 다른 인종보다 차이는 작았지만 일반적으로 여성보다 남성 얼굴에서 징확도가 너 높았다.

하지만 연구 결과에서 백인이 아닌 인종에 대한 정확성에는 차이가 컸다. 예컨대 흑인은 백인보다 긍정 오류가 100배 이상 높게 나타날 가능성이 있었다. 다시 말해 아프리카계 미국인은 백인보다 100배 이상 잠재적 범죄자로 오인될 가능성이 있고, 따라서 그만큼 불편을 겪거나 탐문을 받거나, 심지어 구금될 수 있다. 기본적으로 이것은 아프리카계 미국인들에게 이미 익숙한 현실 세계의 시나리오를 디지털 버전으로 바꾼 것에 해당한다. 대형 매장에서 보안 직원이 따라다니거나 판매원의 지나친 관심을 받는 것처럼 말이다.

이론적으로 학습 데이터 세트에 더 다양한 얼굴을 포함하면 간단하게 문제를 해결할 수 있을 것 같지만 얼굴 인식 시스템을 개발하는 회사들은 비백인 얼굴의 고품질 이미지를 동의를 얻어 윤리적인 방법으로 구하는 데 어려움을 겪었다. 클리어뷰처럼 인터넷에서 이미지를 스크랩하는 기술을 사용하지 않는 경우였다.[49] 이 문제를 해결하는 방법은 때로 그 자체로 의문을 제기하고, 언젠가 윤리적 한계를 밀고 나간 기업이 이득을 얻게 될 영역이다. 2018년 중국의 유니콘 기업 클라우드워크는 짐바브웨 정부와 국가 수준의 포괄적 얼굴 인식 시스템을 구축하기 위해 논란의 여지가 많은 계약을 체결했다. 계약의 일부로 클라우드워크는 짐바브웨 시민들의 사진에 접근할 권한을 얻고 머신러닝 알고리즘 훈련을 위해 이 사진을 사용할 수 있게 될 것이다. 그 결과 이 시스템은 짐바브웨 시민들에게 미리 알리거나 동의를 받지 않고도 세계 어디에서나 잠재적으로 사용될 수 있을 것이다.[50]

이와 같은 문제는 클리어뷰의 상황과 마찬가지로 얼굴 인식 기술을 규제받지 않는 민간 부문에 맡겨둘 수 없다는 점을 분명히 한다. 이런 기술에 대한 규제와 감독은 필수다. 〈뉴욕타임스〉가 클리어뷰를 탐사 보도하지 않았다면 이 회사의 기술은 이 기술이 초래하는 개인의 사생활에 대한 위협을 일반적으로 인지하기 훨씬 전에, 어떤 감독도 없이 대중에게 공개됐을 것이다. 최소한 우리는 어떤 알고리즘이든지 공정하게 사용될 것을 보장하는 명확한 규정과 공공의 사생활을 위협하는 방식으로 감시 시스템을 배치하는 것을 막을 수 있는 보호 장치가 필요하다.

일반 기준이 없는 샌프란시스코 같은 일부 지역에서는 경찰과 지방정부의 얼굴 인식 기술 사용을 전면 금지하는 데 앞장서고 있다. 하지만 민간 부문으로 확장되지는 않았다. 중국처럼 얼굴 인식이 대규모 주택단지의 출입 시스템으로 사용되는 경우가 점점 일반화되고 있어 일부 주민들은 사생활 침해를 주장하며 소송을 제기했다. 대형 매장에서도 이 기술을 거의 제약 없이 사용할 수 있다. 분명히 우리는 공개적으로나 비공개적으로 배치된 시스템에 반드시 적용해야 하는 기본 규칙을 정의하는 국가 수준의 규제가 필요하다. 개인의 사생활, 감시, 공공 안전의 중요성에 대한 태도는 다양하고, 개별 국가와 지역, 도시는 얼굴 인식과 다른 인공지능 기반 감시 기술의 위험에 대해 서로 다른 절충안을 마련할 것으로 보인다. 민주주의 사회에서는 대중의 의견을 반영하는 투명한 절차가 필요하고, 이 기술은 관련된 모든 사람의 권리를 보호하는 일련의 기본 원칙에 따라 관리돼야 한다.

중국과의 인공지능 군비경쟁의 가능성은 매우 현실적이고, 개인의 사생활에 대한 유례없는 위협과 새로운 형태의 차별은 인공지능이 끊임없이 발전하는 동안 등장할 여러 위험 가운데 한 부분일 뿐이다. 다음 장에서는 인공지능에 내재한 몇 가지 위험을 더 넓은 관점에서 조명하고 즉각 주의를 기울여야 하는 위험은 무엇이고 먼 미래에나 일어날 다소 추측에 근거한 우려는 무엇인지 이야기하려고 한다.

인공지능의 위험

RULE OF THE ROBOTS

미국 대통령 선거를 이틀 앞둔 11월이다. 민주당 후보는 경력의 대부분을 시민권을 증진하고 소외 지역의 보호를 확대하기 위해 싸워왔다. 이 문제에 관한 한, 이 여성 후보의 이력은 거의 완벽해 보인다. 따라서 후보의 사적인 대화라고 주장하는 녹음 파일이 등장해 순식간에 소셜 미디어에 퍼지자 엄청난 충격이 일었다. 이 대화에서 후보는 노골적으로 인종차별적 언어를 사용하고 스스로 편협한 신념을 평생 잘 숨겨왔다고 드러내놓고 인정하며 비웃는다.

오디오 클립이 등장한 지 한 시간도 되지 않아 후보는 이 파일의 진실성을 강력하게 부인한다. 개인적으로 후보를 아는 사람들은 이 말을 그녀가 했다고 아무도 믿지 않을뿐더러 수십 명이 그녀를 지지하며 나선다. 하지만 그녀를 믿기로 한 사람이라도 매우 불편한 현실을 직면해야 한다. 바로 그녀의 목소리다. 적어도 사람의 귀에는 그 후보가 말하는 것으로 들린다. 특정 단어와 표현을 발음하는 독특한 방식과 특유의 말투와 억양, 이 모든 것이 사람들 대부분이 곧 미국의 대통령으로 당선되길 기대하는 이 후보를 가리킨다는 사실을 부인할 수 없게 한다.

음성 녹음이 인터넷에서 폭발적으로 퍼져 나가고 케이블 TV에서 반복적으로 재생되고 소셜 미디어 세계는 혼란과 분노로 뒤덮인다. 후보 지명을 확정하기까지 험난한 경선 과정을 거쳐왔지만, 지금은 일부 화난 상대편 지지자들이 사퇴를 요구하고 있다.

선거 캠프 측은 즉시 전문가 패널을 고용해 오디오 파일을 독립적으로 검토하도록 한다. 하루 동안 집중적으로 분석한 끝에 그들은 이 녹음이 '딥페이크'일 가능성이 크다고 판단한다. 후보자의 연설 파일들로 광범위하게 학습된 머신러닝 알고리즘에 의해 생성된 음성이라는 것이다. 수년 동안 딥페이크에 대한 경고가 있었지만, 지금까지는 조작을 쉽게 파악할 수 있을 정도로 초보적이었다. 이번 사례는 다르다. 기술이 크게 발전한 것이 분명하다. 전문가 패널도 확실히 음성 파일이 가짜이고 실제 녹음한 것이 아니라고 단언할 수 없다.

전문가 패널의 판단에 따라 선거 캠프 측은 온라인에서 대부분의 음성 파일을 내리는 데 성공한다. 하지만 이미 수백만 명이 그 파일을 들었다. 선거일이 밝아오자 몇 가지 결정적인 질문들이 떠오른다. 그 파일을 듣고 사람들이 가짜라고 생각할까? 조작된 걸 아는 유권자가 그 혐오 발언을 '듣지 않은' 걸로 해줄까? 지금쯤 기억에서 지워지지 않을 정도로 각인됐을 텐데? 특히 그 대화의 대상이 된 그룹에 속한 사람이라면 어떨까? 이 오디오 클립이 민주당 후보가 가장 신뢰하는 집단의 투표율에 부정적인 영향을 끼칠까? 만약 선거에서 진다면 미국인들 대다수가 이 선거를 도둑맞았다고 생각할까? 그렇다면 어떻게 될까?

이 시나리오는 명백하게 허구이지만 현실에서는 몇 년 안에 내가 묘사한 비슷한 상황이 일어날 수 있다. 2019년 7월 사이버 보안 회사 시만텍Symantec은 이름을 밝힐 수 없는 3곳의 회사가 음성 딥페이크를 사용한 범죄자들에게 수백만 달러의 돈을 사취당했다고 공개했다.[1] 세 경우 모두 그 회사 CEO의 목소리로 재무팀 직원에게 돈을 불법 은행 계좌에 이체하도록 지시하는 전화 통화로 이루어졌다. 인공지능이 생성한 오디오 클립을 조작해 범죄를 저지른 것이다. 앞서 허구로 꾸민 사례에 등장한 대선 후보자처럼 일반적으로 최고경영자들도 머신러닝 알고리즘 학습에 사용할 수 있는 수많은 오디오 데이터(연설, TV 출연 등)가 온라인에 존재한다. 아직은 기술 수준이 고품질 음성을 생성할 수 있는 단계에 있지 않기 때문에 이 경우 범죄자들은 결함을 가리기 위해 차량 소리 같은 배경 소음을 의도적으로 삽입했다. 하지만 딥페이크의 수준이 앞으로 몇 년 동

로봇의 지배

8장 | 인공지능의 위험

303

안 비약적으로 향상될 것이 분명하고, 결국 상황은 진실과 허구를 거의 구별할 수 없는 수준에 도달하게 될 것이다.

음성뿐만 아니라 사진, 영상, 심지어 일관성 있는 텍스트를 생성하는 데까지 이용될 수 있는 딥페이크의 악의적인 사용은 인공지능이 발전하면서 우리가 직면하게 되는 심각한 위험 중 하나일 뿐이다. 이전 장에서 우리는 인공지능 기반 감시와 얼굴 인식 기술이 개인의 사생활 개념을 파괴하고 전체주의적인 미래로 이끌 수 있다는 것을 확인했다. 이번 장에서는 인공지능이 더욱 강력해질수록 발생할 수 있는 주요 위험들을 살펴보려 한다.

딥페이크, 무엇이 현실이고 무엇이 환상인가?

딥페이크는 '적대적 생성 신경망generative adversarial network, GAN'으로 알려진 혁신적인 딥러닝으로 구동된다. GAN은 끊임없이 더 좋은 품질의 시뮬레이션 음성이나 영상을 생성하도록 2개의 신경망을 일종의 게임처럼 경쟁시킨다. 예를 들어 가짜 사진을 생성하도록 설계된 GAN에는 두 가지 심층 신경망이 포함된다. 먼저 '생성자 generator'라고 불리는 신경망은 조작된 이미지를 만든다. 그리고 '판별자discriminator'로 불리는 신경망은 실제 사진으로 구성된 데이터 세트를 학습한다. 생성자가 합성한 이미지는 실제 사진과 섞여 판별자로 입력된다. 두 신경망은 생성자가 만든 사진을 판별자가 평가해 진위를 가리는 경쟁을 진행하면서 계속 상호작용한다. 생성자의 목표는 가짜 사진을 만들어 판별자를 속이는 것이다. 두 신경망이 경쟁을 반복하면서 이미지 품질이 계속 향상되고 결국 시스템은 판별자가 분석하는 이미지의 진위를 구분할 수 없는 일종의 평형 상태에 도달한다. 이 기법을 통해 놀랍게 조작된 이미지를 얻을 수 있다. 인터넷에서 'GAN 가짜 얼굴'을 검색하면 세상에 존재하지 않는 인물을 완벽하게 그려낸 고해상도 이미지의 예를 수없이 찾을 수 있다. 판별자 신경망의 관점에서 보면, 사진들은 완전히 실제처럼 보이지만 모두 디지털 천상계에서 만들어낸 이미지 합성이자 환상일 뿐이다.

　GAN은 몬트리올대학교의 대학원생이던 이언 굿펠로[lan Goodfellow]가 개발했다. 2014년 어느 저녁, 굿펠로는 친구 몇 명과 동네 술집에서 고품질 이미지를 생성할 수 있는 딥러닝 시스템을 만드는 문제를 놓고 대화를 나눴다. 맥주를 셀 수 없을 만큼 마신 굿펠로는 GAN의 기본 개념을 제안했지만, 지나친 의심에 부딪혔다. 굿펠로는 집으로 돌아와 곧장 코딩을 시작했다. 몇 시간 뒤 그는 최초로 작동하는 GAN을 만들어냈다. 이 성취는 굿펠로를 딥러닝 커뮤니티의 전설적 인물로 바꿀 만했다. 페이스북의 최고 인공지능 과학자 얀 르쿤은 GAN을 "지난 20년간 딥러닝 분야에서 나온 가장 멋진 아이디어"라고 말했다.[2] 굿펠로는 몬트리올대학교에서 박사 학위를 마친 다음 구글 브레인 프로젝트와 오픈AI를 거쳐 지금은 애플의 머신러닝 책임자로 일하고 있다. 그는 딥러닝 분야의 표준적인 대학 교재를 집필한 주요 저자이기도 하다.

GAN은 여러 가지 긍정적인 방식으로 사용될 수 있다. 특히 합성 이미지나 음성과 영상은 다른 머신러닝 시스템의 훈련 데이터로 사용될 수 있다. 예컨대 GAN이 만든 이미지는 자율 주행차에 사용되는 심층 신경망 훈련에 활용할 수 있다. 실제로 유색인종의 고품질 이미지를 윤리적인 방식으로 충분히 얻기 힘들 때 인종 편견 문제를 극복하는 방편으로 합성된 비백인의 얼굴을 얼굴 인식 시스템 훈련에 사용하자는 제안도 있었다. GAN을 음성 합성에 적용하면 말하는 능력을 잃은 사람에게 자신의 목소리처럼 들리는 컴퓨터로 생성한 대체 목소리를 제공할 수 있다. 고인이 된 스티븐 호킹은 신경 퇴행성 질환인 근위축성 측상경화증ALS, 흔히 말하는 루게릭병으로 목소리를 잃자 컴퓨터로 합성한 독특한 음성으로 대화한 것으로 유명하다. 최근에는 NFL 미식축구 선수 팀 쇼Tim Shaw처럼 ALS 환자들이 발병 전에 녹음해둔 음성으로 딥러닝 시스템을 훈련해 복원한 자연스러운 목소리를 되찾고 있다.

하지만 이 기술을 악의적으로 사용할 가능성은 피할 수 없고 기술에 정통한 개인들도 다르지 않다는 증거가 나타나고 있다. 웃음거리나 교육적 의도로 제작된 딥페이크 영상이 널리 사용되는 것을 보면 무엇이 가능한지 알 수 있다. 마크 저커버그 같은 유명인이 적어도 공개적으로는 절대 하지 않을 것 같은 발언을 하는 가짜 영상은 셀 수 없이 찾을 수 있다. 가장 유명한 사례는 배우이자 코미디언이며 버락 오바마 대통령의 음성 모사로 유명한 조던 필[Jordan Peele]이 〈버즈피드[BuzzFeed]〉와 협업해 만든 영상이다. 딥페이크의 위협을 대중에게 알리려는 목적으로 만든 이 공익 영상에서 오바마 대통령은 "트럼프 대통령은 완전히 머저리[dipshit]"라는 내용으로 말한다.[3] 이때 오바마 대통령의 목소리를 흉내 낸 필의 목소리가 사용됐고 오바마 대통령의 입 모양을 필이 하는 말에 맞게 조작해 기존 영상을 바꾸는 기법이 사용됐다. 앞으로 우리는 음성도 딥페이크로 조작된 영상을 보게 될 것이다.

특히 일반적인 딥페이크 기법은 한 사람의 얼굴을 다른 사람의 실제 영상으로 옮길 수 있다. 딥페이크 탐지 도구를 제공하는 스타트업 센서티[Sensity](전 딥트레이스[Deeptrace])에 따르면 2019년에 최소 1만 5,000건의 딥페이크 조작이 온라인에 게시됐고, 이는 전년 대비 84퍼센트 증가한 수치다.[4] 이 가운데 96퍼센트가 포르노 사진이나 영상과 관련이 있으며, 거의 여성 유명인의 얼굴을 포르노 배우의 몸에 붙인 형태다.[5] 테일러 스위프트[Taylor Swift]나 스칼릿 조핸슨[Scarlett Johansson] 같은 유명인이 주요 대상이었지만 기술이 발전하고 딥페이크 제작 도구가 많아지고 사용하기 쉬워짐에 따라 이런 종류의 디지털 오용은 결국 모든 사람을 대상으로 삼을 수 있다.

딥페이크의 질이 끊임없이 향상되면서 조작된 음성이나 영상 매체가 파괴적인 영향을 끼칠 가능성은 피할 수 없는 위험으로 다가온다. 이 장 시작 부분에 소개했던 가상의 시나리오처럼 충분히 신뢰할만한 딥페이크가 말 그대로 역사의 흐름을 바꿀 수 있다. 그리고 이런 조작을 만드는 수단은 머지않아 정치 공작원이나 외국 정부뿐만 아니라 짓궂은 청소년의 손에 들어갈 수 있다. 그렇다면 걱정해야 할 사람이 단지 정치인이나 유명인으로 제한되지 않는다. 바이럴 영상과 소셜 미디어상 망신 주기shaming나 팔로우를 취소하는 '캔슬 컬처cancel culture'가 만연한 시대에 거의 모든 사람이 표적이 될 수 있으며, 경력이나 인생이 딥페이크로 인해 파괴될 수 있다. 미국은 인종차별의 역사 때문에 은밀히 계획된 사회적·정치적 혼란에 특히 취약할 수 있다. 우리는 경찰의 잔혹성을 담은 바이럴 영상이 거의 즉각적으로 광범위한 시위와 사회적 불안으로 이어지는 것을 목격했다. 미래의 어느 시점에 사회구조를 분열시킬 정도로 위협적이고 선동적인 영상이 외국 정보기관에 의해 합성될 가능성도 상상하지 못할 일이 아니다.

공격이나 혼란을 의도한 음성이나 영상 클립 외에도 단순히 이익을 노리는 사람들에게 불법적인 기회는 거의 무한히 존재한다. 범죄자들은 금융이나 보험 사기부터 주식시장 조작까지 모든 분야에 이 기술을 사용하려 들 것이다. 기업 CEO가 거짓 진술을 하거나 비정상적인 행동을 하는 영상은 그 기업의 주가를 폭락시킬 수 있다. 딥페이크는 사법 체계도 훼손할 수 있다. 조작된 음성이나 영상이 증거로 제출될 수 있고 판사나 배심원들은 결국 자신이 눈으로 보는 것이 정말 사실인지 판단하기 어렵거나 아마도 불가능한 세상에 살게 될 것이다.

물론 해결책을 연구하는 똑똑한 사람들도 있다. 예컨대 센서티는 딥페이크를 대부분 감지할 수 있다고 주장하는 소프트웨어를 판매한다. 하지만 딥페이크 기술이 발전할수록 확장 경쟁도 피할 수 없을 것이다(새로운 컴퓨터 바이러스를 만드는 사람들과 바이러스를 막는 소프트웨어를 판매하는 회사 사이의 경쟁과 크게 다르지 않다). 그리고 악의적 사용자가 항상 작은 이득이라도 갖게 될 가능성이 크다. 이언 굿펠로는 단순히 '픽셀만 보고' 이미지가 진짜인지 가짜인지 알 수 없을 것이라고 말한다.[6] 대신 우리는 사진이나 영상에 사이버네틱 서명cybernetic signature을 하는 것 같은 인증 방법에 의존해야 할 것이다. 언젠가 모든 카메라와 휴대전화가 기록하는 음성과 영상에 디지털 서명을 입력하게 될 것이다. 트루픽Truepic이라는 스타트업은 이런 기능이 있는 앱을 이미 제공하고 있다. 이 회사의 고객에는 주요 보험회사가 포함된다. 보험회사는 건물부터 보석이나 값비싼 장신구에 이르기까지 모든 것의 가치를 문서로 만들기 위해 고객이 보내는 사진에 주로 의존한다.[7] 굿펠로는 딥페이크 문제에 대한 완벽한 기술적 해결책은 없을 것으로 생각한다. 대신 우리가 보고 듣는 것이 늘 환상일 수 있는, 전에 없던 새로운 현실을 어떻게든 헤쳐 나가는 방법을 배워야 할 것이다.

딥페이크는 인간을 속이기 위한 것이지만 문제는 머신러닝 알고리즘을 속이거나 제어하기 위해 데이터를 악의적으로 조작하는 것과 관련이 있다. 이런 '적대적 공격adversarial attack'에서는 특별히 설계된 입력이 공격자가 원하는 출력을 생성하도록 머신러닝 시스템에 오류를 일으킨다. 머신 비전의 경우 신경망이 이미지 해석을 왜곡하도록 시야에 무언가를 배치한다. 유명한 사례를 소개하면, 연구자들이 판다 사진을 딥러닝 시스템이 58퍼센트의 신뢰 수준으로 식별하도록 한 다음, 이 이미지에 신중하게 조작한 시각적 노이즈를 추가해 판다를 긴팔원숭이로 99퍼센트 이상 확신하도록 시스템을 속이는 것이다.[8] 하지만 소름 끼치는 사례도 있었다. 정지신호에 4개의 작은 직사각형 모양의 흑백 스티커를 추가해 자율 주행차에 사용되는 이미지 인식 시스템이 정지신호를 시속 70킬로미터 속도 제한 표시로 인식하도록 속인 경우다.[9] 다시 말해 적대적 공격은 생사가 걸린 중요한 결과를 쉽게 초래할 수 있다. 두 가지 경우 모두 인간 관찰자는 이미지에 추가된 정보를 알아차리지 못하거나 분명히 그 정보 때문에 혼동하지 않을 것이다. 나는 이런 사례가 오늘날 심층 신경망이 얼마나 피상적이고 불안정하게 연결돼 있는지를 생생히 보여준다고 생각한다.

인공지능 연구자들은 적대적 공격을 심각하게 받아들이고 치명적인 취약점으로 간주한다. 이언 굿펠로는 머신러닝 시스템 내 보안 문제를 연구하고 가능한 보호 장치를 개발하는 데 연구 경력의 많은 부분을 쏟았다. 적대적 공격에 맞서 강력한 인공지능 시스템을 개발하기란 결코 쉬운 작업이 아니다. 한 가지 접근 방법은 '적대적 학습adversarial learning'으로, 시스템이 배치되면 신경망이 공격을 파악하기를 기대하며 의도적으로 적대적인 예시를 훈련 데이터 안에 포함한다. 하지만 딥페이크와 마찬가지로 공격자가 항상 유리한 위치를 차지하는 확장 경쟁이 계속될 가능성이 있다. 굿펠로가 지적했듯이 "다양한 경우의 적대적 공격 알고리즘에 대항할 수 있는 정말 강력한 방어 알고리즘을 설계한 사람은 아직 없다."[10]

적대적 공격은 머신러닝 시스템에 해당하지만, 사이버 범죄자나 해커, 외국 정보기관에 의해 악용될 수 있는 컴퓨터 취약점의 중요한 항목이 될 수 있다. 인공지능이 더 많이 사용되고 사물 인터넷을 통해 기기와 기계, 인프라가 더욱 연결될수록 보안 문제는 앞으로 훨씬 더 중요해지고 사이버 공격은 거의 확실히 더 자주 일어날 것이다. 인공지능의 폭넓은 사용은 결과적으로 더 자율적이고 인간의 개입은 적은 시스템으로 나타날 것이며, 이런 시스템은 점점 더 사이버 공격의 매력적인 표적이 될 것이다. 앞으로 자율 주행 트럭이 식품이나 의약품, 긴급 물자를 배송한다고 상상해보자. 이런 차량을 멈춰 세우거나 배송을 오래 지연시키는 공격은 생명을 위협하는 결과를 초래할 수도 있다.

이 모든 것의 결론은 증가한 인공지능의 가용성과 의존도가 시스템의 보안 위험과 결부된다는 것이다. 여기에는 사회질서와 경제, 민주주의 제도와 함께 주요 인프라와 시스템에 대한 위협도 포함된다. 보안 위험은 인공지능의 부상과 연관된 가장 중요한 단기적 위험이다. 이런 이유로 견고한 인공지능 시스템 개발에 중점을 둔 연구에 투자하고, 심각한 취약점이 발견되기 전에 적절한 규제와 보호 장치를 마련하기 위해 정부와 민간 부문 간 효과적인 연합을 구성하는 것이 중요하다.

치명적인 자율 무기의 위험

수백 대의 미니어처 드론이 떼를 지어 미국 국회의사당 건물을 일제히 공격한다. 얼굴 인식 기술을 적용한 드론은 특정 인물들을 식별한 다음 고속으로 그들에게 접근한다. 총알처럼 효과적으로 사살할 수 있는 작은 폭발물을 가지고 목표를 향해 돌진해 암살한다. 국회의사당은 완전히 혼란에 빠진다. 그리고 표적이 된 의회 의원들이 모두 한 정당 소속이라는 사실이 나중에 밝혀진다.

이 소름 끼치는 시나리오는 2017년에 발표된 단편영화 〈슬러터봇Slaughterbots〉의 내용을 간추린 것이다.[11] 치명적인 자율 무기의 다가오는 위험을 경고할 목적으로 만들어진 이 영상은 캘리포니아대학교 버클리캠퍼스의 컴퓨터과학 교수인 스튜어트 러셀과 그의 팀이 제작했다. 최근에 그는 기술이 발전함에 따라 인공지능에 내재한 위험 요소에 관한 연구에 집중하고 있다. 러셀은 유엔이 "인간의 개입 없이 인간 목표물을 찾고 선택하고 제거할 수 있는"[12] 무기로 규정하는 치명적인 자율 무기가 새로운 유형의 대량 살상 무기로 분류돼야 한다고 생각한다. 다시 말해 인공지능 기반 무기 체계는 결국 화학 무기나 생물학 무기, 심지어 핵무기만큼 파괴적이고 불안정할 수 있다.

이런 주장은 일단 인간의 직접 통제와 살인 승인이 없어지면 이런 무기가 초래할 수 있는 파괴력이 고도로 확장 가능하다는 사실에 주로 근거를 두고 있다. 모든 드론은 잠재적으로 무기로 사용될 수 있다. 수백 대의 드론을 동시에 움직일 수 있지만, 원격으로 조정해야 한다면 기기를 조정할 수백 명의 사람이 필요하다. 하지만 드론이 완전히 자율적으로 움직인다면 소규모 팀이 거대한 군단을 배치해 상상도 할 수 없는 대학살을 일으킬 수 있다. 러셀은 이렇게 말했다. "누군가 공격을 시작할 수 있습니다. 통제실에 있는 5명이 1,000만 개의 무기를 발사해 특정 국가에 거주하는 12세에서 60세 남자를 모두 쓸어버릴 수도 있습니다. 그렇다면 이건 대량 살상 무기입니다. 확장성이라는 특징이 있습니다."[13] 얼굴 인식 알고리즘이 민족, 성별, 복장에 따라 식별할 수 있는 기능이 있는 것을 고려하면 이전에는 생각조차 할 수 없던 무자비하고 엄청난 속도로 자행되는 자동 인종 청소나 정치적 반대자들의 대량 암살과 관련된 정말 오싹한 시나리오를 쉽게 상상할 수 있다.

디스토피아의 가능성을 완전히 배제할 수 있고, 이 기술이 합법적인 군사 교전에 엄격하게 제한된다고 가정해도 자율 무기는 심각한 윤리 문제를 제기한다. 기계에 독립적으로 인간의 생명을 빼앗을 수 있는 능력을 부여하는 것을 도덕적으로 받아들일 수 있는가? 설령 그것이 표적 효율성을 높이고 현장에 있는 무고한 사람들의 부수적인 피해 위험을 줄인다고 해도 수용할 수 있는가? 인간의 직접적인 통제가 없다면 부상이나 인명 손실을 초래하는 오류가 발생하는 경우 누구에게 책임이 있는가?

발전시키려고 연구하는 기술이 무기로 배치될 수 있는 위험은 많은 인공지능 연구자들 사이에서 엄청난 우려를 불러일으키고 있다. 4,500명 이상의 개인과 수백 곳의 기업과 조직, 대학교가 자율 무기 연구에 참여하지 않을 것을 밝히고 이러한 기술의 전면 금지를 요구하는 공개서한에 서명했다. 이미 금지된 생화학 무기와 거의 같은 방식으로 완전 자율 살인 기계를 금지하려는 이니셔티브가 유엔 재래식 무기 금지 협약 안에서 진행되고 있다. 하지만 진행 상황은 아직 부진하다. 유엔의 금지를 지지하는 단체 킬러 로봇 사용 중지 캠페인Campaign to Stop Killer Robots에 따르면 2019년 기준으로 대부분 개발도상국인 29개 국가가 자율 무기 기술의 완전 금지를 공식적으로 요구했다. 하지만 주요 군사 강국은 참여하지 않고 있다. 유일한 예외 국가가 중국이다. 중국은 무기의 개발과 생산은 허용하되 실제 사용은 금지하는 조건으로 이 규약에 서명했다.[14] 미국과 러시아는 금지에 반대해왔고, 따라서 자율 무기가 조만간 완전히 불법화될 것 같지는 않다.[15]

내 개인적인 의견은 다소 비관적이다. 강대국 간의 경쟁 역학과 신뢰 부족으로 완전 자율 무기 개발이 곧 확실해질 것 같다. 미국, 러시아, 중국, 영국, 한국을 포함하는 국가에서 대규모 편대로 이동하는 드론을 적극적으로 개발하고 있다.[16] 미 육군은 소형 탱크처럼 생긴 무장 로봇을 배치하고 있고,[17] 공군은 공중전에서 인간이 조종하는 전투기를 격추할 수 있는 인공지능 무인 전투기를 개발 중인 것으로 알려졌다.[18] 중국, 러시아, 이스라엘과 다른 국가들도 비슷한 기술을 배치하거나 개발하고 있다.[19]

지금까지 미국과 다른 군사 강국들은 인간을 항상 가장 중요하게 생각할 것이고, 이런 기계가 인명 손실을 초래할 수 있는 공격에 사용될 경우 구체적인 승인이 필요할 것이라고 약속했다. 그러나 전장에서 완전 자동화는 엄청난 전술적 이점을 제공하는 것이 현실이다. 인간은 인공지능에 비교할 만한 속도로 반응하고 의사 결정을 할 수 없다. 일단 한 국가가 현재 완전 자율 무기에 대한 비공식적 금지를 위반하고 이런 무기를 배치하기 시작하면 피할 수 없이 경쟁 군대는 즉시 대응하거나 아니면 심각하게 불리한 상황에 부딪힐 것이다. 뒤처지는 데서 오는 두려움은 미국이나 중국, 러시아가 자율 무기 체계 개발과 생산에 대한 공식적인 금지를 반대하는 이유일 것이다.

　다른 유형의 전쟁을 살펴보면 이 모든 것이 어떻게 전개될지 미리 알 수 있다. 바로 월스트리트에서 벌어지는 인공지능 기반 거래 시스템 간의 끊임없이 전투다. 알고리즘 거래는 미국 전체 거래량의 80퍼센트를 차지할 정도로 이제 주요 증권거래소의 일일 거래량에 지배적인 역할을 한다. 2013년으로 거슬러 올라가면, 한 물리학자 그룹이 금융시장을 연구한 논문을 〈네이처〉에 발표해 "약탈적 알고리즘을 특징으로 하는 경쟁 기계의 새로운 생태계"가 존재하고 알고리즘 거래는 시스템을 설계한 인간의 통제와 이해를 이미 벗어난 상태로 발전해왔다고 밝혔다.[20]

　이제 알고리즘은 인공지능 분야의 최신 발전을 통합하고 시장에 대한 영향력이 극적으로 증가했으며 상호작용하는 방식은 이해할 수 없을 정도로 복잡해졌다. 예컨대 많은 알고리즘에는 블룸버그나 로이터 같은 회사가 제공하는 기계만 판독할 수 있는 뉴스 소스를 직접 활용하는 기능이 있고 이 정보에 근거해 1초를 다시 잘게 나눈 단위로 거래가 이루어진다. 초단기 매매의 경우, 인간은 알고리즘을 능가하려는 시도는커녕 무슨 일이 벌어지고 있는지 세부적으로 이해하려는 시작조차 하기 어렵다. 결국 전쟁터에서 벌어지는 교전도 많은 경우 이와 비슷할 것이다.

　군사 강국들이 독점적으로 자율 기술을 전장에 배치하더라도 그 위험은 매우 현실적이다. 로봇 전투는 군 지휘관이나 정치 지도자가 상황을 완전히 이해하거나 단계적으로 축소할 수 있는 능력 범위를 벗어나 빠른 속도로 전개될 수 있다. 다시 말해 사소한 사건의 결과로 큰 전쟁이 우발적으로 벌어지는 위험이 심각하게 증가할 수 있다. 또 다른 우려는 로봇과 로봇이 전투를 벌이고 극소수의 사람만이 직접 위태로워지는 세상에서 전쟁 비용이 불편할 정도로 낮아질 수 있다는 점이다. 미국에서는 이미 논란의 여지가 있는 사안이다. 모병제를 지향하는 징병제도 폐지는 사회 엘리트 중 극소수만 자녀를 군대에 보내는 상황으로 이어질 수 있다. 결과적으로 가장 많은 권력을 가진 사람들이 책임을 거의 지지 않고 개인이 치러야 할 군사행동에 대한 대가에서 배제되는 경향이 있다. 나는 이러한 단절이 미국이 수십 년간 중동에서 벌인 교전에 큰 영향을 끼쳤다고 생각한다. 확실히 기계는 험지에 갈 수 있고, 따라서 군인 한 사람이라도 목숨을 보전할 수 있다면 분명히 좋은 일이다. 그러나 전쟁을 결정할 때 위험이 낮다는 인식이 집단적 판단에 영향을 끼치지 않도록 특히 신중해야 한다.

가장 큰 위험은 일단 무기가 생산되면 합법적인 정부와 군대가 치명적인 자율 무기의 기술 통제를 유지하지 못할 수 있다는 것이다. 이 경우 기관총이나 다른 소형 무기를 테러리스트나 용병, 테러 지원국에 공급하는 불법 무기 거래상들에 의해 자율 무기가 거래될 수 있다. 자율 무기가 널리 보급되면 〈슬러터봇〉에서 그려진 악몽 같은 시나리오가 쉽게 현실이 될 수 있다. 무기를 살 수 없더라도 다른 대량 살상 무기보다 개발 진입 장벽이 훨씬 낮아진다. 특히 드론의 경우 상업용이나 취미용으로 기술과 부품을 쉽게 구할 수 있기 때문에 무기화될 가능성이 크다. 핵무기 개발은 국가 수준에서 자원을 동원할 수 있어도 엄청난 반발에 부딪히지만, 소규모 자율 드론 무리를 설계하고 사용하는 일은 몇 사람이 지하실에서 작업하면 충분히 가능한 일이다. 바이러스와 마찬가지로 자율 무기 기술이 이런 상황에 노출되면 방어하거나 억제하기가 매우 어렵고 혼란이 뒤따를 것이다.

언론이 부추기는 흔한 실수는 치명적 자율 무기에 대한 우려를 〈터미네이터〉 같은 SF영화의 시나리오와 결부시키는 것이다. 이것은 범주의 오류이며 이런 무기가 일으키는 단기적 위험에서 다른 곳으로 시선을 돌리는 위험한 방해 행위다. 위험은 기계가 어떤 방식으로든지 우리의 통제를 벗어나 자유의지로 우리를 공격하는 것이 아니다. 그러려면 일반 인공지능이 필요하고, 앞서 살펴봤듯이 적어도 앞으로 수십 년은 걸릴 것이다. 오히려 우리는 과연 인간이 아이폰보다 '똑똑하지' 않지만, 표적을 식별하고 추적하는 데는 망설임이 없는 유능한 무기로 무엇을 해야 할지 걱정해야 한다. 그리고 이것은 순전히 미래에 국한된 우려가 아니다. 스튜어트 러셀이 〈슬러터봇〉의 결론에서 말하듯이, 이 영화는 "이미 존재하는 기술을 통합하고 축소한 결과"를 각색한 것이다. 다시 말해 이런 무기는 몇 년 안에 등장할 가능성이 충분히 있고 우리가 막고자 한다면 "행

동의 기회는 빠르게 닫힐 것이다."[21] 자율 무기에 대한 유엔의 전면
적인 금지가 조만간에는 이루어지지 않을 것을 고려하면 국제사회
는 최소한 테러리스트나 비국가 활동 세력이 민간인을 대상으로 이
런 무기를 사용할 수 없도록 접근을 차단하는 데 중점을 둬야 할 것이
다.

머신러닝 알고리즘의 편향, 공정성, 그리고 투명성

인공지능과 머신러닝이 폭넓게 사용될수록 알고리즘이 생성하는
결과와 추천이 공정하다고 인식하고 알고리즘의 추론 과정을 적절
하게 설명할 수 있는 것이 중요하다. 이를테면 산업기계의 에너지
효율을 극대화하기 위해 딥러닝 시스템을 사용하고 있다면 아마 알
고리즘이 결과를 도출하는 세부 사항에는 특별한 관심을 기울이지
않을 것이다. 그저 최적의 결과만 바랄 뿐이다. 하지만 머신러닝이
형사적 판단이나 고용 결정, 주택 담보 대출 신청 절차 같은 분야에
적용될 때, 다시 말해 인간의 권리와 미래의 행복에 직접 영향을 끼
치는 중대한 결정에 적용될 때, 알고리즘의 결과가 인구통계 집단
에 편향되지 않고 이런 결과를 도출한 분석이 투명하고 공정하다는
것을 보여주는 것이 필요하다.

편향은 머신러닝에서 흔히 일어나는 문제이고, 대부분의 경우 알고리즘 훈련에 사용하는 데이터 문제 때문에 발생한다. 앞 장에서 살펴봤듯이 서양에서 개발된 얼굴 인식 알고리즘은 종종 유색인종에 편향돼 있다. 학습 데이터 세트에 백인의 얼굴이 압도적으로 많이 포함되는 경향이 있기 때문이다. 더 일반적인 문제는 알고리즘을 학습하는 데 사용하는 데이터 대부분이 인간 행동, 의사 결정, 활동에서 직접 발생한다는 것이다. 데이터를 생성하는 인간이 어떤 식으로든 편향돼 있으면(특히 인종이나 성별에 대해) 그 편향은 자동으로 학습 데이터 세트에 포함된다.

예를 들어 대기업 공개 채용 이력서를 선별하도록 설계된 머신러닝 알고리즘을 생각해보자. 이런 시스템은 과거 비슷한 직무에 지원했던 사람들에게 받은 모든 이력서 텍스트와 채용 담당자가 이력서를 검토해 내린 결정을 바탕으로 훈련될 것이다. 머신러닝 알고리즘은 모든 데이터를 처리하고 이력서의 특성을 완전히 소화해 거절해야 할 지원자의 이력서와 추가 인터뷰할 구직자를 결정한다. 이 작업을 효과적으로 수행하는 알고리즘은 관리해야 할 최상위 지원자의 목록을 생성하고 인사 부서가 수백, 수천 명의 지원자를 가려내는 데 들이는 시간을 크게 줄인다. 이런 이유로 이력서 선별 시스템은 특히 대기업에서 인기를 얻고 있다. 하지만 알고리즘을 훈련한 과거 채용 데이터가 채용 관리자의 공공연하거나 무의식적인 인종차별이나 성차별 성향을 반영한다고 가정해보자. 머신러닝 시스템은 이것을 정상적인 학습 과정으로 거치기 때문에 자동으로 편향을 반복할 것이다. 알고리즘 개발자의 악의적인 의도가 없어도 학습 데이터 안에는 편향이 존재한다. 따라서 시스템이 기존의 편견을 계속 유지하거나, 심지어 증폭시키고 유색인종이나 여성에게 명백히 불공정한 결과를 가져다주게 된다.

2018년 아마존이 머신러닝 시스템 개발을 중단했을 때도 비슷한 일이 일어났다. 기술직 지원 이력서를 검토할 때 여성에 대한 편향이 나타났기 때문이다. 지원자가 여자대학을 졸업한 경우 이력서에 여자 동아리나 여자 스포츠를 가리키는 '여자'라는 단어가 포함돼 있으면 시스템이 낮은 점수를 주어 여성 구직자에게 불이익을 주었다. 아마존의 개발자가 문제를 발견하고 특정 오류를 수정하더라도 알고리즘이 편향되지 않았을지는 보장할 수 없었다. 다른 변수가 성별을 드러낼 수 있기 때문이다.[22] 채용 결정을 하기 전에 노골적인 성차별을 암시하지 않았는지 주의 깊게 살피는 것이 중요하다. 알고리즘은 편향돼 훈련될 수 있다. 기술직에서 여성은 대표성이 부족하고 남성이 고용에서 다수를 차지하기 때문이다. 아마존은 알고리즘이 개발 단계 이상 진행되지 않았고 이력서 심사에 실제로 사용된 적이 없다고 강조했다. 하지만 만약 사용된다면 기술직에서 여성의 대표성이 부족한 현실을 더 강화하는 데 분명히 작용할 것이다.

머신러닝 시스템이 형사법 체계에 사용될 때 더 심각한 상황이 발생한다. 알고리즘은 보석이나 가석방, 형 선고를 결정할 때 참고 자료로 종종 사용된다. 주 정부나 지방정부에서 개발한 일부 시스템도 있지만, 민간 기업이 설계해 판매하는 시스템도 있다. 2016년 5월 인터넷 언론 프로퍼블리카Propublica는 특정 개인이 석방될 때 재범 가능성을 예측하는 데 널리 사용되는 COMPAS라는 알고리즘을 분석해 발표했다.[23] 이 분석에 따르면 아프리카계 미국인 피고인이 백인 피고인보다 부당하게 고위험군으로 분류되는 것으로 나타났다. 이 평가는 입증되지 않은 사례 증거에 의해 뒷받침되는 것 같았다. 프로퍼블리카의 기사는 18세 흑인 여성의 사례를 소개했다. 이 여성이 타기에는 너무 작은 어린이용 자전거를 타고 짧은 거리를 이동했다가 자전거 주인이 반발하자 그 자전거를 내버려두고 갔다. 다시 말해 진지한 절도 시도라고 하기에는 오히려 장난스러운 행동처럼 보인다. 하지만 이 젊은 여성은 체포됐고 법정 출석을 기다리며 수감돼 있을 때 이 사건에 COMPAS 시스템을 적용했다. 알고리즘은 그녀가 이미 무장 강도 전과가 있고 감옥에서 4년 복역한 41세 백인 남성보다 재범할 위험이 훨씬 크다고 판단했다.[24] COMPAS 시스템을 판매하는 기업 노스포인트Northpoint, Inc는 프로퍼블리카의 분석에 이의를 제기하고 시스템이 실제 어느 정도 편향됐는지를 놓고 계속 논쟁을 벌이고 있다. 하지만 이 회사가 소유권을 이유로 알고리즘 계산의 세부 사항을 공개하기를 꺼리는 점은 우려할 만하다. 제3자가 이 시스템의 편향이나 정확성에 대해 세부적으로 감사할 방법이 없기 때문이다. 알고리즘이 인간의 삶에 매우 중요한 결정을 내리기 위해 사용될 때 더 많은 투명성과 관리 감독이 필요한 것은 분명해 보인다.

편향된 학습 데이터는 머신러닝 시스템에서 발견되는 불공정성의 가장 흔한 원인이지만 그렇다고 유일한 요인도 아니다. 알고리즘 설계 자체가 편향을 유도하거나 증폭할 수 있다. 예를 들어 얼굴 인식 시스템을 미국 인구의 인구통계적 분포를 정확히 반영한 데이터 세트로 훈련했다고 가정해보자. 아프리카계 미국인은 인구의 13퍼센트에 불과하므로 이 시스템은 흑인에 대해 여전히 편향될 수 있다. 이것이 문제가 되는 정도는 문제가 증폭되든지 완화되든지 알고리즘 설계에서 이루어진 기술적 판단에 따라 결정될 것이다.

좋은 소식은 머신러닝 시스템을 공정하고 투명하게 설계하는 것이 인공지능 연구의 주요 과제가 됐다는 사실이다. 주요 기술 기업들도 이 분야에 상당한 투자를 하고 있다. 구글, 페이스북, 마이크로소프트, IBM은 개발자들이 머신러닝 알고리즘에 공정성을 구축하는 데 도움을 주도록 설계된 소프트웨어 도구를 공개했다. 딥러닝 시스템을 설명 가능하고 투명하게 만들어 결과물을 감시할 수 있도록 하는 일은 특별한 문제다. 심층 신경망은 입력 데이터의 분석과 이해가 인공 뉴런 간 수백만 개의 연결에 분산되는 일종의 '블랙박스' 같은 경향이 있기 때문이다. 마찬가지로 공정성을 평가하고 보장하기가 매우 어렵고 이것은 고도로 기술적인 사안이다. 아마존이 이력서 선별 시스템에서 발견한 것처럼 알고리즘이 인종이나 성별 같은 매개변수를 단순히 무시하도록 변경하는 것은 적절한 해결책이 아니다. 시스템이 간접적인 매개변수에 초점을 맞출 수 있기 때문이다. 예를 들어 지원자의 이름이 성별을 나타낼 수 있고, 살고 있는 지역이나 우편번호가 인종을 드러낼 수 있다. 인공지능 공정성에 접근하는 한 가지 방법은 사후 가정을 사용하는 것이다. 이 방법을 사용하면 인종, 성별, 성적 취향 같은 민감한 변수를 다른 값으로 변경해도 동일한 결과가 나오는지 확인해 시스템을 점검할 수 있다. 이 분야에 관한 연구는 이제 시작됐고, 정말 공정한 머신러닝 시스템에서 일관된 결과를 도출하는 기술을 개발하려면 더 많은 연구가 필요할 것이다.

중대한 결정에 사용되는 인공지능은 궁극적으로 인간의 단독 판단보다 적은 편향과 큰 정확도를 안정적으로 생성하는 기술을 보장해야 한다. 알고리즘에서 편향을 수정하기가 어려울 수 있지만 인간에게 똑같은 일을 요구하는 것보다는 훨씬 쉬울 수 있다. 매킨지 글로벌연구소의 제임스 매니카 회장이 말한 것처럼 "한편으로 기계 시스템은 인간이 편향과 오류 가능성을 극복하도록 돕지만 다른 한편으로는 스스로 더 큰 문제를 일으킬 가능성이 있다."[25] 공정성 문제를 최소화하고 제거하는 일은 인공지능 분야가 직면한 가장 중요하고 시급한 과제 중 하나다.

이 문제를 해결하기 위해서는 인공지능 알고리즘을 구축, 테스트, 배포하는 개발자들이 다양한 배경을 가지는 것이 중요하다. 인공지능이 우리 경제와 사회를 형성한다고 가정하면, 이 기술을 가장 잘 이해하고 발전 방향에 영향을 줄 수 있는 가장 좋은 위치에 있는 전문가들이 사회 전체를 대표하는 것이 필요하다. 하지만 이 목표에 도달하는 과정은 지금까지 제한적이었다. 2018년 연구에서 리더급 인공지능 연구자들 가운데 여성은 12퍼센트에 불과하고 대표성이 부족한 소수 집단에 속하는 사람들은 그보다 더 낮은 것으로 나타났다. 스탠퍼드대학교의 리페이페이 교수는 이렇게 말한다. "주위를 둘러보면, 그것이 기업의 인공지능 그룹이든, 학계의 인공지능 교수나 박사과정 학생이든, 주요 인공지능 콘퍼런스의 발표자든, 어디를 보아도 다양성이 부족합니다. 우리는 여성이나 대표성이 부족한 소수자들을 찾아보기 어렵습니다."[26] 대학과 주요 기술 기업, 최고 인공지능 연구자들이 변화를 위해 확고한 노력을 기울여야 한다. 리 교수는 이런 부분에서 특히 기대되는 단체를 공동 설립했다. AI4ALL은 재능 있는 고등학생에게 여름 캠프에 참여하는 기회를 제공해 젊은 여성과 소수 집단의 사람들을 인공지능 분야로 끌어들이기 위해 설립됐다. 이 단체는 빠르게 확장해 지금은 미국 내 11개 대학 캠퍼스에서 여름 프로그램을 진행한다. 해야 할 일이 아직 많지만, AI4ALL 같은 프로그램은 포괄적인 인공지능 인재를 유치하려는 업계의 노력과 더불어 앞으로 수년, 수십 년 동안 훨씬 더 다양한 연구자들을 배출할 것이다. 이 분야에 더 광범위하고 다

양한 관점이 유입되면 더 효과적이고 공정한 인공지능 시스템으로
바뀌게 될 것이다.

초지능이 제기하는 존재 위협과
통제 문제

다른 모든 것을 초월한 인공지능의 위험은 초인적 지능을 가진
기계가 언젠가 인간의 직접 통제를 벗어나 인류에게 존재 위협이
되는 행동을 할 가능성이다. 물론 보안 문제, 무기화, 알고리즘 편
향 모두 즉각적이거나 단기적으로 위험을 초래한다. 하지만 너무
늦기 전에 지금 당장 명확히 해결해야 하는 문제들도 있다. 초지능
의 존재 위협은 다분히 추측에 근거하고 확실히 몇십 년 또는 한 세
기 이후에나 일어날 일이다. 그렇지만 많은 저명인사들의 상상력을
사로잡고 미디어의 엄청난 과장 광고와 관심을 받아온 위험이기도
하다.

인공지능의 존재 위협은 2014년 심각한 공개 토론의 주제로 등
장했다. 그해 5월 한 과학자 그룹이 공개서한을 공동 작성해 영국
의 일간지 〈인디펜던트Independent〉에 발표했다. 케임브리지대학교의
우주론자 스티븐 호킹과 인공지능 전문가 스튜어트 러셀, 물리학자
맥스 테그마크Max Tegmark, 프랭크 윌첵Frank Wilczek이 참여한 이 글에서

초인공지능의 도래는 "인류 역사상 가장 큰 사건"이 될 것이고 초인
적인 지적 능력을 갖춘 컴퓨터는 "금융시장을 앞지르고 인간의 연
구나 발명을 능가하며 인간 지도자를 조종하거나 우리가 이해조차
할 수 없는 무기를 개발"할 수 있다고 주장했다. 이 서한은 다가오
는 위험을 심각하게 받아들이지 않으면 인류 "역사상 최악의 실수"
가 될 것이라고 경고했다.[27]

같은 해 말, 옥스퍼드대학교의 철학자 닉 보스트롬Nick Bostrom의 책
《슈퍼인텔리전스》가 출간되자 순식간에 다소 놀라운 베스트셀러
가 됐다. 보스트롬은 인간이 순전히 우월한 지능을 바탕으로 지구
를 지배했다고 지적하며 책을 시작한다. 더 빠르고 더 힘이 세며 더
사나운 동물들이 많지만, 인간이 군림하게 된 이유는 두뇌 때문이
다. 그러나 다른 존재가 우리의 지적 능력을 훨씬 능가하면 상황은
쉽게 뒤집힐 수 있다. 보스트롬의 말처럼 "고릴라의 운명이 고릴라
자신보다 우리 인간에게 더 많이 좌우되는 것처럼 인간이라는 종의
운명도 초지능 기계의 행동에 따라 바뀔 수 있을 것이다."[28]

보스트롬의 책은 특히 실리콘밸리 엘리트들 사이에 엄청난 반응
을 일으켰다. 출간된 지 한 달도 지나지 않아 일론 머스크는 "인공
지능으로 우리는 악마를 소환하고 있다", "인공지능은 핵무기보다
더 위험할 수 있다"라는 발언을 했다.[29] 1년 뒤, 머스크는 오픈AI를
공동 설립하고 인간 '친화적인' 인공지능 구축이라는 구체적인 임무
를 부여했다. 보스트롬의 주장에 특히 깊은 영향을 받은 사람들은

인공지능이 언젠가 실존적 위협이 될 수 있고 기후변화나 세계적인 전염병 대유행 같은 다소 평범한 우려보다 궁극적으로 더 두렵고 중대한 위험이라고 거의 확실하게 받아들이기 시작했다. 신경과학자이자 철학자인 샘 해리스는 500만 이상 조회 수를 기록한 테드TED 강연에서 "(우리가 인공지능에서 얻은 이득이) 어떻게 우리를 파괴할지, 아니면 어떻게 우리가 스스로 파괴를 유도할지 알아내는 것은 매우 어렵다"라고 말하면서 인간 친화적이고 제어 가능한 인공지능을 구축하는 방법을 찾고 이런 결과를 피하는 데 집중하는 "맨해튼 프로젝트Manhattan Project 같은 것이 필요하다"라고 제안한다.[30]

물론 최소한 인간 수준의 인지 능력을 갖춘 진정한 의미의 생각하는 기계를 구축할 때까지 전혀 걱정할 일은 아니다. 5장에서 살펴봤듯이, 일반 인공지능으로 가는 길에는 알 수 없는 수많은 큰 장애물들이 있고 중요한 이정표에 도달하는 데 필요한 돌파구를 찾기까지 수십 년이 걸릴 것이다. 내가 《AI 마인드》를 쓰기 위해 만났던 최고 인공지능 연구자들이 일반 인공지능까지 걸릴 것으로 예측한 평균 기간은 약 80년이었다. 21세기 말인 셈이다. 하지만 인간 수준의 인공지능이 현실이 되면 초지능이 빠르게 뒤따라 나타날 것이 거의 확실하다. 인간 수준으로 학습하고 추론할 수 있는 능력이 있는 기계 지능은 이미 인간보다 우월할 것이다. 이해할 수 없는 속도로 정보를 계산하고 처리하는 능력과 네트워크를 통해 다른 기계와 직접 접속하는 능력을 포함해 지금 컴퓨터가 인간보다 뛰어난 점을 그때도 여전히 유지할 것이기 때문이다.

　이 지점을 넘어서면 대부분의 인공지능 전문가들은 기계 지능이 자체 설계를 개선하기 위해 지적 능력을 사용할 것이라고 가정한다. 그렇게 되면 끊임없이 반복되는 개선으로 이어지고 시스템은 인공 마음artificial mind을 재설계하는 데까지 똑똑하고 능숙해질 것이다. 그 결과는 필연적으로 '지능 폭발intelligence explosion'로 이어지고 레이 커즈와일 같은 기술낙관론자들이 믿는 이 현상은 특이점과 새로운 시대의 촉매가 될 것이다. 인공지능의 발전이 언젠가 기계 지능의 폭발을 낳을 것이라는 주장은 무어의 법칙이 그런 사건을 가능성의 영역으로 가져올 수 있는 컴퓨터 하드웨어를 개발하기 훨씬 전부터 형성됐다. 1964년 수학자 I. J. 굿I. J. Good은 〈최초의 초지능 기계에 관한 고찰Speculations Concerning the First Ultraintelligent Machine〉이라는 제목의 학술 논문을 발표하고 다음과 같은 개념을 설명했다.

> 초지능 기계를 가장 똑똑한 사람보다 모든 지적 활동에서 뛰어난 기계라고 정의하자. 기계 설계도 지적 활동의 한 분야이기 때문에 초지능 기계는 더 나은 기계를 설계할 수 있다. 그러면 의심할 여지 없이 '지능 폭발'이 일어날 것이고, 인간의 지능은 훨씬 뒤처지게 될 것이다. 그러므로 첫 번째 초지능 기계는, 만약 우리에게 제어하는 방법을 알려줄 만큼 다루기 쉽다면, 인간이 만들 필요가 있는 마지막 발명품일 것이다.[31]

초지능 기계가 우리가 만들어야 할 마지막 발명품이 될 것이라는 전망은 특이점 지지자들의 낙관론을 사로잡았다. 충분히 통제할 만큼 기계가 고분고분해야 한다는 조건은 실존적 위협이 가능하다는 우려를 나타낸다. 초지능의 어두운 면은 인공지능 커뮤니티에서 '통제 문제control problem' 또는 '가치 정렬 문제value alignment problem'로 알려져 있다.

통제 문제는 〈터미네이터〉 같은 영화에서 묘사되는 것처럼 악의적으로 기계에 두려움을 느끼는 것이 아니다. 모든 인공지능 시스템은 목적 함수, 즉 수학적 용어로 표현된 달성하려는 구체적인 목표를 중심으로 설계된다. 우려할 점은 그런 목표가 주어진 초지능 시스템이 의도하지 않거나 예상하지 못했지만, 인간 문명에 해를 끼치거나 치명적인 결과를 초래할 수 있는 수단을 써 그 목표를 끊임없이 추구할 수 있다는 것이다. 이를 설명하기 위해 '종이 클립 극대화'라는 사고실험이 종종 사용된다. 클립 생산 최적화라는 구체적인 목표를 위해 설계된 초지능이 있다고 상상해보자. 끊임없이 목표를 추구하던 초지능은 지구의 모든 자원을 클립으로 바꿔버리는 새로운 기술을 발명할 수 있다. 이 시스템은 지적 능력 면에서 우리를 훨씬 능가하기 때문에 우리가 시스템을 종료하거나 행동 과정을 바꾸려는 시도를 성공적으로 저지할 수 있다. 간섭하려는 시도가 시스템의 목적함수와 상충하고 이를 차단할 분명한 동기로 작용하는 것이다.

이 예시는 만화처럼 분명히 의도됐다. 미래에 펼쳐질 실제 시나리오는 훨씬 더 섬세하고 잠재적인 결과를 예측하기 어렵거나 불가능할 것이다. 우리는 의도하지 않은 결과가 사회구조에 얼마나 해로울 수 있는지를 보여주는 중요한 사례를 이미 알고 있다. 유튜브나 페이스북 같은 기술 기업에서 사용하는 머신러닝 알고리즘은 일반적으로 플랫폼에서 사용자 참여를 극대화하려는 목표를 가지고 있다. 이것은 더 많은 온라인 광고 매출로 이어진다. 하지만 이런 목표를 추구하는 알고리즘은 사람들의 참여를 유지하는 가장 좋은 방법이 정치적으로 양극화된 콘텐츠를 제공하거나 분노나 공포 같은 감정을 이용하는 것이라고 곧 파악한다. 예컨대 이런 일은 유튜브에서 흔히 '토끼굴'이라고 부르는 현상으로 이어진다. 정치적으로 중립적인 영상이 극단적인 콘텐츠로 계속 추천받으면 플랫폼에서는 감정에 이끌린 참여로 이어진다.[32] 사용자의 참여와 이용 시간이 증가하면 플랫폼의 수익성 면에서는 좋을 수 있지만, 우리 사회나 정치 환경 면에서는 분명히 좋지 않다. 초지능 시스템이 이와 비슷하게 잘못된 계산을 하고 설정된 목적을 추구하는 한, 인간이 통제력을 되찾는 것은 불가능할 수도 있다.

통제 문제에 대한 해결책을 찾는 탐구는 대학과 민간 전문 조직의 중요한 학술적 연구 주제가 됐고 오픈AI나 닉 보스트롬이 이끄는 옥스퍼드대학교 인류미래연구소, 캘리포니아주 버클리에 위치한 기계지능연구소Machine Intelligence Research Institute 등이 이 연구에 참여하고 있다. 2019년 스튜어트 러셀은 그의 책 《어떻게 인간과 공존하는 인공지능을 만들 것인가》에서 이 문제에 대한 최선의 해결책은 고급 인공지능에 명시적인 목적함수를 전혀 만들지 않고 대신 "인간 선호의 실현을 극대화"하도록 설계해야 한다고 주장한다.[33] 기계 지능은 선호나 의도가 무엇인지 확신할 수 없기 때문에 인간 행동을 연구해 목적을 설정하거나 인간과 대화하고 인간의 지침을 받아들여야 한다. 종이 클립 극대화를 막을 수 없었던 것과는 달리 인간 선호 최적화를 위해 설계된 시스템은 목적에 부합한다면 시스템 종료를 받아들일 것이다. 이것은 현재 인공지능 시스템을 구축하는 접근법에서 완전히 벗어나야 한다는 것을 의미한다. 러셀은 이렇게 설명한다.

실제로 이런 모델을 현실에 적용하려면 엄청나게 많은 연구가 필요합니다. 우리는 기계가 가치를 확신하지 못하는 세계의 일부를 어지럽히지 못하고, 미래가 어떻게 펼쳐져야 할지에 대해 우리의 근본적이고 진정한 선호를 더 많이 학습하도록 판단하는 '최소 침습minimally invasive'적인 알고리즘이 필요합니다. 이런 기계는 상충하는 욕구를 가진 개인 간에 이익과 비용을 할당하는 방법이라는 도덕 철학의 오래된 문제에 직면하게 될 것입니다.

이 모든 일을 마치는 데 10년이 걸릴 수 있습니다. 그런 다음에도 안전한 시스템을 채택하고 기준에 부합하지 않으면 탈락시키는 규제가 필요합니다. 쉽지 않을 겁니다. 하지만 중요한 영역에서 인공지능 시스템이 인간의 능력을 뛰어넘기 전에 이런 모델은 분명히 준비돼야 합니다.[34]

가장 인정받는 인공지능 대학 교재를 공동 집필한 스튜어트 러셀을 제외하면, 실존적 위협의 가능성을 경고하는 목소리가 대부분 인공지능 연구나 컴퓨터과학 분야 바깥에서 나오고 있다는 점은 주목할 만하다. 이런 경고는 주로 샘 해리스 같은 대중 지식인, 일론 머스크 같은 실리콘밸리의 거물, 스티븐 호킹이나 맥스 테그마크 같은 다른 분야의 과학자들에 의해 주로 이루어지고 있다. 실제 인공지능 연구에 참여하는 전문가 대부분은 낙관적인 경향이 있다. 《AI 마인드》를 위해 23명의 엘리트 연구자들을 인터뷰했을 때 몇몇은 실존적 위협의 가능성을 진지하게 받아들였지만, 대다수는 이 문제를 크게 신경 쓰지 않았다. 흔히 초지능의 출현은 너무 요원하고 해결해야 할 문제의 구체적인 매개변수가 너무 모호하며 문제의 핵심이 없다는 말을 듣는다. 구글과 바이두에서 인공지능 연구 부문을 이끌었던 앤드류 응은 인공지능의 실존적 위협을 걱정하는 것은 마치 화성에 처음으로 우주 비행사를 보내기도 전에 이 행성의 인구과잉을 걱정하는 것과 같다는 말을 한 것으로 유명하다. 로봇공학자 로드니 브룩스는 초지능은 먼 미래의 일이라고 말하며 이렇게 대답했다. "오늘날과 똑같지는 않을 겁니다. 하지만 그 중심에

AI 초지능이 있겠죠. 앞으로의 세상이 어떤 모습일지, 초지능 AI 시스템이 어떤 모습일지는 짐작도 할 수 없습니다. 인공지능의 미래를 예측하는 일은 현실 세계에서 동떨어져 고립된 채 사는 학자들을 위한 파워 게임일 뿐입니다. 그런 기술이 나타나지 않는다는 말이 아니라 정작 도착하기 전까지는 아무도 그 기술을 알 수 없다는 겁니다."[35]

인공지능의 존재 위협을 심각하게 받아들이는 사람들은 단지 이 문제가 앞으로 수십 년 후에 발생할 것이기 때문에 중요하지 않고 접근할 수도 없다는 생각에 강력하게 반발한다. 그들은 최초의 초지능이 존재하기 전에 통제 문제를 해결해야 한다고 지적한다. 그렇지 않으면 너무 늦을 것이다. 스튜어트 러셀은 이 문제를 외계인의 도착에 즐겨 비유한다. 50년 뒤에 외계인이 지구에 온다고 알리는 신호를 우주에서 받았다고 상상해보자. 아마도 그 일에 대비하기 위해 우리는 즉시 세계적인 노력을 기울일 것이다. 러셀은 결국 도래할 초지능에 대해서도 같은 노력을 기울여야 한다고 믿는다.

개인적으로도 인공지능의 존재 위협을 심각하게 받아들여야 한다고 생각한다. 인류미래연구소 같은 기관의 연구자들이 이 문제에 대해 적극적으로 노력하는 것을 매우 긍정적으로 생각한다. 하지만 자원이 적절하게 배분돼야 하는 문제가 있고, 적어도 현재로서는 다분히 학술적 연구 환경에서 해결하는 것이 최선처럼 보인다. 현시점에서 정부가 자금을 지원하는 '맨해튼 프로젝트' 규모의 일은 정당화하기 매우 어려울 것 같다. 그리고 제대로 작동하지 않는 정치 과정에 이 문제를 던져 넣는 것도 현명한 시도는 아닌 것 같다. 인공지능 기술에 대한 이해가 거의 또는 전혀 없는 정치인들이 초지능 기계의 위험에 대한 트윗이나 올리길 정말 바라는가? 특히 아무것도 제대로 성취하지 못하는 미국 정부의 매우 제한된 능력을 고려하면, 미래의 실존적 위협을 과장하고 정치화하는 것이 지금 당장 문제 해결을 위해 상당한 자원 투자가 시작돼야 하는 무기화, 보안, 편향 같은 매우 현실적이고 직접적인 인공지능의 위험을 외면하게 만들 수 있다고 생각한다.

인공지능의 규제는 절대적으로 필요하다

이 장에서 살펴본 위험들에서 한 가지 교훈을 얻는다면 인공지능이 계속 발전하고 보편화함에 따라 정부 규제가 해야 할 중요한 역할이 분명히 있다는 것이다. 하지만 인공지능의 일반적인 연구를 과도하게 규제하거나 제한하는 것은 매우 잘못된 판단이라고 생각한다. 연구는 전 세계에서 이루어지기 때문에 세계적 관점에서 보면 이런 규제는 매우 효과적이지 못하다. 이미 살펴봤듯이 특히 중국은 인공지능의 최전선을 개척하기 위해 미국과 다른 서양 국가들과 치열한 경쟁을 벌이고 있다. 기초 연구에 제한을 가하면 분명히 심각하게 불리한 상황에 놓이게 될 것이다. 우리는 중요한 기술의 선두에 서려는 탐색에서 중국에 뒤처질 여유가 없다.

그러므로 인공지능의 구체적인 응용을 규제하는 데 초점을 맞춰야 한다. 자율 주행차나 인공지능 의료 진단 도구 같은 분야에서는 이미 규칙이 만들어지고 있다. 이런 응용 분야가 기존의 규제 체제와 겹치기 때문이다. 하지만 광범위한 관리 감독도 필요하다. 인공지능은 결국 모든 분야와 접촉하게 될 것이고, 형사 사법제도에 활용되는 얼굴 인식 기술이나 알고리즘 같은 기술은 효과적이거나 정당한 사용에 대한 어떤 보장도 없이 매우 중요한 결정을 내리는 데 사용되고 있다.

인공지능이 발전하는 속도와 관련된 문제의 복잡성을 생각하면 미국 의회나 사실상 다른 입법 기구가 적시에 세부 규정을 마련해 제정하기를 기대하는 것은 비현실적이라고 생각한다. 가장 좋은 행동 방침은 인공지능 적용에 중점을 둔 규제 권한을 가진 독립적인 정부 기관을 세우는 것이다. 미국 식품의약처나 연방항공국, 미국 증권거래위원회와 비슷한 기관이 될 것이다. 이런 기관들은 유럽의 약품청 같은 다른 기관들처럼 주어진 권한 안에서 문제 해결에 필요한 깊은 내부 전문성을 축적해왔다. 인공지능 분야에서도 같은 노력을 기울일 기관이 필요하다. 인공지능 규제 기관은 의회로부터 광범위한 권한과 예산을 받아야 하지만 입법부보다 신속하고 효과적으로 구체적인 규정을 마련할 권한이 주어져야 한다.

자유주의를 지향하는 사람들은 다른 규제 기관에서 이미 드러난 비효율성을 겪을 수 있다고 반대하고 지적할 수 있다. 인공지능 규제 기관은 확실히 기술 대기업과 긴밀한 관계를 맺게 될 것이고, 흔히 말하는 '회전문' 현상을 보게 될 수 있다. 산업과 정부 사이에 인력이 오고 가면 규제 포획(규제 기관이 규제 대상에 의해 포획되는 현상)이나 기술 산업 측에서 지나친 영향력을 행사할 위험이 있다. 이런 우려는 현실로 나타나겠지만 그럼에도 이런 기관이 우리에게 가능한 최적의 해결책이라고 생각한다. 만약 아무것도 하지 않는 것이 대안이라면 상황은 더 나빠질 것이 분명하다. 규제 기관과 인공지능 기술을 개발하고 배포하는 기업 간의 긴밀한 관계는 피할 수 없을 것 같다. 현실적으로 정부는 기술 산업에서 제공하는 수준의 급여와 보상으로 인공지능 분야의 최고 인재들을 유치할 수 없기 때문에 민간 부문과의 협력만이 해당 기관이 이 분야의 최신 발전 속도를 따라가는 유일한 방법이 될 것이다. 어떤 해결책도 완벽할 수 없지만, 일이 올바른 방향으로 진행되도록 충분한 내부 전문성을 갖춘 규제 기관을 중심으로 산업, 학계, 정부 사이에 생산적인 협력관계가 이루어진다면 인공지능을 안전하고 포괄적이며 공정하게 사용하는 데 큰 도움이 될 것이다.

인공지능의 두 가지 미래, 스타트렉인가 매트릭스인가?

RULE OF THE ROBOTS

인공지능이 계속 발전하고 우리 생활의 많은 측면으로 그 범위를 확장해오면서 기술과 관련된 위험은 긴급한 주의를 요구하게 될 것이다. 2020년 코로나바이러스 위기와 광범위한 사회적 격변이 교차하면서 적어도 일부 문제가 공개 담론에서 중요한 위치를 차지하기 시작하는 진전이 있었다. 같은 해 5월 조지 플로이드가 미니애폴리스 경찰에 의해 사망한 사건을 둘러싸고 미국 안에서 전국적인 시위가 일어나자 얼굴 인식 기술의 인종적 편향에 대한 인식이 전면에 드러났고, 아마존은 미국 의회가 이 기술에 관한 규제를 고려할 시간을 주기 위해 1년 동안 법 집행기관에 레커그니션 시스템 판매를 중단하겠다고 발표했다. 마이크로소프트는 법안이 통과될

때까지 기술 판매 중단을 발표했고, IBM은 얼굴 인식 시장에서 완전히 철수했다.[1]

코로나바이러스 팬데믹은 관습에 얽매이지 않는 정책 대응에 새로운 개방성을 가져왔다. 경제 폐쇄로 심각한 실업이 이어지자 미국 의회는 불과 몇 달 전만 해도 통과되지 못했을 정책을 신속하게 처리했다. 여기에는 납세자들에게 직접 지급되는 1,200만 달러 규모의 긴급 재난 지원금, 한시적이지만 실업보험 지급액의 인상, 긱 경제 노동자를 포함하는 프로그램의 확대 등이 포함됐다. 앞으로 인공지능과 로봇공학이 고용 시장에 끼치는 영향이 가속되면 이 모든 아이디어가 이제 진지한 논의 대상이 될 것이다. 실제로 위기가 지속하는 동안 기본 소득처럼 월별 지원금에 대한 요구는 이미 있었다.[2]

그러나 인공지능의 지속적인 부상으로 불가피하게 나타날 위험에 대해 더욱 포괄적이고 응집력 있는 대응은 여전히 중요하다. 정부와 민간 부분의 효과적인 조율과 이 분야의 급속한 발전에 대처하는 전문성이 결합한 규제 체계 마련이 필요할 것이다. 그리고 이 모든 일은 지금 시작해야 한다. 우리는 이미 뒤처져 있는 것이 분명하기 때문이다.

이처럼 매우 현실적인 우려에도 나는 인공지능에서 얻는 혜택이 위험을 능가한다고 굳게 믿는다. 앞으로 수십 년 동안 우리가 직면하게 될 여러 도전 과제를 고려하면 인공지능은 없어서는 안 될 기술이라고 생각한다. 기술 정체를 벗어나 광범위한 혁신의 새로운 시대로 진입하려면 우리는 인공지능이 필요하다.

기후변화는 분명하게 예상할 수 있는 가장 큰 위협으로 다가오고 있다. 2018년, 기후변화에 관한 정부 간 협의체[IPCC]는 지구 온도가 섭씨 1.5도(치명적인 피해를 방지할 수 있다고 기대하는 임곗값) 이상 상승하지 않도록 유지하려면 2050년까지 순 탄소 배출량을 0으로 줄여야 한다는 분석을 발표했다. 그리고 이 계획을 달성할 현실적인 기회를 얻으려면 2030년까지 탄소 배출량의 약 45퍼센트를 감소해야 한다.[3]

코로나바이러스 팬데믹이 등장하면서 우리가 참여한 유례없이 거대한 실험을 통해 이 도전의 규모에 안심하게 됐다. 2020년 8월 빌 게이츠가 블로그에서 지적한 것처럼 항공 여행이 거의 중단되고 전 세계의 거리와 도로, 사무실 건물이 텅 비게 된 글로벌 셧다운으로 감소한 탄소 배출량은 8퍼센트에 불과했다. 그리고 일시적 감소는 지구상 거의 모든 나라에 수조 달러의 비용과 치솟는 실업을 가져왔다. 다시 말해 보존에 중점을 둔 정책이나 대중교통으로 출퇴근하는 것 같은 행동 변화에 주로 의존해 향후 10년간 탄소 배출량을 거의 절반으로 줄일 수 있다는 가정은 아무리 좋게 말해도 비현실적이다. 빌 게이츠가 말했듯이 "단순히 비행기나 자동차를 덜 타는 것만으로 탄소 배출량 제로에 도달할 수 없다."[4]

성공은 무엇보다 혁신에 달려 있다. 전기를 생산하고 차량에 동력을 공급하는 방식을 단순히 청정하고 재생 가능하게 전환하는 것으로는 충분하지 않다. 전기 발전과 교통이 전 세계 탄소 배출량에서 차지하는 비율은 약 40퍼센트를 넘지 않는다. 나머지는 농업, 제조업, 건물 등 다양한 배출원에서 발생한다.[5] 전 세계 탄소 배출량을 비약적으로 줄이려면 이 모든 분야에서 기술적 돌파구가 필요하다. 세계적인 담수 부족 위기나 피할 수 없는 다음 팬데믹과 같은 다른 도전 과제까지 더하면 산업 전반에 걸쳐 혁신의 폭발이 절실히 필요하다는 것이 분명해진다. 하지만 3장에서 봤듯이, 새로운 아이디어가 만들어지는 속도는 지난 수십 년 동안 실제로 느려졌다. 미국에서 혁신을 연구하는 스탠퍼드대학교와 MIT의 경제학자들은 "우리는 어디서나 아이디어를 발견한다. 하지만 그 아이디어가 내포하는 기하급수적인 성장은 점점 더 찾기 어려워지고 있다"[6]라고 말한다.

이런 상황은 바뀌어야 하며, 이 일을 가능하게 하는 촉매제가 바로 인공지능이다. 이와 같은 도전에 직면하면 인간의 지성과 창의성을 증폭하고 어디서나 손쉽게 사용할 수 있는 동력보다 더 중요한 것은 없다. 핵심 목표는 이 새로운 자원의 개발 속도를 높일 수 있는 가능한 모든 일을 하는 동시에, 사회 안전망과 규제 체계를 발전시키는 것이다. 그 방법은 위험을 완화하고 인공지능에서 얻는 배당금을 광범위하고 포괄적으로 공유하는 방식이어야 할 것이다.

이 길을 따라 탐색하다보면, 우리가 만들 미래는 결국 두 가지 가상의 극단이 있는 스펙트럼 사이 어딘가에 놓이게 되리라 생각한다. 가장 낙관적인 시나리오는 TV 프로그램 〈스타트렉〉에 나오는 세상이다. 희소성이 사라진 세상에서는 발전한 기술 덕분에 물질적으로 풍요롭고 가난이 사라졌으며, 환경 문제도 해결되고, 대부분 질병도 치료할 수 있다. 단지 생존을 위해 보람 없는 일을 하며 힘들게 고생할 필요도 없다. 사람들은 높은 수준의 교육을 받고 보람 있는 도전을 추구한다. 전통적인 직업이 없어졌다고 사람들이 게을러지거나 삶의 의미나 인간의 존엄이 결핍되지 않는다. 〈스타트렉〉의 세계에서 사람들은 경제적 결과가 아니라 고유한 인간성에 가치를 둔다. 비록 〈스타트렉〉에 그려진 많은 기술이 실현 불가능하거나 최소한 먼 미래에나 가능할 법해 보이지만 나는 이 프로그램이 합리적인 미래상을 보여준다고 생각한다. 발전한 기술이 광범위한 번영을 가져오고, 인류의 지상 과제를 해결하며, 우리를 다른 별에도 데려다주지 않는가?

반면에 훨씬 더 디스토피아적인 미래는 영화 〈매트릭스〉에 가까울 것이다. 내가 두려운 것은 인공지능이 우리를 노예로 만드는 것이 아니라 현실 세계가 너무 불평등하고 더 나아질 기회가 부족한 나머지 많은 인구가 대안 현실로 도피하는 선택을 하는 것이다. 앞으로 인공지능과 가상현실 기술의 발전 속도가 빨라질수록 두 기술이 결합해 너무나도 매력적이고 현실적인 가상 세계를 만들 것이고, 많은 사람에게 이 세계는 우리가 실제로 사는 세상보다 훨씬 우월해 보일 것이다. 사실, 2017년에 한 경제학자 그룹이 발표한 분석에 따르면 노동시장에서 소외된 젊은이들 가운데 점점 더 많은 수가 비디오게임에 엄청난 시간을 소비하고 있다.[7] 가상 환경을 일종의 마약으로 볼 수 있을 정도로 중독성을 높이는 기술이 곧 나타날 것이다.

인공지능과 로봇 기술이 노동시장을 뒤흔들고 고용 기회가 사라지거나 고용의 질이 감소한다면 정부는 결국 사회질서 유지를 위해 시민들에게 기본 소득과 같은 형태의 지원을 제공하게 될 것이다. 하지만 사람들이 교육을 우선시하고 목적의식을 유지하도록 보장하는 일을 정부가 소홀히 한다면 만연한 무관심과 이탈이라는 결과를 불러올 것이다. 앞으로 사회는 소수 엘리트는 현실 세계에 탄탄한 기반을 두지만, 대다수는 점점 더 기술적 환상 속으로 도피하거나 범죄나 다른 형태의 중독에 빠지는 분열된 방향으로 갈 수도 있다. 그렇다면 우리는 교육 수준이 낮은 인구, 포용적이고 효과적이지 못한 민주주의, 느린 속도로 진행되는 혁신이라는 결과에 도달할 수밖에 없을 것이다. 똑똑한 개인들도 더욱 매력적인 가상 세계에 현혹돼 더는 현실 세계에서 살아남는 데 강력한 동기를 찾지 못할 것이다. 이런 비관적인 시나리오에서 경제적·사회적 역풍은 우리가 직면한 전 지구적 도전을 극복하는 것을 더욱더 어렵게 만들 것이다.

나는 거의 모든 사람이 〈스타트렉〉에 가까운 미래를 위해 노력해야 한다는 데 동의할 것으로 생각한다. 하지만 그런 미래는 당연하게 주어지지 않는다. 우리는 목적지를 향한 궤도를 수정하는 명확한 정책을 만들어야 한다. 도착하기까지 아주 오랜 시간이 걸리겠지만 사람들이 스스로 교육받고 의미 있는 도전을 추구하도록 강력한 인센티브를 유지하면서 소득분배 문제를 해결하는 데서 시작한다면, 우리는 올바른 방향으로 가게 될 것이다.

감사의 말

나는 지난 몇 년 동안 대화를 나누고 기술 시연에서 만난 사람들 덕분에 인공지능을 한층 더 깊이 이해하게 됐다. 특히 《AI 마인드》에 기록한 대화에 참여해준 저명한 연구자와 기업가 스물세 분께 깊이 감사드린다. 이들은 인공지능 분야의 진정한 석학들이며, 그 통찰력과 예측은 이 책의 내용에 많은 정보를 제공해주었다.

미국의 편집자 TJ 캘러허와 영국의 편집자 세라 캐로는 나의 주장을 다듬고 원고를 가장 적합한 형태로 구성하는 데 큰 도움이 됐다. 내 에이전트 돈 페르는 다시 한번 베이직북스와의 작업을 위해 알맞은 장소를 구해주었다.

내가 이 책을 쓰면서 보낸 8개월은 코로나바이러스 팬데믹이 일어나고 그에 따른 셧다운이 진행된 기간과 겹쳤다. 운 좋게도 나는 이 기간에 안전하게 집에 머물면서 글쓰기에 집중할 수 있었다. 이런 사치를 누리지 못한 의료 전문가들과 일선에서 수고해주신 모든 분께 진심으로 감사한다.

마지막으로 내가 이 프로젝트에 몰입할 수 있도록 격려와 지원을 아끼지 않은 아내 샤오샤오와 딸 일레인에게도 고마움을 전한다.

미주

1장. 예측 불가능한 인공지능이 가져올 미래

1. Ewen Callaway, "'It will change everything': DeepMind's AI makes gigantic leap in solving protein structures," *Nature*, November 30, 2020, www.nature.com/articles/d41586-020-03348-4.

2. Andrew Senior, Demis Hassabis, John Jumper and Pushmeet Kohli, "AlphaFold: Using AI for scientific discovery," DeepMind Research Blog, January 15, 2020, deepmind.com/blog/article/AlphaFold-Using-AI-for-scientific-discovery.

3. Ian Sample, "Google's DeepMind predicts 3D shapes of proteins," *The Guardian*, December 2, 2018, www.theguardian.com/science/2018/dec/02/google-deepminds-ai-program-alphafold-predicts-3d-shapes-of-proteins.

4. Lyxor Robotics and AI 유럽공모펀드(UCITS) ETF, 주식시장 상장 코드 ROAI.

5. 예를 들어 다음을 참조하라. Carl Benedikt Frey and Michael Osborne, "The future of employment: How susceptible are jobs to computerisation?," Oxford Martin School, University of Oxford, Working Paper, September 17, 2013, www.oxfordmartin.ox.ac.uk/downloads/academic/future-of-employment.pdf, p. 38.

6. Matt McFarland, "Elon Musk: 'With artificial intelligence we are summoning the demon.'" *Washington Post*, October 24, 2014, www.washington post.com/news/innovations/wp/2014/10/24/elon-musk-with-artificial-intelligence-we-are-summoning-the-demon/.

7. Anand S. Rao and Gerard Verweij, "Sizing the prize: What's the real value of AI for your business and how can you capitalise?," PwC, October 2018, www.pwc.com/gx/en/issues/analytics/assets/pwc-ai-analysis-sizing-the-prize-report.pdf.

2장. 새로운 전기, 인공지능

1. "Neuromorphic computing," Intel Corporation, accessed May 3, 2020, www.intel.com/content/www/us/en/research/neuromorphic-computing.html.

2. Sara Castellanos, "Intel to release neuromorphic-computing system," *Wall Street*

Journal, March 18, 2020, www.wsj.com/articles/intel—to—release—neuromorphic—computing—system—11584540000.

3. Linda Hardesty, "WikiLeaks publishes the location of Amazon's data centers," SDXCentral, October 12, 2018, www.sdxcentral.com/articles/news/wikileaks—publishes—the—location—of—amazons—data—centers/2018/10/.

4. "RightScale 2019 State of the Cloud Report from Flexera," Flexera, 2019, resources.flexera.com/web/media/documents/rightscale—2019—state—of—the—cloud—report—from—flexera.pdf, p. 2.

5. Pierr Johnson, "With the public clouds of Amazon, Microsoft and Google, big data is the proverbial big deal," *Forbes*, June 15, 2017, www.forbes.com/sites/johnsonpierr/2017/06/15/with—the—public—clouds—of—amazon—microsoft—and—google—big—data—is—the—proverbial—big—deal/.

6. Richard Evans and Jim Gao, "DeepMind AI reduces Google data centre cooling bill by 40%," DeepMind Research Blog, July 20, 2016, deepmind .com/blog/article/deepmind—ai—reduces—google—data—centre—cooling—bill—40.

7. Urs Hölzle, "Data centers are more energy efficient than ever," Google Blog, February 27, 2020, www.blog.google/outreach—initiatives/sustainability/data—centers—energy—efficient/.

8. Ron Miller, "AWS revenue growth slips a bit, but remains Amazon's golden goose," *TechCrunch*, July 25, 2019, techcrunch.com/2019/07/25/aws—revenue—growth—slips—a—bit—but—remains—amazons—golden—goose/.

9. John Bonazzo, "Google exits Pentagon 'JEDI' project after employee protests," *Observer*, October 10, 2018, observer.com/2018/10/google—pentagon—jedi/.

10. Annie Palmer, "Judge temporarily blocks Microsoft Pentagon cloud contract after Amazon suit," CNBC, February 13, 2020, www.cnbc.com/2020/02/13/amazon—gets—restraining—order—to—block—microsoft—work—on—pentagon—jedi.html.

11. Lauren Feiner, "DoD asks judge to let it reconsider decision to give Microsoft $10 billion contract over Amazon," CNBC, March 13, 2020, www.cnbc.com/2020/03/13/pentagon—asks—judge—to—let—it—reconsider—its—jedi—cloud—contract—award.html.

12. "TensorFlow on AWS," Amazon Web Services, accessed May 4, 2020, aws.amazon.com/tensorflow/.

13. Kyle Wiggers, "Intel debuts Pohoiki Springs, a powerful neuromorphic research system for AI workloads," *VentureBeat*, March 18, 2020, venturebeat. com/2020/03/18/intel—debuts—pohoiki—springs—a—powerful—neuromorphic— research—system—for—ai—workloads/.

14. Jeremy Kahn, "Inside big tech's quest for human—level A.I.," *Fortune*, January 20, 2020, fortune.com/longform/ai—artificial—intelligence—big—tech—microsoft— alphabet—openai/.

15. 리페이페이와 저자 인터뷰 참조. Martin Ford, *Architects of Intelligence: The Truth about AI from the People Building It*, Packt Publishing, 2018, p. 150.

16. "Deep Learning on AWS," Amazon Web Services, accessed May 4, 2020, aws. amazon.com/deep—learning/.

17. Kyle Wiggers, "MIT researchers: Amazon's Rekognition shows gender and ethnic bias," *VentureBeat*, January 24, 2019, venturebeat.com/2019/01/24/amazon— rekognition—bias—mit/.

18. "New schemes teach the masses to build AI," *The Economist*, October 27, 2018, www.economist.com/business/2018/10/27/new—schemes—teach—the—masses— to—build—ai.

19. Chris Hoffman, "What is 5G, and how fast will it be?," *How-to Geek*, January 3, 2020, www.howtogeek.com/340002/what—is—5g—and—how—fast—will—it—be/.

3장. 인공지능의 과대 포장과 실제

1. Tesla, "Tesla Autonomy Day (video)," YouTube, April 22, 2019, www.youtube.com/ watch?reload=9&v=UcpOTTmvqOE.

2. Sean Szymkowski, "Tesla's full self—driving mode under the watchful eye of NHTSA," *Road Show*, October 22, 2020, www.cnet.com/roadshow/news/teslas— full—self—driving—mode—nhtsa/.

3. Rob Csongor, "Tesla raises the bar for self—driving carmakers," NVIDIA Blog, April 23, 2019, blogs.nvidia.com/blog/2019/04/23/tesla—self—driving/.

4. Jeffrey Van Camp, "My Jibo is dying and it's breaking my heart," *Wired*, March 9, 2019, www.wired.com/story/jibo—is—dying—eulogy/.

5. Mark Gurman and Brad Stone, "Amazon is said to be working on another big bet: Home robots," *Bloomberg*, April 23, 2018, www.bloomberg.com/news/ articles/2018-04-23/amazon-is-said-to-be-working-on-another-big-bet- home-robots.

6. 로드니 브룩스와 저자 인터뷰 참조. Martin Ford, *Architects of Intelligence: The Truth about AI from the People Building It*, Packt Publishing, 2018, p. 432.

7. "Solving Rubik's Cube with a robot hand," OpenAI, October 15, 2019, openai.com/ blog/solving-rubiks-cube/. (Includes videos.)

8. Will Knight, "Why solving a Rubik's Cube does not signal robot supremacy," *Wired*, October 16, 2019, www.wired.com/story/why-solving-rubiks-cube-not- signal-robot-supremacy/.

9. Noam Scheiber, "Inside an Amazon warehouse, robots' ways rub off on humans," *New York Times*, July 3, 2019, www.nytimes.com/2019/07/03/business/economy/ amazon-warehouse-labor-robots.html.

10. Eugene Kim, "Amazon's $775 million deal for robotics company Kiva is starting to look really smart," *Business Insider*, June 15, 2016, www.businessinsider.com/ kiva-robots-save-money-for-amazon-2016-6.

11. Will Evans, "Ruthless quotas at Amazon are maiming employees," *The Atlantic*, November 25, 2019, www.theatlantic.com/technology/archive/2019/11/amazon- warehouse-reports-show-worker-injuries/602530/.

12. Jason Del Ray, "How robots are transforming Amazon warehouse jobs—for better and worse," *Recode*, December 11, 2019, www.vox.com/ recode/2019/12/11/20982652/robots-amazon-warehouse-jobs-automation.

13. Michael Sainato, "'I'm not a robot': Amazon workers condemn unsafe, grueling conditions at warehouse," *The Guardian*, February 5, 2020, www.theguardian. com/technology/2020/feb/05/amazon-workers-protest-unsafe-grueling- conditions-warehouse.

14. Jeffrey Dastin, "Exclusive: Amazon rolls out machines that pack orders and replace jobs," Reuters, May 13, 2019, www.reuters.com/article/us-amazon-com- automation-exclusive/exclusive-amazon-rolls-out-machines-that-pack- orders-and-replace-jobs-idUSKCN1SJ0X1.

15. Matt Simon, "Inside the Amazon warehouse where humans and machines

become one," *Wired*, June 5, 2019, www.wired.com/story/amazon—warehouse—robots/.

16. James Vincent, "Amazon's latest robot champion uses deep learning to stock shelves," *The Verge*, July 5, 2016, www.theverge.com/2016/7/5/12095788/amazon—picking—robot—challenge—2016.

17. Jeffrey Dastin, "Amazon's Bezos says robotic hands will be ready for commercial use in next 10 years," Reuters, June 6, 2019, www.reuters.com/article/us—amazon—com—conference/amazons—bezos—says—robotic—hands—will—be—ready—for—commercial—use—in—next—10—years—idUSKCN1T72JB.

18. Tech Insider, "Inside a warehouse where thousands of robots pack groceries (video)," YouTube, May 9, 2018, www.youtube.com/watch?reload=9&v=4DKrcpa8Z_E.

19. James Vincent, "Welcome to the automated warehouse of the future," *The Verge*, May 8, 2018, www.theverge.com/2018/5/8/17331250/automated—warehouses—jobs—ocado—andover—amazon.

20. 위와 같은 자료.

21. "ABB and Covariant partner to deploy integrated AI robotic solutions," ABB Press Release, February 25, 2020, new.abb.com/news/detail/57457/abb—and—covariant—partner—to—deploy—integrated—ai—robotic—solutions.

22. Evan Ackerman, "Covariant uses simple robot and gigantic neural net to automate warehouse picking," *IEEE Spectrum*, January 29, 2020, spectrum.ieee.org/automaton/robotics/industrial—robots/covariant—ai—gigantic—neural—network—to—automate—warehouse—picking.

23. Jonathan Vanian, "Industrial robotics giant teams up with a rising A.I. startup," *Fortune*, February 25, 2020, fortune.com/2020/02/25/industrial—robotics—ai—covariant/.

24. Alexander Lavin, J. Swaroop Guntupalli, Miguel Lázaro—Gredilla, et al., "Explaining visual cortex phenomena using recursive cortical network," Vicarious Research Paper, July 30, 2018, www.biorxiv.org/content/biorxiv/early/2018/07/30/380048.full.pdf.

25. Tom Simonite, "These industrial robots get more adept with every task," *Wired*, March 10, 2020, www.wired.com/story/these—industrial—robots—adept—every—

task/.

26. Adam Satariano and Cade Metz, "A warehouse robot learns to sort out the tricky stuff," *New York Times*, January 29, 2020, www.nytimes.com/2020/01/29/technology/warehouse-robot.html.

27. Matthew Boyle, "Robots in aisle two: Supermarket survival means matching Amazon," *Bloomberg*, December 3, 2019, www.bloomberg.com/features/2019-automated-grocery-stores/.

28. 위와 같은 자료.

29. Nathaniel Meyersohn, "Grocery stores turn to robots during the coronavirus," CNN Business, April 7, 2020, www.cnn.com/2020/04/07/business/grocery-stores-robots-automation/index.html.

30. Shoshy Ciment, "Walmart is bringing robots to 650 more stores as the retailer ramps up automation in stores nationwide," *Business Insider*, January 13, 2020, www.businessinsider.com/walmart-adding-robots-help-stock-shelves-to-650-more-stores-2020-1.

31. Jennifer Smith, "Grocery delivery goes small with micro-fulfillment centers," *Wall Street Journal*, January 27, 2020, www.wsj.com/articles/grocery-delivery-goes-small-with-micro-fulfillment-centers-11580121002.

32. Nick Wingfield, "Inside Amazon Go, a store of the future," *New York Times*, January 21, 2018, www.nytimes.com/2018/01/21/technology/inside-amazon-go-a-store-of-the-future.html.

33. Spencer Soper, "Amazon will consider opening up to 3,000 cashierless stores by 2021," *Bloomberg*, September 29, 2018, www.bloomberg.com/news/articles/2018-09-19/amazon-is-said-to-plan-up-to-3-000-cashierless-stores-by-2021.

34. Paul Sawyers, "SoftBank leads $30 million investment in Accel Robotics for AI-enabled cashierless stores," *VentureBeat*, December 3, 2019, venturebeat.com/2019/12/03/softbank-leads-30-million-investment-in-accel-robotics-for-ai-enabled-cashierless-stores/.

35. Jurica Dujmovic, "As coronavirus hits hard, Amazon starts licensing cashier-free technology to retailers," MarketWatch, March 31, 2020, www.marketwatch.com/story/as-coronavirus-hits-hard-amazon-starts-licensing-cashier-free-

technology—to—retailers—2020—03—31.

36. Eric Rosenbaum, "Panera is losing nearly 100% of its workers every year as fast—food turnover crisis worsens," CNBC, August 29, 2019, www.cnbc. com/2019/08/29/fast—food—restaurants—in—america—are—losing—100percent—of— workers—every—year.html.

37. 위와 같은 자료.

38. Kate Krader, "The world's first robot—made burger is about to hit the Bay Area," *Bloomberg*, June 21, 2018, www.bloomberg.com/news/features/2018—06—21/ the—world—s—first—robotic—burger—is—ready—to—hit—the—bay—area.

39. John Elflein, "U.S. health care expenditure as a percentage of GDP 1960 – 2020," Statista, June 8, 2020, www.statista.com/statistics/184968/us—health— expenditure—as—percent—of—gdp—since—1960/.

40. "Healthcare expenditure and financing," OCED.stat, accessed May 15, 2020, stats. oecd.org/Index.aspx?DataSetCode=SHA.

41. William J. Baumol and William G. Bowen, *Performing Arts, The Economic Dilemma: A Study of Problems Common to Theater, Opera, Music and Dance*, MIT Press, 1966.

42. Michael Maiello, "Diagnosing William Baumol's cost disease," *Chicago Booth Review*, May 18, 2017, review.chicagobooth.edu/economics/2017/article/ diagnosing—william—baumol—s—cost—disease.

43. "7 healthcare robots for the smart hospital of the future," Nanalyze, April 6, 2020, www.nanalyze.com/2020/04/healthcare—robots—smart—hospital/.

44. Daphne Sashin, "Robots join workforce at the new Stanford Hospital," *Stanford Medicine News*, November 4, 2019, med.stanford.edu/news/all—news/2019/11/ robots—join—the—workforce—at—the—new—stanford—hospital—.html.

45. Diego Ardila, Atilla P. Kiraly, Sujeeth Bharadwaj et al., "End—to—end lung cancer screening with three—dimensional deep learning on low—dose chest computed tomography," *Nature Medicine*, volume 25, pp. 954 – 961 (2019), May 20, 2019, www.nature.com/articles/s41591—019—0447—x.

46. Karen Hao, "Doctors are using AI to triage COVID—19 patients. The tools may be here to stay," *MIT Technology Review*, April 23, 2020, www.technologyreview. com/2020/04/23/1000410/ai—triage—covid—19—patients—health—care.

47. Creative Distribution Lab, "Geoffrey Hinton: On radiology (video)," YouTube, November 24, 2016, www.youtube.com/watch?reload=9&v=2HMPRXstSvQ. (Part of the Machine Learning and the Market for Intelligence 2016 conference.)

48. Alex Bratt, "Why radiologists have nothing to fear from deep learning," *Journal of the American College of Radiology*, volume 16, issue 9, Part A, pp. 1190 – 1192 (September 2019), April 18, 2019, www.jacr.org/article/S1546–1440(19)30198–X/fulltext.

49. Ray Sipherd, "The third–leading cause of death in US most doctors don't want you to know about," CNBC, February 22, 2018, www.cnbc.com/2018/02/22/medical–errors–third–leading–cause–of–death–in–america.html.

50. Elise Reuter, "Study shows reduction in medication errors using health IT startup's software," *MedCity News*, December 24, 2019, medcitynews.com/2019/12/study–shows–reduction–in–medication–errors–using–health–it–startups–software/.

51. Adam Vaughan, "Google is taking over DeepMind's NHS contracts—should we be worried?," *New Scientist*, September 27, 2019, www.newscientist.com/article/2217939–google–is–taking–over–deepminds–nhs–contracts–should–we–be–worried/.

52. Clive Thompson, "May A.I. help you?," *New York Times*, November 14, 2018, www.nytimes.com/interactive/2018/11/14/magazine/tech–design–ai–chatbot.html.

53. Blair Hanley Frank, "Woebot raises $8 million for its AI therapist," *VentureBeat*, March 1, 2018, venturebeat.com/2018/03/01/woebot–raises–8–million–for–its–ai–therapist/.

54. Ariana Eunjung Cha, "Watson's next feat? Taking on cancer," *Washington Post*, June 27, 2015, www.washingtonpost.com/sf/national/2015/06/27/watsons–next–feat–taking–on–cancer/.

55. Mary Chris Jaklevic, "MD Anderson Cancer Center's IBM Watson project fails, and so did the journalism related to it," *Health News Review*, February 23, 2017, www.healthnewsreview.org/2017/02/md–anderson–cancer–centers–ibm–watson–project–fails–journalism–related/.

56. Mark Anderson, "Surprise! 2020 is not the year for self–driving cars," *IEEE Spectrum*, April 22, 2020, spectrum.ieee.org/transportation/self–driving/surprise–

2020–is–not–the–year–for–selfdriving–cars.

57. Alex Knapp, "Aurora CEO Chris Urmson says there'll be hundreds of self–driving cars on the road in five years," *Forbes*, October 29, 2019, www.forbes.com/sites/alexknapp/2019/10/29/aurora–ceo–chris–urmson–says–therell–be–hundreds–of–self–driving–cars–on–the–road–in–five–years/.

58. Lex Fridman, "Chris Urmson: Self–driving cars at Aurora, Google, CMU, and DARPA," Artificial Intelligence Podcast, episode 28, July 22, 2019, lexfridman.com/chris–urmson/. (동영상과 오디오 팟캐스트로 이용 가능)

59. Stefan Seltz–Axmacher, "The end of Starsky Robotics," Starsky Robotics 10–4 Labs Blog, March 19, 2020, medium.com/starsky–robotics–blog/the–end–of–starsky–robotics–acb8a6a8a5f5.

60. Sam Dean, "Uber fares are cheap, thanks to venture capital. But is that free ride ending?," *Los Angeles Times*, May 11, 2019, www.latimes.com/business/technology/la–fi–tn–uber–ipo–lyft–fare–increase–20190511–story.html.

61. Darrell Etherington, "Waymo has now driven 10 billion autonomous miles in simulation," *TechCrunch*, July 10, 2019, techcrunch.com/2019/07/10/waymo–has–now–driven–10–billion–autonomous–miles–in–simulation/.

62. Waymo website, accessed May 20, 2020, waymo.com/.

63. Ray Kurzweil, "The Law of Accelerating Returns," Kurzweil Library Blog, March 7, 2001, www.kurzweilai.net/the–law–of–accelerating–returns.

64. Tyler Cowen, *The Great Stagnation: How America Ate All the Low-Hanging Fruit of Modern History, Got Sick, and Will (Eventually) Feel Better*, Dutton, 2011.

65. Robert J. Gordon, *The Rise and Fall of American Growth: The U.S. Standard of Living Since the Civil War*, Princeton University Press, 2016.

66. Nicholas Bloom, Charles I. Jones, John Van Reenen and Michael Webb, "Are ideas getting harder to find?" *American Economic Review*, volume 110, issue 4, pp. 1104–1144 (April 2020), www.aeaweb.org/articles?id=10.1257/aer.20180338, p. 1138.

67. 위와 같은 자료, p. 1104.

68. 위와 같은 자료, p. 1104.

69. Sam Lemonick, "Exploring chemical space: Can AI take us where no human has

gone before?," *Chemical and Engineering News*, April 6, 2020, cen.acs.org/physical—chemistry/computational—chemistry/Exploring—chemical—space—AI—take/98/i13.

70. 위와 같은 자료.

71. Delft University of Technology, "Researchers design new material using artificial intelligence," Phys.org, October 14, 2019, phys.org/news/2019—10—material—artificial—intelligence.html.

72. Beatrice Jin, "How AI helps to advance new materials discovery," Cornell Research, accessed May 22, 2020, research.cornell.edu/research/how—ai—helps—advance—new—materials—discovery.

73. Savanna Hoover, "Artificial intelligence meets materials science," Texas A&M University Engineering News, December 17, 2018, engineering.tamu.edu/news/2018/12/artificial—intelligence—meets—materials—science.html.

74. Kyle Wiggers, "Kebotix raises $11.5 million to automate lab experiments with AI and robotics," *VentureBeat*, April 16, 2020, venturebeat.com/2020/04/16/kebotix—raises—11—5—million—to—automate—lab—experiments—with—ai—and—robotics/.

75. Simon Smith, "230 startups using artificial intelligence in drug discovery," BenchSci Blog, updated April 8, 2020, blog.benchsci.com/startups—using—artificial—intelligence—in—drug—discovery.

76. 대프니 콜러와 저자 인터뷰 참조. Ford, *Architects of Intelligence*, p. 388.

77. Ned Pagliarulo, "AI's impact in drug discovery is coming fast, predicts GSK's Hal Barron," *BioPharma Dive*, November 21, 2019, www.biopharmadive.com/news/gsk—hal—barron—ai—drug—discovery—prediction—daphne—koller/567855/.

78. Anne Trafton, "Artificial intelligence yields new antibiotic," *MIT News*, February 20, 2020, news.mit.edu/2020/artificial—intelligence—identifies—new—antibiotic—0220.

79. Richard Staines, "Exscientia claims world first as AI—created drug enters clinic," *Pharmaphorum*, January 30, 2020, pharmaphorum.com/news/exscientia—claims—world—first—as—ai—created—drug—enters—clinic/.

80. Matt Reynolds, "DeepMind's AI is getting closer to its first big real—world application," *Wired*, January 15, 2020, www.wired.co.uk/article/deepmind—protein—folding—alphafold.

로봇의 지배

81. Semantic Scholar website, accessed May 25, 2020, pages.semanticscholar.org/about—us.

82. 위와 같은 자료.

83. Khari Johnson, "Microsoft, White House, and Allen Institute release coronavirus data set for medical and NLP researchers," *VentureBeat*, March 16, 2020, venturebeat.com/2020/03/16/microsoft—white—house—and—allen—institute—release—coronavirus—data—set—for—medical—and—nlp—researchers/.

84. "CORD—19: COVID—19 Open Research Dataset," Semantic Scholar, accessed May 6, 2020, www.semanticscholar.org/cord19.

4장. 인공지능은 어떻게 진화해 왔는가?

1. Samuel Butler, "Darwin among the machines, a letter to the editors," *The Press*, Christchurch, New Zealand, June 13, 1863.

2. Alan Turing, "Computing machinery and intelligence," *Mind*, volume LIX, issue 236, pp. 433 – 460 (October 1950).

3. J. McCarthy, M. L. Minsky, N. Rochester and C. E. Shannon, "A proposal for the Dartmouth Summer Research Project on Artificial Intelligence," August 31, 1955, raysolomonoff.com/dartmouth/boxa/dart564props.pdf.

4. Brad Darrach, "Meet Shaky, the first electronic person: The fascinating and fearsome reality of a machine with a mind of its own," *LIFE*, November 20, 1970, p. 58D.

5. 위와 같은 자료.

6. Warren McCulloch and Walter Pitts, "A logical calculus of ideas immanent in nervous activity," *Bulletin of Mathematical Biophysics*, volume 5, issue 4, pp. 115 – 133 (December 1943).

7. 레이 커즈와일과 저자 인터뷰 참조. Martin Ford, *Architects of Intelligence: The Truth about AI from the People Building It*, Packt Publishing, 2018, p. 228.

8. Marvin Minsky and Seymour Papert, *Perceptrons: An Introduction to Computational Geometry*, MIT Press, 1969.

9. 얀 르쿤과 저자 인터뷰 참조. Ford, *Architects of Intelligence*, p. 122.

10. David E. Rumelhart, Geoffrey E. Hinton and Ronald J. Williams, "Learning representations by back—propagating errors," *Nature*, volume 323, issue 6088, pp. 533 – 536 (1986), October 9, 1986, www.nature.com/articles/323533a0.

11. 제프리 힌턴과 저자 인터뷰 참조. Ford, *Architects of Intelligence*, p. 73.

12. Dave Gershgorn, "The data that transformed AI research—and possibly the world," *Quartz*, July 26, 2017, qz.com/1034972/the—data—that—changed—the—direction—of—ai—research—and—possibly—the—world/.

13. 제프리 힌턴과 저자 인터뷰 참조. Ford, *Architects of Intelligence*, p. 77.

14. 2019년 1월 28일, 유르겐 슈미트후버가 마틴 포드에게 보낸 이메일.

15. Jürgen Schmidhuber, "Critique of paper by 'Deep Learning Conspiracy' (Nature 521 p 436)," June 2015, people.idsia.ch/~juergen/deep—learning—conspiracy.html.

16. John Markoff, "When A.I. matures, it may call Jürgen Schmidhuber 'Dad,'" *New York Times*, November 27, 2016, www.nytimes.com/2016/11/27/technology/artificial—intelligence—pioneer—jurgen—schmidhuber—overlooked.html.

17. Robert Triggs, "What being an 'AI first' company means for Google," *Android Authority*, November 8, 2017, www.androidauthority.com/google—ai—first—812335/.

18. Cade Metz, "Why A.I. researchers at Google got desks next to the boss," *New York Times*, February 19, 2018, www.nytimes.com/2018/02/19/technology/ai—researchers—desks—boss.html.

5장. 딥러닝과 인공지능의 미래

1. 제프리 힌턴과 저자 인터뷰 참조. Martin Ford, *Architects of Intelligence: The Truth about AI from the People Building It*, Packt Publishing, 2018, pp. 72 – 73.

2. Matt Reynolds, "New computer vision challenge wants to teach robots to see in 3D," *New Scientist*, April 7, 2017, www.newscientist.com/article/2127131—new—computer—vision—challenge—wants—to—teach—robots—to—see—in—3d/.

3. Ashlee Vance, "Silicon Valley's latest unicorn is run by a 22—year—old," *Bloomberg Businessweek*, August 5, 2019, www.bloomberg.com/news/articles/2019—08—05/

scale—ai—is—silicon—valley—s—latest—unicorn.

4. Volodymyr Mnih, Koray Kavukcuoglu, David Silver et al. "Playing Atari with deep reinforcement learning," DeepMind Research, January 1, 2013, deepmind.com/research/publications/playing—atari—deep—reinforcement—learning.

5. Volodymyr Mnih, Koray Kavukcuoglu, David Silver et al., "Human—level control through deep reinforcement learning," *Nature*, volume 518, pp. 529 – 533 (2015), February 25, 2015, www.nature.com/articles/nature14236.

6. Tu Yuanyuan, "The game of Go: Ancient wisdom," *Confucius Institute Magazine*, volume 17, pp. 46 – 51 (November 2011), confuciusmag.com/go—game.

7. David Silver and Demis Hassabis, "AlphaGo: Mastering the ancient game of Go with machine learning," Google AI Blog, January 27, 2016, ai.googleblog.com/2016/01/alphago—mastering—ancient—game—of—go.html.

8. Matt Schiavenza, "China's 'Sputnik Moment' and the Sino—American battle for AI supremacy," Asia Society Blog, September 25, 2018, asiasociety.org/blog/asia/chinas—sputnik—moment—and—sino—american—battle—ai—supremacy.

9. John Markoff, "Scientists see promise in deep—learning programs," *New York Times*, November 23, 2012, www.nytimes.com/2012/11/24/science/scientists—see—advances—in—deep—learning—a—part—of—artificial—intelligence.html.

10. Dario Amodei and Danny Hernandez, "AI and Compute," OpenAI Blog, May 16, 2018, openai.com/blog/ai—and—compute/.

11. Will Knight, "Facebook's head of AI says the field will soon 'hit the wall,'" *Wired*, December 4, 2019, www.wired.com/story/facebooks—ai—says—field—hit—wall/.

12. Kim Martineau, "Shrinking deep learning's carbon footprint," *MIT News*, August 7, 2020, news.mit.edu/2020/shrinking—deep—learning—carbon—footprint—0807.

13. "General game playing with schema networks," Vicarious Research, August 7, 2017, www.vicarious.com/2017/08/07/general—game—playing—with—schema—networks/.

14. Sam Shead, "Researchers: Are we on the cusp of an 'AI winter'?," BBC News, January 12, 2020, www.bbc.com/news/technology—51064369.

15. Filip Piekniewski, "AI winter is well on its way," Piekniewski's Blog, May 28, 2018, blog.piekniewski.info/2018/05/28/ai—winter—is—well—on—its—way/.

16. 제프리 딘과 저자 인터뷰 참조. Ford, *Architects of Intelligence*, p. 377.

17. 데미스 하사비스와 저자 인터뷰 참조. Ford, *Architects of Intelligence*, p. 171.

18. Andrea Banino, Caswell Barry, Dharshan Kumaran and Benigno Uria, "Navigating with grid-like representations in artificial agents," DeepMind Research Blog, May 9, 2018, deepmind.com/blog/article/grid-cells.

19. 데미스 하사비스와 저자 인터뷰 참조. Ford, *Architects of Intelligence*, p. 173.

20. Andrea Banino, Caswell Barry, Benigno Uria et al., "Vector-based navigation using grid-like representations in artificial agents," *Nature*, volume 557, pp. 429 – 433 (2018), May 9, 2018, www.nature.com/articles/s41586-018-0102-6.

21. Will Dabney and Zeb Kurth-Nelson, "Dopamine and temporal difference learning: A fruitful relationship between neuroscience and AI," DeepMind Research Blog, January 15, 2020, deepmind.com/blog/article/Dopamine-and-temporal-difference-learning-A-fruitful-relationship-between-neuroscience-and-AI.

22. Tony Peng, "Yann LeCun Cake Analogy 2.0," *Synced Review*, February 22, 2019, medium.com/syncedreview/yann-lecun-cake-analogy-2-0-a361da560dae.

23. 데미스 하사비스와 저자 인터뷰 참조. Ford, *Architects of Intelligence*, pp. 172 – 173.

24. Jeremy Kahn, "A.I. breakthroughs in natural-language processing are big for business," *Fortune*, January 20, 2020, fortune.com/2020/01/20/natural-language-processing-business/.

25. 데이비드 페루치와 저자 인터뷰 참조. Ford, *Architects of Intelligence*, p. 409.

26. 위와 같은 자료, p. 414.

27. *Do You Trust This Computer?*, released April 5, 2018, Papercut Films, doyoutrustthiscomputer.org/.

28. 데이비드 페루치와 저자 인터뷰 참조. Ford, *Architects of Intelligence*, p. 414.

29. Ray Kurzweil, The Singularity Is Near: When Humans Transcend Biology, Penguin Books, 2005.

30. Ray Kurzweil, How to Create a Mind: The Secret of Human Thought Revealed, Penguin Books, 2012.

31. 레이 커즈와일과 저자 인터뷰 참조. Ford, *Architects of Intelligence*, pp. 230 – 231.

32. Mitch Kapor and Ray Kurzweil, "A wager on the Turing test: The rules," Kurzweil

AI Blog, April 9, 2002, www.kurzweilai.net/a-wager-on-the-turing-test-the-rules.

33. Sean Levinson, "A Google executive is taking 100 pills a day so he can live forever," *Elite Daily*, April 15, 2015, www.elitedaily.com/news/world/google-executive-taking-pills-live-forever/1001270.

34. 레이 커즈와일과 저자 인터뷰 참조. Ford, *Architects of Intelligence*, pp. 240 – 241.

35. 위와 같은 자료, p. 230.

36. 위와 같은 자료, p. 233.

37. Alec Radford, Jeffrey Wu, Dario Amodei et al., "Better language models and their implications," OpenAI Blog, February 14, 2019, openai.com/blog/better-language-models/.

38. James Vincent, "OpenAI's latest breakthrough is astonishingly powerful, but still fighting its flaws," *The Verge*, July 30, 2020, www.theverge.com/21346343/gpt-3-explainer-openai-examples-errors-agi-potential.

39. Gary Marcus and Ernest Davis, "GPT-3, Bloviator: OpenAI's language generator has no idea what it's talking about," *MIT Technology Review*, August 22, 2020, www.technologyreview.com/2020/08/22/1007539/gpt3-openai-language-generator-artificial-intelligence-ai-opinion/.

40. 스튜어트 러셀과 저자 인터뷰 참조. Ford, *Architects of Intelligence*, p. 53.

41. "OpenAI Founder: Short-Term AGI Is a Serious Possibility," *Synced*, November 13, 2018, syncedreview.com/2018/11/13/openai-founder-short-term-agi-is-a-serious-possibility/.

42. Connie Loizos, "Sam Altman in conversation with StrictlyVC (video)," YouTube, May 18, 2019, youtu.be/TzcJlKg2Rc0, location 39:00.

43. Luke Dormehl, "Neuro-symbolic A.I. is the future of artificial intelligence. Here's how it works," *Digital Trends*, January 5, 2020, www.digitaltrends.com/cool-tech/neuro-symbolic-ai-the-future/.

44. 요슈아 벤지오와 저자 인터뷰 참조. Ford, *Architects of Intelligence*, p. 22.

45. 제프리 힌턴과 저자 인터뷰 참조. Ford, *Architects of Intelligence*, pp. 84 – 85.

46. 얀 르쿤과 저자 인터뷰 참조. Ford, *Architects of Intelligence*, p. 123.

47. Anthony M. Zador, "A critique of pure learning and what artificial neural networks can learn from animal brains," *Nature Communications*, volume 10, article number 3770 (2019), August 21, 2019, www.nature.com/articles/s41467-019-11786-6.

48. Zoey Chong, "AI beats humans in Stanford reading comprehension test," CNET, January 16, 2018, www.cnet.com/news/new-results-show-ai-is-as-good-as-reading-comprehension-as-we-are/.

49. 위노그래드 스키마 예시는 모두 다음에서 가져왔다. Ernest Davis, "A collection of Winograd schemas," New York University Department of Computer Science, September 8, 2011, cs.nyu.edu/davise/papers/WSOld.html.

50. 오렌 에치오니와 저자 인터뷰 참조. Ford, *Architects of Intelligence*, pp. 495-496.

51. 위와 같은 자료.

52. 요슈아 벤지오와 저자 인터뷰 참조. Ford, *Architects of Intelligence*, p. 21.

53. 얀 르쿤과 저자 인터뷰 참조. Ford, *Architects of Intelligence*, pp. 126-127.

54. 위와 같은 자료, p. 130.

55. 주데아 펄과 저자 인터뷰 참조. Ford, *Architects of Intelligence*, p. 364.

56. 조슈아 테넨바움과 저자 인터뷰 참조. Ford, *Architects of Intelligence*, pp. 471-472.

57. 주데아 펄과 저자 인터뷰 참조. Ford, *Architects of Intelligence*, p. 366.

58. Will Knight, "An AI pioneer wants his algorithms to understand the 'why,'" *Wired*, October 8, 2019, www.wired.com/story/ai-pioneer-algorithms-understand-why/.

59. Graham Allison, *Destined for War: Can America and China Escape Thucydides's Trap?*, Houghton Mifflin Harcourt, 2017.

60. The AlphaStar team, "AlphaStar: Mastering the real-time strategy game *StarCraft II*," DeepMind Research Blog, January 24, 2019, deepmind.com/blog/article/alphastar-mastering-real-time-strategy-game-starcraft-ii.

61. 오렌 에치오니와 저자 인터뷰 참조. Ford, *Architects of Intelligence*, p. 494.

62. Ford, *Architects of Intelligence*, p. 528.

63. "AI timeline surveys," AI Impacts, accessed June 27, 2020, aiimpacts.org/ai-timeline-surveys/.

6장. 사라지는 일자리, 인공지능이 경제에 미칠 영향

1. David Axelrod, "Larry Summers," The Axe Files (podcast), episode 98, November 21, 2016, omny.fm/shows/the-axe-files-with-david-axelrod/ep-98-larry-summers.

2. Sam Fleming and Brooke Fox, "US states that voted for Trump most vulnerable to job automation," *Financial Times*, January 23, 2019, www.ft.com/content/cbf2a01e-1f41-11e9-b126-46fc3ad87c65.

3. Carol Graham, "Understanding the role of despair in America's opioid crisis," Brookings Institution, October 15, 2019, www.brookings.edu/policy2020/votervital/how-can-policy-address-the-opioid-crisis-and-despair-in-america/.

4. 예를 들어 다음을 참조하라. Carl Benedikt Frey and Michael A. Osborne, "The future of employment: How susceptible are jobs to computerisation?," Oxford Martin School Programme on Technology and Employment, Working Paper, September 17, 2013, www.oxfordmartin.ox.ac.uk/downloads/academic/future-of-employment.pdf, p. 38.

5. U.S. Bureau of Labor Statistics, "Unemployment rate (UNRATE)," retrieved from Federal Reserve Bank of St. Louis, July 18, 2020, fred.stlouisfed.org/series/UNRATE; Greg Rosalsky, "Are we even close to full employment?," NPR Planet Money, July 2, 2019, www.npr.org/sections/money/2019/07/02/737790095/are-we-even-close-to-full-employment.

6. Organization for Economic Co-operation and Development, "Activity rate: Aged 25 – 54: Males for the United States (LRAC25MAUSM156S)," retrieved from Federal Reserve Bank of St. Louis, July 17, 2020, fred.stlouisfed.org/series/LRAC25MAUSM156S.

7. "Trends in Social Security Disability Insurance," Social Security Office of Retirement and Disability Policy, Briefing Paper No. 2019-01, August 2019, www.ssa.gov/policy/docs/briefing-papers/bp2019-01.html.

8. U.S. Bureau of Labor Statistics, "Labor force participation rate (CIVPART)," retrieved from Federal Reserve Bank of St. Louis, July 17, 2020, fred.stlouisfed.org/series/CIVPART.

9. U.S. Bureau of Labor Statistics, "Business sector: Real output per hour of all persons (OPHPBS)," retrieved from Federal Reserve Bank of St. Louis, July 22,

2020, fred.stlouisfed.org/series/OPHPBS; U.S. Bureau of Labor Statistics, "Business sector: Real compensation per hour (PRS84006151)," retrieved from Federal Reserve Bank of St. Louis, July 22, 2020, fred.stlouisfed.org/series/PRS84006151.

10. World Bank, "GINI index for the United States (SIPOVGINIUSA)," retrieved from Federal Reserve Bank of St. Louis, July 20, 2020, fred.stlouisfed.org/series/SIPOVGINIUSA.

11. Martha Ross and Nicole Bateman, "Low-wage work is more pervasive than you think, and there aren't enough 'good jobs' to go around," Brookings Institution, November 21, 2019, www.brookings.edu/blog/the-avenue/2019/11/21/low-wage-work-is-more-pervasive-than-you-think-and-there-arent-enough-good-jobs-to-go-around/.

12. "The U.S. Private Sector Job Quality Index (JQI)," accessed July 15, 2020, www.jobqualityindex.com/.

13. Gwynn Guilford, "The great American labor paradox: Plentiful jobs, most of them bad," *Quartz*, November 21, 2019, qz.com/1752676/the-job-quality-index-is-the-economic-indicator-weve-been-missing/.

14. Elizabeth Redden, "41% of recent grads work in jobs not requiring a degree," *Inside Higher Ed*, February 18, 2020, www.insidehighered.com/quicktakes/2020/02/18/41-recent-grads-work-jobs-not-requiring-degree.

15. "The Phillips curve may be broken for good," *The Economist*, November 1, 2017, www.economist.com/graphic-detail/2017/11/01/the-phillips-curve-may-be-broken-for-good.

16. Jeff Jeffrey, "U.S. companies are rolling in cash, and they're growing increasingly fearful to spend it," *The Business Journals*, December 12, 2018, www.bizjournals.com/bizjournals/news/2018/12/12/u-s-companies-are-hoarding-cash-and-theyre-growing.html.

17. Martin Ford, *Rise of the Robots: Technology and the Threat of a Jobless Future*, Basic Books, 2015, pp. 206–212.

18. 제임스 매니카와 저자 인터뷰 참조. Martin Ford, *Architects of Intelligence: The Truth about AI from the People Building It*, Packt Publishing, 2018, pp. 285–286.

19. Nir Jaimovich and Henry E. Siu, "Job polarization and jobless recoveries,"

National Bureau of Economic Research, Working Paper 18334, issued in August 2012, revised in November 2018, www.nber.org/papers/w18334.

20. Jacob Bunge and Jesse Newman, "Tyson turns to robot butchers, spurred by coronavirus outbreaks," *Wall Street Journal*, July 9, 2020, www.wsj.com/articles/meatpackers–covid–safety–automation–robots–coronavirus–11594303535.

21. Miso Robotics, "White Castle selects Miso Robotics for a new era of artificial intelligence in the fast food industry," Press Release Newswire, July 14, 2020, www.prnewswire.com/news–releases/white–castle–selects–miso–robotics–for–a–new–era–of–artificial–intelligence–in the–fast–food–industry–301092746.html.

22. James Manyika, Susan Lund, Michael Chui, et al., "Jobs lost, jobs gained: What the future of work will mean for jobs, skills, and wages," McKinsey Global Institute, November 28, 2017, www.mckinsey.com/featured–insights/future–of–work/jobs–lost–jobs–gained–what–the–future–of–work–will–mean–for–jobs–skills–and–wages.

23. Ferris Jabr, "Cache cab: Taxi drivers' brains grow to navigate London's streets," *Scientific American*, December 8, 2011, www.scientificamerican.com/article/london–taxi–memory/.

24. Kate Conger, "Facebook starts planning for permanent remote workers," *New York Times*, May 21, 2020, www.nytimes.com/2020/05/21/technology/facebook–remote–work–coronavirus.html.

25. Alexandre Tanzi, "Gloom grips U.S. small businesses, with 52% predicting failure," *Bloomberg*, May 6, 2020, www.bloomberg.com/news/articles/2020–05–06/majority–of–u–s–small–businesses–expect–to–close–survey–says.

26. Alfred Liu, "Robots to cut 200,000 U.S. bank jobs in next decade, study says," *Bloomberg*, October 1, 2019, www.bloomberg.com/news/articles/2019–10–02/robots–to–cut–200–000–u–s–bank–jobs–in–next–decade–study–says.

27. Jack Kelly, "Artificial intelligence is superseding well–paying Wall Street jobs," *Forbes*, December 10, 2019, www.forbes.com/sites/jackkelly/2019/12/10/artificial–intelligence–is–superseding–well–paying–wall–street–jobs/.

28. "Top healthcare chatbots startups," Tracxn, October 20, 2020, tracxn.com/d/trending–themes/Startups–in–Healthcare–Chatbots.

29. Celeste Barnaby, Satish Chandra and Frank Luan, "Aroma: Using machine

learning for code recommendation," Facebook AI Blog, April 4, 2019, ai.facebook. com/blog/aroma-ml-for-code-recommendation/.

30. Will Douglas Heaven, "OpenAI's new language generator GPT-3 is shockingly good—and completely mindless," *MIT Technology Review*, July 20, 2020, www. technologyreview.com/2020/07/20/1005454/openai-machine-learning-language-generator-gpt-3-nlp/.

31. Jacques Bughin, Jeongmin Seong, James Manyika, et al., "Notes from the AI frontier: Modeling the impact of AI on the world economy," McKinsey Global Institute, Discussion Paper, September 2018, www.mckinsey.com/~/media/ McKinsey/Featured%20Insights/Artificial%20Intelligence/Notes%20from%20 the%20frontier%20Modeling%20the%20impact%20of%20AI%20on%20the%20 world%20economy/MGI-Notes-from-the-AI-frontier-Modeling-the-impact-of-AI-on-the-world-economy-September-2018.ashx.

32. Anand S. Rao and Gerard Verweij, "Sizing the prize: What's the real value of AI for your business and how can you capitalise?," PwC, October 2018, www.pwc. com/gx/en/issues/analytics/assets/pwc-ai-analysis-sizing-the-prize-report.pdf.

33. Bughin et al., "Notes from the AI frontier: Modeling the impact of AI on the world economy," p 3.

7장. 인공지능 감시 국가의 부상

1. Chris Buckley, Paul Mozur and Austin Ramzy, "How China turned a city into a prison," *New York Times*, April 4, 2019, www.nytimes.com/interactive/2019/04/04/ world/asia/xinjiang-china-surveillance-prison.html.

2. James Vincent, "Chinese netizens spot AI books on president Xi Jinping's bookshelf," *The Verge*, January 3, 2018, www.theverge.com/2018/1/3/16844364/ china-ai-xi-jinping-new-years-speech-books.

3. Tom Simonite, "China is catching up to the US in AI research—fast," *Wired*, March 13, 2019, www.wired.com/story/china-catching-up-us-in-ai-research/.

4. Robust Vision Challenge website, accessed July 25, 2020, www.robustvision.net/ rvc2018.php.

5. National University of Defense Technology website, accessed July 25, 2020, english.nudt.edu.cn/About/index.htm.

6. Nicolas Thompson and Ian Bremmer, "The AI Cold War that threatens us all," *Wired*, October 23, 2018, www.wired.com/story/ai-cold-war-china-could-doom-us-all/.

7. Alex Hern, "China censored Google's AlphaGo match against world's best Go player," *The Guardian*, May 24, 2017, www.theguardian.com/technology/2017/may/24/china-censored-googles-alphago-match-against-worlds-best-go-player.

8. China's State Council, "New Generation Artificial Intelligence Development Plan," issued by China's State Council on July 20, 2017, translated by Graham Webster, Rogier Creemers, Paul Triolo and Elsa Kania, New America Foundation, August 1, 2017, www.newamerica.org/cybersecurity-initiative/digichina/blog/full-translation-chinas-new-generation-artificial-intelligence-development-plan-2017/. (중국 정부 문서 원본: www.gov.cn/zhengce/content/2017-07/20/content_5211996.htm.)

9. Lai Lin Thomala, "Number of internet users in China 2008 – 2020," Statista, April 30, 2020, www.statista.com/statistics/265140/number-of-internet-users-in-china/.

10. Lai Lin Thomala, "Penetration rate of internet users in China 2008 – 2020," Statista, April 30, 2020, www.statista.com/statistics/236963/penetration-rate-of-internet-users-in-china/.

11. Rachel Metz, "Baidu could beat Google in self-driving cars with a totally Google move," *MIT Technology Review*, January 8, 2018, www.technologyreview.com/2018/01/08/146351/baidu-could-beat-google-in-self-driving-cars-with-a-totally-google-move/.

12. Jon Russell, "Former Microsoft executive and noted AI expert Qi Lu joins Baidu as COO," TechCrunch, January 17, 2017, techcrunch.com/2017/01/16/qi-lu-joins-baidu-as-coo/.

13. 데미스 하사비스와 저자 인터뷰 참조. Martin Ford, *Architects of Intelligence: The Truth about AI from the People Building It*, Packt Publishing, 2018, p. 179.

14. Field Cady and Oren Etzioni, "China may overtake US in AI research," Allen

Institute for AI Blog, March 13, 2019, medium.com/ai2-blog/china-to-overtake-us-in-ai-research-8b6b1fe30595.

15. Jeffrey Ding, "Deciphering China's AI dream: The context, components, capabilities, and consequences of China's strategy to lead the world in AI," Future of Humanity Institute, University of Oxford, March 2018, www.fhi.ox.ac.uk/wp-content/uploads/Deciphering_Chinas_AI-Dream.pdf.

16. Jeffrey Ding, "China's current capabilities, policies, and industrial ecosystem in AI: Testimony before the U.S.-China Economic and Security Review Commission Hearing on Technology, Trade, and Military-Civil Fusion: China's Pursuit of Artificial Intelligence, New Materials, and New Energy," June 7, 2019, www.uscc.gov/sites/default/files/June%207%20Hearing_Panel%201_Jeffrey%20Ding_China%27s%20Current%20Capabilities%2C%20Policies%2C%20and%20Industrial%20Ecosystem%20in%20AI.pdf.

17. Kai-Fu Lee, "What China can teach the U.S. about artificial intelligence," *New York Times*, September 22, 2018, www.nytimes.com/2018/09/22/opinion/sunday/ai-china-united-states.html.

18. Kathrin Hille and Richard Waters, "Washington unnerved by China's 'military-civil fusion,'" *Financial Times*, November 7, 2018, www.ft.com/content/8dcb534c-dbaf-11e8-9f04-38d397e6661c.

19. Scott Shane and Daisuke Wakabayashi, "'The Business of War': Google employees protest work for the Pentagon," *New York Times*, April 4, 2018, www.nytimes.com/2018/04/04/technology/google-letter-ceo-pentagon-project.html.

20. Tom Simonite, "Behind the rise of China's facial-recognition giants," *Wired*, September 3, 2019, www.wired.com/story/behind-rise-chinas-facial-recognition-giants/.

21. Paul Mozur and Aaron Krolik, "A surveillance net blankets China's cities, giving police vast powers," *New York Times*, December 17, 2019, www.nytimes.com/2019/12/17/technology/china-surveillance.html.

22. Amy B. Wang, "A suspect tried to blend in with 60,000 concertgoers. China's facial-recognition cameras caught him," *Washington Post*, April 13, 2018, www.washingtonpost.com/news/worldviews/wp/2018/04/13/china-crime-facial-recognition-cameras-catch-suspect-at-concert-with-60000-people/.

로봇의 지배

23. Paul Mozur, "Inside China's dystopian dreams: A.I., shame and lots of cameras," *New York Times*, July 8, 2018, nytimes.com/2018/07/08/business /china—surveillance—technology.html.

24. Paul Moser, "One month, 500,000 face scans: How China is using A.I. to profile a minority," *New York Times*, April 14, 2019, www.nytimes.com/2019/04/14/technology/china—surveillance—artificial—intelligence—racial—profiling.html.

25. 위와 같은 자료.

26. Simina Mistreanu, "Life inside China's social credit laboratory," *Foreign Policy*, April 3, 2018, foreignpolicy.com/2018/04/03/life—inside—chinas —social—credit—laboratory/.

27. Echo Huang, "Garbage—sorting violators in China now risk being punished with a junk credit rating," *Quartz*, January 8, 2018, qz.com/1173975/garbage—sorting—violators—in—china—risk—getting—a—junk—credit—rating/.

28. Maya Wang, "China's chilling 'social credit' blacklist," Human Rights Watch, December 12, 2017, www.hrw.org/news/2017/12/13/chinas—chilling—social—credit—blacklist.

29. Nicole Kobie, "The complicated truth about China's social credit system," *Wired*, June 7, 2019, www.wired.co.uk/article/china—social—credit—system—explained.

30. Steven Feldstein, "The global expansion of AI surveillance," Carnegie Endowment for International Peace, September 17, 2019, carnegie endowment.org/2019/09/17/global—expansion—of—ai—surveillance—pub—79847.

31. Yuan Yang and Madhumita Murgia, "Facial recognition: How China cornered the surveillance market," *Financial Times*, December 6, 2019, www.ft.com/content/6f1a8f48—1813—11ea—9ee4—11f260415385.

32. Russell Brandon, "The case against Huawei, explained," *The Verge*, May 22, 2019, www.theverge.com/2019/5/22/18634401/huawei—ban—trump—case—infrastructure—fears—google—microsoft—arm—security.

33. Will Knight, "Trump's latest salvo against China targets AI firms," *Wired*, October 9, 2019, www.wired.com/story/trumps—salvo—against—china—targets—ai—firms/.

34. Kashmir Hill, "The secretive company that might end privacy as we know it," *New York Times*, January 18, 2020, www.nytimes.com/2020/01/18/technology/clearview—privacy—facial—recognition.html.

35. 위와 같은 자료.

36. 위와 같은 자료.

37. Ryan Mac, Caroline Haskins and Logan McDonald, "Clearview's facial recognition app has been used by the Justice Department, ICE, Macy's, Walmart, and the NBA," *BuzzFeed News*, February 27, 2020, www.buzzfeednews.com/article/ryanmac/clearview-ai-fbi-ice-global-law-enforcement.

38. Alfred Ng and Steven Musil, "Clearview AI hit with cease-and-desist from Google, Facebook over facial recognition collection," CNET, February 5, 2020, www.cnet.com/news/clearview-ai-hit-with-cease-and-desist-from-google-over-facial-recognition-collection/.

39. Zack Whittaker, "Apple has blocked Clearview AI's iPhone app for violating its rules," *TechCrunch*, February 28, 2020, techcrunch.com/2020/02/28/apple-ban-clearview-iphone/.

40. Nick Statt, "ACLU sues facial recognition firm Clearview AI, calling it a 'nightmare scenario' for privacy," *The Verge*, May 28, 2020, www.theverge.com/2020/5/28/21273388/aclu-clearview-ai-lawsuit-facial-recognition-database-illinois-biometric-laws.

41. Paul Bischoff, "Surveillance camera statistics: Which cities have the most CCTV cameras?," Comparitech, August 1, 2019, www.comparitech.com/vpn-privacy/the-worlds-most-surveilled-cities/.

42. "Met Police to deploy facial recognition cameras," BBC, January 30, 2020, www.bbc.com/news/uk-51237665.

43. Clare Garvie, Alvaro Bedoya and Jonathan Frankle, "The perpetual line-up: Unregulated police face recognition in America," Georgetown Law Center on Privacy and Technology, October 18, 2016, www.perpetuallineup.org/.

44. "Met Police to deploy facial recognition cameras."

45. London Real, "Jonathan Haidt—Free range kids: How to give your children more freedom (video)," October 27, 2018, www.youtube.com/watch?v=GPTei2srolk.

46. Isabella Garcia, "Can facial recognition overcome its racial bias?," *Yes! Magazine*, April 16, 2020, www.yesmagazine.org/social-justice/2020/04/16privacy-facial-recognition/.

47. Sasha Ingber, "Facial recognition software wrongly identifies 28 lawmakers as crime suspects," NPR, July 26, 2018, www.npr.org/2018/07/26/632724239/facial-recognition-software-wrongly-identifies-28-lawmakers-as-crime-suspects.

48. Patrick Grother, Mei Ngan and Kayee Hanaoka, "Face Recognition Vendor Test (FRVT) Part 3: Demographic effects," National Institute of Standards and Technology, December 2019, nvlpubs.nist.gov/nistpubs/ir/2019/NIST.IR.8280.pdf.

49. Garcia, "Can facial recognition overcome its racial bias?"

50. Amy Hawkins, "Beijing's big brother tech needs African faces," Foreign Policy, July 24, 2018, foreignpolicy.com/2018/07/24/beijings-big-brother-tech-needs-african-faces/.

8장. 인공지능의 위험

1. "Fake voices 'help cyber-crooks steal cash,'" BBC News, July 8, 2019, www.bbc.com/news/technology-48908736.

2. Martin Giles, "The GANfather: The man who's given machines the gift of imagination," MIT Technology Review, February 21, 2018, www.technologyreview.com/2018/02/21/145289/the-ganfather-the-man-whos-given-machines-the-gift-of-imagination/.

3. James Vincent, "Watch Jordan Peele use AI to make Barack Obama deliver a PSA about fake news," The Verge, April 17, 2018, www.theverge.com/tldr/2018/4/17/17247334/ai-fake-news-video-barack-obama-jordanpeele-buzzfeed.

4. Sensity, "The state of deepfakes 2019: Landscape, threats, and impact," September 2019, sensity.ai/reports/.

5. Ian Sample, "What are deepfakes—and how can you spot them?," The Guardian, January 13, 2020, www.theguardian.com/technology/2020/jan/13/what-are-deepfakes-and-how-can-you-spot-them.

6. Lex Fridman, "Ian Goodfellow: Generative Adversarial Networks (GANs)," Artificial Intelligence Podcast, episode 19, April 18, 2019, lexfridman .com/ian-goodfellow/.

(Video and audio podcast available.)

7. J.J. McCorvey, "This image-authentication startup is combating faux social media accounts, doctored photos, deep fakes, and more," *Fast Company*, February 19, 2019, www.fastcompany.com/90299000/truepic-most-innovative-companies-2019.

8. Ian Goodfellow, Nicolas Papernot, Sandy Huang, et al., "Attacking machine learning with adversarial examples," OpenAI Blog, February 24, 2017, openai.com/blog/adversarial-example-research/.

9. Anant Jain, "Breaking neural networks with adversarial attacks," Towards Data Science, February 9, 2019, towardsdatascience.com/breaking-neural-networks-with-adversarial-attacks-f4290a9a45aa.

10. 위와 같은 자료.

11. *Slaughterbots*, released November 12, 2017, Space Digital, www.youtube.com/watch?reload=9&v=9CO6M2HsoIA.

12. Stuart Russell, "Building a lethal autonomous weapon is easier than building a self-driving car. A new treaty is necessary," *The Security Times*, February 2018, www.the-security-times.com/building-a-lethal-autonomous-weapon-is-easier-than-building-a-self-driving-car-a-new-treaty-is-necessary/.

13. 스튜어트 러셀과 저자 인터뷰 참조. Martin Ford, *Architects of Intelligence: The Truth about AI from the People Building It*, Packt Publishing, 2018, p. 59.

14. "Country views on killer robots," Campaign to Stop Killer Robots, August 21, 2019, www.stopkillerrobots.org/wp-content/uploads/2019/08/KRC_CountryViews21Aug2019.pdf.

15. "Russia, United States attempt to legitimize killer robots," Campaign to Stop Killer Robots, August 22, 2019, www.stopkillerrobots.org/2019/08/russia-united-states-attempt-to-legitimize-killer-robots/.

16. Zachary Kallenborn, "Swarms of mass destruction: The case for declaring armed and fully autonomous drone swarms as WMD," Modern War Institute, May 28, 2020, mwi.usma.edu/swarms-mass-destruction-case-declaring-armed-fully-autonomous-drone-swarms-wmd/.

17. Kris Osborn, "Here come the Army's new class of 10-ton robots," *National Interest*, May 21, 2020, nationalinterest.org/blog/buzz/here-come-armys-new-

class—10—ton—robots—156351.

18. Rachel England, "The US Air Force is preparing a human versus AI dogfight," *Engadget*, June 8, 2020, www.engadget.com/the—air—force—will—pit—an—autonomous—fighter—drone—against—a—pilot—121526011.html.

19. Kris Osborn, "Robot vs. robot war? Now China has semi—autonomous fighting ground robots," *National Interest*, June 15, 2020, nationalinterest.org/blog/buzz/robot—vs—robot—war—now—china—has—semi—autonomous—fighting—ground—robots—162782.

20. Neil Johnson, Guannan Zhao, Eric Hunsader, et al., "Abrupt rise of new machine ecology beyond human response time," *Nature Scientific Reports*, volume 3, article number 2627 (2013), September 11, 2013, www.nature.com/articles/srep02627.

21. 스튜어트 러셀과 저자 인터뷰 참조. Ford, *Architects of Intelligence*, p. 59.

22. Jeffrey Dastin, "Amazon scraps secret AI recruiting tool that showed bias against women," Reuters, October 10, 2018, www.reuters.com/article/us—amazon—com—jobs—automation—insight/amazon—scraps—secret—ai—recruiting—tool—that—showed—bias—against—women—idUSKCN1MK08G.

23. Julia Angwin, Jeff Larson, Surya Mattu and Lauren Kirchner, "Machine bias," *Propublica*, May 23, 2016, www.propublica.org/article/machine—bias—risk—assessments—in—criminal—sentencing.

24. 위와 같은 자료.

25. 제임스 매니카와 저자 인터뷰 참조. Ford, *Architects of Intelligence*, p. 279.

26. 리페이페이와 저자 인터뷰 참조. Ford, *Architects of Intelligence*, p. 157.

27. Stephen Hawking, Stuart Russell, Max Tegmark and Frank Wilczek, "Stephen Hawking: 'Transcendence looks at the implications of artificial intelligence—but are we taking AI seriously enough?,'" *The Independent*, May 1, 2014, www.independent.co.uk/news/science/stephen—hawking—transcendence—looks—at—the—implications—of—artificial—intelligence—but—are—we—taking—ai—seriously—enough—9313474.html.

28. Nick Bostrom, *Superintelligence: Paths, Dangers, Strategies*, Oxford University Press, 2014, p. vii.

29. Matt McFarland, "Elon Musk: 'With artificial intelligence we are summoning the demon,'" *Washington Post*, October 24, 2014, www.washingtonpost.com/news/innovations/wp/2014/10/24/elon–musk–with–artificial–intelligence–we–are–summoning–the–demon/.

30. Sam Harris, "Can we build AI without losing control over it? (video)," TED Talk, June 2016, www.ted.com/talks/sam_harris_can_we_build_ai_without_losing_control_over_it?language=en.

31. Irving John Good, "Speculations concerning the first ultraintelligent machine," *Advanced in Computers*, volume 6, pp. 31 – 88 (1965), vtechworks.lib.vt.edu/bitstream/handle/10919/89424/TechReport05–3.pdf.

32. Jesselyn Cook, "Hundreds of people share stories about falling down YouTube's recommendation rabbit hole," *Huffington Post*, October 15, 2019, www.huffpost.com/entry/youtube–recommendation–rabbit–hole–mozilla_n_5da5c470e4b0 8f3654912991.

33. Stuart Russell, *Human Compatible: Artificial Intelligence and the Problem of Control*, Viking, 2019, pp. 173 – 177.

34. Stuart Russell, "How to stop superhuman A.I. before it stops us," *New York Times*, October 8, 2019, www.nytimes.com/2019/10/08/opinion/artificial–intelligence.html.

35. 로드니 브룩스와 저자 인터뷰 참조. Ford, *Architects of Intelligence*, pp. 440 – 441.

결론. 인공지능의 두 가지 미래, 스타트렉인가 매트릭스인가?

1. Rebecca Heilweil, "Big tech companies back away from selling facial recognition to police," *Recode*, June 11, 2020, www.vox.com/recode/2020/6/10/21287194/amazon–microsoft–ibm–facial–recognition–moratorium–police.

2. Joseph Zeballos–Roig, "Kamala Harris supports $2,000 monthly stimulus checks to help Americans claw out of pandemic ruin—and she's long backed plans for Democrats to give people more money," *Business Insider*, August 15, 2020, www.businessinsider.com/kamala–harris–biden–monthly–stimulus–checks–economic–policy–support–vice–2020–8.

로봇의 지배

3. Bob Berwyn, "What does '12 years to act on climate change' (now 11 years) really mean?," *Inside Climate News*, August 27, 2019, insideclimatenews.org/news/27082019/12–years–climate–change–explained–ipcc–science–solutions.

4. Bill Gates, "COVID–19 is awful. Climate change could be worse," Gates Notes, August 4, 2020, www.gatesnotes.com/Energy/Climate–and–COVID–19.

5. Bill Gates, "Climate change and the 75% problem," Gates Notes, October 17, 2018, www.gatesnotes.com/Energy/My–plan–for–fighting–climate–change.

6. Nicholas Bloom, Charles I. Jones, John Van Reenen and Michael Webb, "Are ideas getting harder to find?," *American Economic Review*, volume 110, issue 4, pp. 1104 – 1144 (April 2020), www.aeaweb.org/articles?id=10.1257/aer.20180338, p. 1138.

7. Mark Aguiar, Mark Bils, Kerwin Kofi Charles and Erik Hurst, "Leisure luxuries and the labor supply of young men," National Bureau of Economic Research, Working Paper 23552, June 2017, www.nber.org/papers/w23552.

RULE OF
THE
ROBOTS

옮긴이 **이윤진**

이화여자대학교 불어불문학과를 졸업하고 영국 워릭대학교 경영대학원에서 경영학석사 과정을 마쳤다. 국내 대기업 계열 금융회사 마케팅팀을 거쳐 외국계 글로벌 기업에서 온라인 마케팅 전략을 담당했다. 현재 바른번역 소속 번역가로 활동 중이며 옮긴 책으로 《당신은 AI를 개발하게 된다, 개발자가 아니더라도》《실험실의 쥐》《왓츠 더 퓨처》《유튜브 7초에 승부하라》, 《사장은 어떻게 일해야 하는가》《경제학자의 다이어트》가 있다.

인공지능은 어떻게 모든 것을 바꿔 놓았나

로봇의 지배

초판 1쇄 발행 | 2022년 9월 29일
초판 4쇄 발행 | 2024년 6월 14일

지은이 　 | 마틴 포드
옮긴이 　 | 이윤진
펴낸이 　 | 전준석
펴낸곳 　 | 시크릿하우스
주소 　 | 서울특별시 마포구 독막로3길 51, 402호
대표전화 | 02-6339-0117
팩스 　 | 02-304-9122
이메일 　 | secret@jstone.biz
블로그 　 | blog.naver.com/jstone2018
페이스북 | @secrethouse2018
인스타그램 | @secrethouse_book
출판등록 | 2018년 10월 1일 제2019-000001호

ISBN 979-11-90259-26-2 03320